Sœurs sorcières

LIVRE 3

Photos de couverture © Malgorzata Maj / Arcangel Images

L'édition originale de ce livre a été publiée pour la première fois en 2014,
en anglais, par G. P. Putnam's Sons, sous le titre :
The Cahill Witch Chronicles : book 3, Sisters' fate.
© 2014 par Jessica Spotswood

Loi n° 49-956 du 16 juillet 1949 sur les publications destinées à la jeunesse,
modifiée par la loi n° 2011-525 du 17 mai 2011.
ISBN : 978-2-09-254045-9

JESSICA SPOTSWOOD

Sœurs sorcières

LIVRE 3

Traduit de l'anglais (États-Unis) par Rose-Marie Vassallo et Papillon

Nathan

Pour mes sœurs, Amber & Shannon,
sans qui je ne connaîtrais pas
toute la force des liens entre les sœurs Cahill,
tissés de rivalités et d'attachement farouche.

Et pour mes amies Jenn, Jill, Liz & Laura,
qui sont devenues – comme Cate – mes sœurs de cœur.

Prologue

Cinq minutes plus tôt

Brenna gravit d'un pas dansant le perron de marbre du prieuré. Je monte à sa suite quand, derrière moi, un bruit sourd m'arrête. Je me retourne. Finn est à quatre pattes sur les pavés. Il se relève, remet ses lunettes en place et se dirige vers la calèche, mais sa démarche n'a pas sa grâce habituelle. Il s'immobilise et examine le véhicule d'un air perplexe.

Je le hèle : « Ça va ? »

Il me considère, puis baisse la tête, l'air embarrassé.

« Excusez-moi, mademoiselle... Est-ce ma calèche ? »

Le ton est poli, impersonnel, comme s'il s'adressait à une étrangère.

Ses paroles résonnent à mes oreilles : Excusez-moi, mademoiselle.

Je me croyais déjà en état de choc. À présent, c'est bien pire. Je ne comprends pas. J'inspecte la rue déserte. Il n'y a que Brenna et moi ici. Et Maura.

Maura.

Elle est campée sur le trottoir, les yeux rivés sur Finn. Mon Finn.

Elle n'aurait pas fait une chose pareille.

Pas ma propre sœur.

Chapitre 1

Je laisse Maura plantée au milieu de la neige qui tourbillonne. Je ne peux pas voir une seconde de plus sa mine satisfaite, ou je ne répondrai plus de mes actes.

Je rentre dans le prieuré et reste un moment adossée à la lourde porte refermée. Des gouttes tombent de ma cape, mais j'ai les yeux secs. Tout me paraît… irréel. Harwood est vide, Zara est morte, et Finn ne se rappellera plus rien de ce que nous avons fait, ni rien nous concernant, lui et moi. Depuis le début de ce long combat, la pensée de notre avenir commun m'a guidée. La promesse qu'à la fin nous serions ensemble m'a portée en avant, lors même que les obstacles semblaient insurmontables.

Comment vais-je pouvoir continuer sans ce soutien ? Sans lui ?

Tess se précipite vers moi. Elle a dû guetter le bruit de la porte.

« Cate, te voilà ! Alors ? Comment ça s'est passé à Harwood ? Je me suis fait un sang d'encre, tu… » Mais je suis raide entre ses bras et elle recule, m'observe attentivement. « Qu'y a-t-il ?

— Maura sait que tu es la sibylle. » Je serre mes bras autour de moi, comme pour éviter de me désintégrer. Je viens juste de le remarquer, j'ai du sang sur la main droite.

Le sang de Zara.

« Maura le sait ? Comment ça ?

— Je le lui ai dit.

— Mais… » Ma petite sœur semble pétrifiée. « Tu avais promis. »

Sa stupeur m'accable. Je ne suis pas du genre à rompre une promesse faite à mes sœurs. Ni à personne d'autre, d'ailleurs. Je ne donne jamais ma parole à la légère. C'est la faute de Maura, aussi. C'est elle qui m'a poussée à rompre ma promesse.

Tess s'assombrit, son regard se fait ciel d'orage. « Pourquoi le lui avoir dit ? Nous étions d'accord pour attendre. »

L'aveu m'échappe : « J'ai voulu la blesser. Rien d'autre ne comptait. » Maura désirait si fort être la sibylle, la sorcière de la prophétie, celle qui sauverait la Nouvelle-Angleterre. Assez fort pour me trahir.

Qu'a-t-elle effacé d'autre, en plus de moi ? Au cours de ces dernières semaines, la vie de Finn et la mienne s'étaient étroitement entremêlées. Il ne va pas comprendre pourquoi sa mère a fermé leur librairie. Il va s'en vouloir à mort d'avoir rejoint l'ordre des Frères, surtout maintenant que ceux-ci, non contents d'emprisonner des innocentes, les soumettent à la torture et à la faim.

Je serre les poings pour ne pas hurler ; si je commence, pourrai-je m'arrêter ?

« Tu as voulu la blesser », répète Tess, incrédule. Elle me regarde comme si je rentrais de cette expédition en étrangère. « Et tu t'es servie de moi pour le faire. Tu ne…

— Zara est morte. » Je suis tellement en rage d'un seul coup. Tant pis si je lui coupe la parole. « Tu le savais, qu'elle allait mourir. Tu aurais pu me faire la grâce de me prévenir!»

Ses yeux s'emplissent de larmes.

«Je suis désolée. Elle m'avait demandé de ne pas t en parler et j'avais peur que... que ça te perturbe Tu ne pouvais rien faire pour l'empêcher.» Son dos se voûte et elle paraît beaucoup plus âgée que ses douze ans. Elle lâche un soupir qui me brise le cœur. «C'est pour cette raison que tu l'as dit à Maura? Pour te venger de moi?

— Non.» Quelle que soit l'horreur de la situation, Tess n'y est pour rien.

«La petite sibylle!» Brenna Elliott surgit du salon de devant comme un diable de sa boîte «Saine et sauve. Je n'ai rien dit, hein. Ils voulaient que je parle, mais j'ai tenu bon, même quand ils m'ont cogné dessus.»

Tess se fige et laisse la prophétesse folle s'avancer vers elle et caresser ses boucles blondes.

«Merci, murmure-t-elle.

— Ils m'ont cassé les doigts.» Brenna les agite sous le nez de Tess. «Mais le gentil corbeau les a réparés.»

Le gentil corbeau est Sœur Sophia. Sophia, qui m'a initiée à l'art de la guérison. C'est le seul type de magie dans lequel je me sente à l'aise. J'ai découvert une grande satisfaction à soigner les autres – et à me prouver que les Frères se trompent: la magie n'est pas qu'égoïsme et maléfices.

Cette nuit, j'ai usé de mes dons pour arrêter le cœur de Zara.

Elle m'avait demandé de l'aider à mourir dans la dignité, et je l'ai fait. Mais la fixité de ses yeux bruns et l'odeur cuivrée de son haleine me hantent déjà.

Tess tapote le bras de Brenna.

«Vous êtes en sécurité à présent, vous aussi. Ici, personne ne viendra vous faire de mal.

— Rory va bientôt arriver. Avec sa sœur.» Les yeux de Brenna volettent comme des papillons fous. «Et il y a vous et Cate et l'autre. Les trois sœurs.

— Cate est ici?» Alice Auclair s'approche de nous d'un pas tranquille, avec la mine satisfaite du chat qui vient de croquer le canari. «Cate, le Conseil suprême est anéanti. Onze des douze membres en tout cas, Covington compris!

— Je suis au courant.» Si elle espère des félicitations, elle peut attendre longtemps. Son sourire me donne la chair de poule.

Je connaissais l'existence du projet, mais le voilà réalisé. Sœur Inez, Maura et Alice ont usé d'intrusion mentale contre les membres du Conseil suprême, et leur ont nettoyé le cerveau de façon si méthodique qu'il doit leur rester, au mieux, les capacités intellectuelles d'un nouveau-né. Les Frères étaient déjà sur le point de basculer dans la violence aveugle, nous ramenant un siècle en arrière, au temps de la chasse aux sorcières qui faillit faire disparaître celles-ci, et qui vit périr tant d'innocentes. Depuis des mois, ils n'attendaient qu'un prétexte pour renouer avec ces anciennes pratiques – et Inez vient de leur en fournir un.

Toutes les femmes de Nouvelle-Angleterre vont payer cher le geste irresponsable d'Inez. Il suffira d'être un peu trop cultivée, ou excentrique, ou de ne pas mâcher ses mots, pour risquer de se faire éliminer sans autre forme de procès, et non plus seulement envoyer à l'asile.

Comment lutter contre cela ? Les Frères sont des milliers, les sorcières quelques centaines. Notre unique espoir était de gagner le soutien de la population, et Inez l'a réduit à néant. Les Frères ont fait de nous des ennemis publics en mettant l'accent sur les méfaits – bien réels mais rarissimes – de l'intrusion mentale. Après l'horreur de cette attaque, nous allons redevenir les monstres dont on menace les enfants.

Brenna agrippe ma manche de ses doigts osseux et m'arrache à mes pensées.

« C'est elle. » Ses yeux sont braqués sur Alice, pleins d'effroi. « Le corbeau qui a fait des trous dans ma tête ! »

Alice a un mouvement de recul. Son regard va de Brenna à moi, puis revient sur Brenna. Son teint de porcelaine se marbre de plaques rouges.

Tess referme les bras sur Brenna, qui pourtant la dépasse d'une tête, et s'efforce de l'apaiser.

« Elle ne le fera plus. C'était un accident. » Mais Brenna geint comme un bébé.

Alice amorce un mouvement de retraite. Elle n'imaginait pas, je pense, qu'un jour elle se retrouverait face à son *accident*.

Je lui barre la route.

« Non, Alice, regardez-la. Regardez une bonne fois ce que vous avez fait. »

Alice regarde Brenna et voit sa blouse tachée, ses cheveux hirsutes, ses traits émaciés, son œil au beurre noir, conséquence de son opposition aux Frères, ses bras d'épouvantail et ses cicatrices aux poignets, séquelles d'une tentative de suicide…

Elle détourne les yeux et marmotte : «Je suis navrée. Je ne l'ai pas fait exprès.»

Elle avait entrepris de faire oublier à Brenna que les Sœurs sont toutes sorcières, mais l'opération a mal tourné. L'intrusion mentale est une magie à haut risque. Je l'empoigne par les épaules.

«Navrée, navrée, vous croyez que ça suffit? Votre beau travail est irréversible. Jamais vous ne pourrez réparer!

— Lâchez-moi!» Elle se débat, mais je la retiens et la secoue comme un prunier.

Ce n'est pas une peccadille que de s'immiscer dans l'esprit d'autrui.

Notre premier baiser, avec les Frères de l'autre côté de la porte, les mains de Finn sur ma taille, les plumes surgies de l'obscurité. Effacé.

Le deuxième, dans la gloriette, avec le vent qui emmêlait mes cheveux, l'odeur de sciure et de terre mouillée tout autour de nous. Effacé.

Le troisième, le jour où je lui ai avoué que j'étais sorcière et où il m'a quand même demandée en mariage. Effacé.

«Cate!» Tess m'attrape le bras.

Je lâche Alice et je recule, la gorge noyée de sanglots que je ne vais pour rien au monde laisser sortir. Les yeux sur le tapis que mes bottines ont trempé de neige fondue, j'entends Alice s'offusquer : «Non mais, Cate! vous avez perdu la tête?», puis regagner le salon, en jouant des coudes apparemment – «Pardon! pardon!» – à travers la petite troupe de filles agglutinées près de la porte, attirées par les éclats de voix.

« Cate, reprend Tess d'un ton vibrant d'appréhension, qu'a fait Maura, pour que tu… »

Je l'interromps, relevant la tête.

« Elle a effacé la mémoire de Finn. Il ne se souvient plus de moi.

— Elle ? Mais pourquoi ?

— Par jalousie. Parce que j'ai – pardon, j'avais – ce qu'elle n'a pas. Elle voulait que je sois aussi seule qu'elle, aussi amère. C'est réussi. Je lui en veux tellement que je pourrais la tuer ! »

Tess ouvre sur moi des yeux immenses. Tuer. Ce n'est pas un mot à prononcer à la légère. Pas depuis que nous avons découvert la prophétie selon laquelle l'une de nous trois tuera l'une des deux autres avant le tournant du siècle. J'ai toujours cru la chose impensable. Nous sommes sœurs. Nous nous aimons. Nous nous protégeons mutuellement. Rien n'est plus fort que ce lien-là.

Rien ne l'était.

Brenna, qui était repartie dans le salon, glisse la tête à la porte et prédit « Ce n'est pas du tout ainsi que ça se passera. »

Tess virevolte.

« Silence ! » Jamais Tess ne parle sur ce ton. Que sait-elle – qu'a-t-elle vu ? « Personne ne va tuer personne », poursuit-elle, et elle me tire par le bras pour m'entraîner vers l'escalier. Il y a du désespoir dans sa voix, mais je ne sais pas si c'est moi qu'elle essaie de convaincre, ou Brenna, ou elle-même. « On arrangera tout ça. Montons, Cate.

— Arranger tout ça ? dis-je, amère. Impossible. » Les souvenirs de Finn sont effacés à jamais ; aucune magie ne les fera revenir. Maura a trahi ma confiance et cela aussi est sans remède. À l'autre bout du hall d'entrée, j'aperçois l'amie de Tess, Lucy Wheeler, qui attend des nouvelles de son aînée, et j'ajoute : « Non, je ne monte pas. Je ne vais certainement pas me rendre invisible à cause de Maura. D'ailleurs, il faut que je raconte à Lucy et aux autres comment les choses se sont passées à Harwood. »

Je fais signe à Lucy. Elle accourt, les joues rouges et l'air anxieux. Je m'apprête à la rassurer – oui, sa grande sœur va bien, nous l'avons tirée de l'asile –, mais la porte de la rue s'ouvre sur un groupe de filles, toutes en cape noire de l'ordre des Sœurs.

« Nous voilà ! triomphe Rilla, ma compagne de chambrée. Et l'autre voiture arrive. Elle est juste derrière. »

Elle rayonne, et il y a de quoi. Victoire ! Nous avons libéré de Harwood des dizaines de malheureuses injustement enfermées. Certaines sont parties de leur côté, d'autres sont en route pour l'un des trois refuges dont nous disposons dans le pays. Six autres possédant des dons précieux ou ayant de la famille ici vont s'installer au prieuré. Elles y seront en sécurité, du moins plus qu'elles ne l'étaient à l'asile. L'opération n'a fait qu'une victime : Zara. Notre mission est un succès – qui pourtant ne m'apporte aucune joie.

La joie de Lucy, en revanche, est sans mélange.

« Grace !

— Lucy ? » Grace Wheeler est un sosie de sa cadette, en plus grand et plus maigre, avec des cheveux caramel embroussaillés et des yeux bruns trop grands pour son visage décharné. Lucy se jette dans les bras de sa sœur, riant et pleurant à la fois.

«Dire que je croyais ne plus te revoir!

— Et moi, je pensais ne jamais sortir de cet horrible endroit. Je me voyais finir là-bas.» Grace avale sa salive. «Tu… tu es sorcière, à ce qu'on m'a dit?

— Comme nous toutes ici. Mais rien à voir avec ce que racontent les Frères, tu sais. Ce n'est pas comme si…

— Moi, ça m'est bien égal si vous dansez avec le diable toutes les nuits», l'interrompt une grande fille aux cheveux carotte. «À mes yeux, vous êtes des anges, pour nous avoir sorties de ce trou à rats.

— Caroline!» la réprimande Maud. La rousse doit être sa cousine.

Caroline lève les yeux au plafond.

«J'appelle un chat un chat. C'était plein de rats, là-bas, et deux fois sur trois la nourriture grouillait de bestioles. Les Frères qui nous rendaient visite ne se gênaient pas pour peloter les plus jolies – et quand on se défendait, ils doublaient la dose de laudanum.»

Je jette un coup d'œil à une autre arrivante, une belle Indonésienne d'à peu près mon âge. Appuyée contre la console de l'entrée, elle tripote le porte-lettres en forme de lyre. D'après les infirmières, Parvati était la favorite de Frère Cabot.

«Vous êtes chez vous, ici, dis-je pour les rassurer toutes. Personne ne vous…»

Je suis incapable de poursuivre; Maura vient d'entrer et prend la parole: «Bienvenue dans l'ordre des Sœurs, vous qui êtes sorcières. Je m'appelle Maura Cahill. Vous êtes en sécurité ici – tant que nous pourrons compter sur votre loyauté.»

Mon corps se tend comme la corde d'un arc.

« Ah, tu es bien placée pour parler de loyauté !

— Cate, tu crois que c'est le moment ? » Dans un frou-frou de sa jupe saphir, elle va se planter au milieu du hall, martin-pêcheur entouré de corneilles. « Si les Frères découvraient ce que nous sommes, nous serions toutes exécutées. Nos secrets doivent rester entre nous – entre sorcières. Nous ne les partageons pas avec des gens de l'extérieur.

— Grace est ma sœur, proteste Lucy.

— Mais elle n'est pas sorcière, reprend Maura avec un petit geste significatif. L'ordre des Sœurs passe en premier, Lucy.

— Pas avant les liens du sang. Pas pour moi », s'obstine Lucy.

Je laisse échapper un ricanement étranglé.

« Mais pour Maura, si. »

Rilla plisse son nez semé de taches de rousseur.

« Je ne vois pas en quoi Maura a son mot à dire là-dessus. Pour cette expédition, elle n'a pas levé le petit doigt.

— C'est Cate qui a tout organisé, renchérit Violet van Buren. Avec Elena. Et avec son merveilleux soupirant », ajoute-t-elle en me lançant un clin d'œil espiègle – que je reçois comme un coup d'épée. « Ah ! je comprends mieux, maintenant, pourquoi vous ne vouliez pas renoncer à Finn. Seigneur, la manière dont il vous regarde !

— Vi, commence Tess, affolée.

— Je donnerais cher pour que quelqu'un me regarde de cette façon, insiste Vi, les mains sur son cœur. C'est tellement romantique. Vous allez l'épouser, n'est-ce pas ? Quand tout ça sera fini ? »

C'était mon espoir. Mon plus grand désir au monde. Jusqu'ici, j'avais gardé le silence sur Finn. Espionner pour l'ordre des Sœurs ne le mettait que trop en danger. Moins il y aurait de personnes au courant, mieux ce serait. Mais toutes les filles présentes à Harwood cette nuit l'ont vu auprès de moi. Maintenant, elles vont me demander de ses nouvelles.

Je ne suis pas certaine de pouvoir le supporter.

« L'épouser, je ne crois pas, non, dis-je d'une voix brisée.

— Mais pourquoi? s'écrie Vi, stupéfaite.

— Demandez à Maura.» Je mets ma sœur en demeure. «Dis-leur ce que tu as fait.»

Elle fuit mon regard.

«Ne ramène donc pas sur le tapis ce qui n'intéresse que nous. Il y a plus important.» Elle me tourne le dos avec tant de mépris que je brûle de me jeter sur elle pour lui tirer les cheveux. Si seulement *ce qui n'intéresse que nous* pouvait se régler aussi facilement que nos querelles d'enfants!

Je reviens à la charge.

«Je ne suis pas si sûre que ça ne regarde que nous, alors je vais le dire.» Je m'avance au milieu du hall pour capter l'attention générale – ce que je fuis d'ordinaire. Les mots jaillissent de ma bouche en flot désordonné : «Finn a rejoint l'ordre des Frères pour moi. Il haïssait chaque minute passée avec eux, et tout ce qu'ils représentent. Il me savait sorcière, et m'aimait malgré tout. Non, pas malgré tout. Il était fier de moi. Il a risqué sa vie en espionnant pour nous et en contribuant à vous libérer. S'il s'était fait prendre, il aurait été exécuté sur-le-champ.» J'ai l'impression de prononcer un éloge funèbre, et peut-être en est-ce un. «Mais Sœur Inez voulait que Maura prouve qu'elle pouvait être sans pitié. Inez n'admettait pas qu'un Frère soit au courant de nos secrets. Et Maura... Maura a toujours jalousé mon histoire avec Finn. Alors, elle s'est introduite dans son esprit et m'a effacée de sa mémoire. Voilà quel genre de fille elle est. Elle en ferait autant pour n'importe laquelle d'entre vous sans l'ombre d'une hésitation.»

Muette, les joues en feu, les yeux cloués sur moi, Maura ne bouge pas d'un pouce. Les autres s'écartent d'elle comme si elle était une pestiférée.

«Va-t'en, Maura, déclare finalement Tess d'une voix blanche. Va dans ta chambre. Cate n'a pas à supporter ta présence en ce moment. Et en toute franchise, moi non plus, en cet instant, je ne tiens pas à te voir.

— Qui es-tu pour me donner des ordres?» cingle Maura.

La sibylle. Celle de la prophétie. Je voudrais entendre Tess asséner cette vérité à Maura, mais je sais qu'elle ne le fera pas. Elle n'est pas assoiffée de pouvoir comme Maura, ni vindicative comme moi.

«Je suis la sœur qui continue de t'adresser la parole», répond Tess simplement.

Le visage de Maura se ferme.

«Tu n'as même pas entendu ma version des faits.»

Tess ne se laisse pas fléchir, son regard gris est acéré comme une lame.

«Je ne vois pas ce que tu pourrais dire qui justifierait ce que tu as fait.

— Très bien. Prends son parti, comme toujours. Je n'ai

pas besoin de vous! Vous verrez.» Elle traverse le groupe éberlué et s'élance dans l'escalier.

Il ne me reste que le sentiment d'être… quoi? Insatisfaite. Et ce, pour une vengeance mesquine.

Rilla est la première à recouvrer ses esprits. Elle me prend la main, ses yeux noisette emplis de compassion. «Montons, Cate. Vous devez être…

— Non.» Je m'écarte vivement. Elle est pleine de bonnes intentions, comme toujours, mais sa gentillesse me donne envie de hurler.

Je regarde autour de moi les filles assemblées dans le hall. Je ne peux pas m'effondrer; elles ont besoin de moi. Je ne suis pas la seule à qui Maura s'en est prise ce soir. En ce moment même, peut-être, les employés du Conseil suprême découvrent leurs supérieurs hébétés, balbutiant comme des bébés ou comme des petits vieux gâteux, incapables de se souvenir de leur propre nom. Demain, New London grondera de clameurs contre les sorcières, et les choses empireront encore avec la découverte de la mutinerie de Harwood.

Les Frères vont contre-attaquer. Nous devons nous y préparer. Les ex-détenues ont été affamées, droguées, brutalisées. Il leur faut un endroit où récupérer, et le prieuré n'est plus un havre sûr. Pas avec Sœur Cora décédée et Inez à sa place. Inez fera n'importe quoi pour renverser les Frères et prendre le pouvoir. Sans se soucier de celles et ceux qui pourraient périr dans l'opération.

Mais moi, je m'en soucie.

J'ai perdu une sœur cette nuit – je l'ai rayée de mes tablettes –, mais j'en ai gagné des dizaines.

Je compte faire de la Nouvelle-Angleterre un lieu sûr pour chacune d'entre elles.

La magie afflue en moi, crépite au bout de mes doigts. Les bougies du chandelier posé sur la console du courrier s'embrasent, imitées par les vieux candélabres en cuivre alignés dans le hall.

Je suis fatiguée de cacher ce que je suis. Il doit exister une voie meilleure. Pas celle d'Inez. Ni celle de Covington. Si c'est la guerre que veulent les Frères, que veut Maura, ils l'auront : je les combattrai, eux comme elle.

Je lève le menton, cherche le regard de chacune des nouvelles venues.

« Bienvenue dans l'ordre des Sœurs, vous toutes. Comme vous l'avez sans doute deviné, je suis Cate Cahill, et voici ma sœur Tess. Nous allons vous donner à manger, puis nous vous montrerons vos chambres. Vous êtes ici chez vous à présent. Je ferai mon possible pour que vous y soyez à l'abri du danger. »

Nous installons les nouvelles venues devant la cheminée du salon, avec du pain, du beurre, de la confiture de fraise et du chocolat chaud. Puis je laisse Rilla et Vi s'occuper d'elles et je gagne l'appartement de Cora, au deuxième.

Sœur Gretchen m'ouvre la porte. Ses yeux sont injectés de sang et rougis par les larmes.

« Cate. Vous êtes au courant ? »

J'acquiesce et je passe une main dans mes cheveux décoiffés.

« Elle va me manquer, mais je suis heureuse de la savoir en paix.

— Je savais que c'était la fin, sanglote Gretchen, mais je me demande ce que je vais devenir sans elle.»

Cora et elle étaient amies intimes depuis leurs études au couvent.

«Je sais, dis-je, pressant sa main. J'aimerais lui faire mes adieux, si cela ne vous ennuie pas.

— Bien sûr que non.» Nous traversons le salon mal éclairé de Cora avant de pénétrer dans sa chambre. Son corps repose sur le lit à baldaquin, vêtu d'une simple robe noire. Ses cheveux blancs cascadent sur ses épaules; ses mains décharnées semblent aussi nues que des arbres en hiver, sans la douzaine d'anneaux qu'elle portait. «Je vous laisse seule avec elle un moment.

— Merci.»

Je m'approche du lit. La plupart du temps, je ne sais trop à quoi je crois en matière de religion, mais là, j'ai cette impression que l'âme de Cora est quelque part, toute proche. D'instinct, je lève les yeux au plafond, comme si je m'attendais à la voir flotter au-dessus de moi.

Je n'ai jamais trouvé grand réconfort à penser que ma mère me regardait du haut des cieux. Lors de ses obsèques, c'était la platitude préférée des Frères. Ils ne sont pas allés jusqu'à suggérer que je pouvais demander aide et conseils à son esprit. C'eût été sacrilège: une fille doit se tourner vers son père, son mari ou les Frères eux-mêmes pour obtenir un avis. Mais ils répétaient qu'elle continuait à veiller sur moi depuis le paradis, persuadés que c'était pour moi une consolation. Malheureusement, la mission que Mère m'avait assignée – protéger mes sœurs – pesait déjà suffisamment sur mes épaules; l'éventualité qu'elle vérifiait si je m'en sortais bien ne m'enchantait guère.

Sœur Cora m'a confié une tâche plus lourde encore : veiller sur l'ordre des Sœurs tout entier. Tess peut bien être la sorcière de la prophétie, elle est trop jeune pour gouverner, et aucune de nous ne se fie à Inez pour le faire à sa place

Je murmure : « Je ne laisserai pas Inez détruire ce que vous avez construit. » Mon serment semble absorbé par le tapis et les lourds rideaux verts qui font barrage à la nuit neigeuse.

Je m'aperçois que j'aime assez l'idée que Cora m'observe. Elle exigeait beaucoup, mais elle a commis des erreurs elle aussi, par exemple avec Zara. Elle me pardonnera les miennes.

Cette idée me rend courage.

« Merci. De croire en moi. »

Un dernier regard pour Cora, entourée de chandelles qui tiennent en respect les ténèbres, et je rejoins Gretchen assoupie dans le fauteuil à fleurs du salon.

« Vous allez retourner à ses côtés ? » Elle acquiesce et je lui propose : « Voulez-vous que je vous remplace ? »

Ses anglaises grises dansent en signe de refus.

« Il faut vous reposer. Comment ça s'est passé à Harwood ? J'aurais dû vous le demander plus tôt.

— Bien, dans l'ensemble. » Je me mordille la lèvre. « Zara est morte. Tuée par une infirmière.

— Oh, Cate. » Gretchen réprime un sanglot. « Je suis navrée. Zara était une femme de bien. Elle aurait été d'une grande aide pour vous. » Elle redresse les épaules, plante ses yeux dans les miens. « Si vous avez besoin de quoi que ce soit, je suis de votre côté. Ce qu'a fait Inez ce soir au Conseil suprême… c'est inacceptable. Et absolument contraire à ce qu'aurait voulu Cora.»

Je respire un grand coup.

«Il y a une chose… Je voudrais contacter Frère Brennan. Organiser une rencontre avec lui dès que possible.»

Brennan était l'espion de Cora au Conseil suprême. Il aurait dû subir le même sort que les autres, ce soir, mais Finn avait trafiqué son thé avec des herbes pour le rendre malade, de sorte qu'il était absent de la réunion.

J'espère que Brennan sera élu à la tête de l'ordre des Frères. Aux dires de tous, il est progressiste. Si je parviens à lui faire comprendre que nous n'étions pas toutes dans le camp d'Inez, peut-être incitera-t-il les autres Frères à choisir un chemin moins vindicatif. C'est lui demander beaucoup, je sais. Les membres du Conseil étaient ses collègues. Sans doute des amis, pour certains. De plus, sauf à trouver le moyen de priver Inez de ses pouvoirs, c'est elle qui va diriger l'ordre des Sœurs pendant quatre ans, jusqu'à la majorité de Tess.

«Il y a une papeterie, dans le quartier commerçant, répond Gretchen. La papeterie O'Neill. Nous remettions au propriétaire les messages pour Brennan. Vous connaissez déjà le code dont Cora et lui se servaient. Je peux transcrire une lettre pour vous, si vous le désirez, bien que je soupçonne Tess d'en être parfaitement capable.» Tess excelle en cryptographie, comme en presque tout ce qui l'intéresse.

Gretchen détache son pendentif en rubis. La chaînette d'or au creux de ses mains me rappelle que celui de Zara

– un médaillon renfermant le portrait de Mère – est toujours dans la poche de ma cape. Sous mes yeux, le rubis se change en clé de laiton.

«Cette clé vous permettra d'entrer par la porte de derrière, reprend Gretchen. Vous pourriez user de magie, bien sûr, mais les autres ont une clé, et ils seront plus enclins à vous faire confiance si vous possédez celle de Cora. Dans l'arrière-boutique, un escalier conduit à la cave. C'est en bas que se réunissent les membres de la Résistance.»

Gretchen me tend la clé. L'objet ne pèse rien au creux de ma paume, mais sa valeur est inestimable. La vieille Sœur est-elle en train de me dire que des gens œuvrent en secret contre les Frères, aux côtés des sorcières? Zara y avait fait allusion, et nous avions présupposé que ces groupes existaient toujours, au point d'envoyer des évadées de Harwood vers plusieurs de leurs refuges. Mais je ne soupçonnais pas un lien entre eux et Cora.

«La Résistance? dis-je, m'asseyant dans le fauteuil voisin.

— Brennan n'est pas le seul homme de Nouvelle-Angleterre à s'insurger contre les méthodes des Frères. Les chefs de la Résistance se réunissent une fois par semaine. La prochaine réunion est prévue vendredi soir. Je viendrai avec vous, si vous le souhaitez. Il sera difficile de gagner leur confiance; il a fallu des années à Cora. Ils savaient qu'elle était sorcière, mais ils ignorent que nous le sommes toutes. Et même ceux qui n'ont rien contre les sorcières ne considèrent pas les femmes comme leurs égales. Je ne vais pas vous mentir, Cate.

Vous rallier Alistair Merriweather ne sera pas une partie de plaisir.

— Qui est-ce?

— Seigneur, mon petit, vous ne lisez jamais la presse? Il publie la *Gazette*.»

À vrai dire, je n'ai jamais lu *The New London Gazette*. *The Sentinel* est le quotidien officiel de New London, il porte la parole des Frères. Tout autre journal est en principe interdit. Mais j'ai déjà entraperçu la *Gazette* dans certains logis des quartiers pauvres où nous distribuons nos paniers de nourriture.

«Vous devriez vous en procurer un numéro, poursuit Gretchen, et vous en imprégner un peu avant de rencontrer Merriweather. Si vous parvenez à l'apprivoiser, ce sera un immense bénéfice pour nous. Un cinquième de la population de la ville lit son journal, comme il ne sera que trop heureux de vous le faire savoir.»

Une bouffée d'espoir m'envahit.

«Ça fait beaucoup de gens mécontents des Frères.

— Et ce ne sont là que ceux qui ont l'audace de se procurer la *Gazette* et qui la lisent. Combien l'empruntent à leurs voisins? Combien ne savent même pas lire?» Un sourire désabusé relève les coins de sa bouche. «Les moins fortunés sont exaspérés par toutes les nouvelles lois restrictives. Rappelez-vous les centaines de manifestants sur Richmond Square l'autre jour.

— La moitié d'entre eux n'y ont gagné que la prison, dis-je en pensant aux sœurs de Mei. Est-ce que ça n'aura pas refroidi les velléités de rébellion?

— Je pense plutôt que ça a fait monter la pression. Ces

gens protestaient pacifiquement. Méritaient-ils de se retrouver sous les verrous ? D'après vous, comment les pauvres gens s'en sortent-ils à présent ? De plus en plus mal, voilà comment ; avec l'aide de leur famille s'ils en ont une, ou grâce à notre charité. Le peuple est en colère, en particulier les classes laborieuses. Il se cherche des dirigeants dignes de ce nom.

— Des personnes comme Tess. » La sibylle de la prophétie, capable de conquérir le cœur de nos concitoyens.

« Et comme vous, déclare Gretchen. Vous et Merriweather, vous formeriez une équipe redoutable. »

Mon regard se pose sur la porte de la chambre, entrouverte, et le doute me saisit. S'il a fallu des années à Cora pour gagner la confiance des chefs de la Résistance, comment vais-je pouvoir m'y prendre ? Je suis loin d'avoir son intelligence.

« Cora avait foi en vous, m'assure Gretchen. Ne décevez pas ses espoirs. »

Je transforme en rubis la clé de laiton et l'accroche en pendentif à mon cou. Son poids me réconforte.

« Je ne la décevrai pas. »

Chapitre 2

« **Votre attention, mesdemoiselles.** » La voix d'Inez me tire de ma somnolence lors du petit déjeuner qui suit. « J'ai plusieurs annonces à faire. »

Je l'ai soigneusement évitée, je me doutais bien qu'elle arborerait sa mine triomphante. Son plan est en bonne voie de réalisation. Elle a réduit à néant le Conseil suprême ; Sœur Cora est morte ; Maura lui a prouvé sa loyauté indéfectible ; et Inez se figure à coup sûr que j'en suis anéantie.

Qu'elle le croie. Sa victoire ne durera pas. Avant de gouverner l'ordre des Sœurs et la Nouvelle-Angleterre, elle devra me passer sur le corps.

Prise en sandwich entre Rilla et Mei à l'une des cinq longues tables du réfectoire, je balade mes œufs au jambon dans mon assiette avec ma fourchette et je grignote un bout de pain beurré. Tess est à la table derrière la nôtre en compagnie des plus jeunes, mais je suis sûre qu'elle m'observe pour vérifier que je mange.

Inez nous toise de sa haute stature, toute raide dans son intraitable robe noire, sans autre ornement que la broche en ivoire qui en ferme le col. Plus qu'à ces corbeaux dont parle Brenna, elle ressemble à un rapace avec son nez busqué. Ses pommettes sont si saillantes qu'elles trancheraient une motte de beurre froid !

Sa vue a pour effet de me galvaniser. Maura a effacé la mémoire de Finn, mais c'était sur sa requête à elle. Maura a toujours été si désespérément prête à tout pour que quelqu'un la choisisse, *elle*, et Inez a su en tirer parti. Je n'absous pas Maura ; mais c'est Inez qui a exigé d'elle cet acte inqualifiable.

« À celles d'entre vous qui sont arrivées de Harwood cette nuit, je souhaite la bienvenue, commence Inez sans l'ombre d'un sourire. Je compatis aux souffrances que vous avez endurées aux mains des Frères, et je peux vous assurer que vous aurez l'occasion de vous venger. »

Je regarde au bout de la table, là où Parvati tient d'une main tremblante sa fourchette au-dessus de ses œufs. La cousine de Maud, Caroline, paraît bien mal en point aussi. Les autres – Grace Wheeler, Livvy Price et Angela, la nièce de Sœur Edith – ont triste mine et ne cessent de trembler. À l'asile, leur thé était drogué au laudanum. Elles subissent maintenant les effets du manque. Mei et moi leur avons administré des plantes médicinales, mais celles-ci ne font qu'apaiser le plus gros de leurs nausées. Ce n'est pas de vengeance que ces filles ont besoin, mais de soins et d'attention, et d'un lieu où on leur accordera le temps de guérir.

« Je suis sûre qu'à présent vous êtes toutes au courant : Sœur Cora nous a quittées la nuit dernière. » Inez marque une pause, mes compagnes baissent la tête. « Je ne prétendrai pas que Cora et moi étions amies. Nous divergions sur la manière de conduire l'ordre des Sœurs, et je trouvais sa prudence excessive. » Du coin de l'œil, je vois Gretchen bouillir en silence. Inez lève une main, l'anneau d'argent de l'Ordre luit dans la lumière du matin. «Néanmoins, Cora a voué sa vie à notre ordre, et cela mérite le respect. Ses obsèques auront lieu demain matin à la cathédrale. Je compte sur vous toutes pour y assister.» Inez pose sur moi ses yeux noirs. «En vertu des règles de succession, en tant que doyenne des sorcières capables d'intrusion mentale, je suis votre nouvelle prieure. L'ordre des Sœurs a été divisé durant des années, mais j'espère que vous comprendrez vite que j'ai à cœur d'agir au mieux de vos intérêts. Nous avons toutes les mêmes objectifs dorénavant, n'est-ce pas? Et les mêmes ennemis.»

Ma fourchette m'échappe des mains et rebondit sur mon assiette avec un tintement sonore. L'indignation m'étouffe. Je sais très bien qui sont mes ennemis.

Inez a un petit gloussement sec, pareil à un craquement de bois mort.

«Cora accordait une grande importance à la prophétie qui donne à croire que l'une des sœurs Cahill doit nous diriger au siècle prochain. Selon elle, c'était Cate qui avait toutes les chances d'être la sibylle. Toutefois, il a été porté à ma connaissance…»

Je retiens mon souffle. Va-t-elle révéler sa préférence pour Maura? Pour ce qui est d'être la sibylle, Maura ne présente pas plus de signes que moi…

«Il a été porté à ma connaissance, répète Inez, jubilant de nous tenir en haleine, que ce n'est pas Cate que Perséphone a gratifiée du don de voir l'avenir. C'est la petite Tess. Mon information est-elle exacte, Tess?»

Tout le réfectoire se tourne vers Tess. Sauf moi. J'ai les yeux sur Maura, qui contemple ses genoux et joue avec la dentelle de la nappe. Je n'aurais jamais pensé qu'elle irait révéler cette information à Inez.

Même à présent, j'ai peine à le croire.

Tess redresse son petit menton pointu.

« Oui, ma Sœur. » Elle rougit sous tant d'attention. Je m'attends à moitié à la voir se tasser sur sa chaise, mais non, elle se tient droite et assurée. Je suis fière d'elle.

« C'est merveilleux. » Inez feint d'être aux anges. « Nous avons donc ici celle que prédit la prophétie : une sibylle qui soit également une puissante sorcière, et capable d'intrusion mentale. Car vous en êtes capable, je suppose ?

— Oui, ma Sœur.

— Je vois. Eh bien, ce n'était pas très gentil de votre part de garder cette information pour vous », commente Inez avec un petit claquement de langue, comme on réprimande un enfant qui a dérobé des bonbons. « Cela dit, je comprends que vous ayez hésité à voler la vedette à votre sœur Catherine et à…

— Ce n'était pas pour ça, l'interrompt Tess. Il s'agissait de ma sécurité. »

Laquelle est désormais fortement compromise. Tess est la sibylle annoncée, qui gagnera les faveurs de la population et fera naître un nouvel âge d'or de la magie – ou, si elle tombe entre les mains des Frères, sera la cause d'une deuxième Terreur. Les Frères ont tué des filles sur la seule présomption qu'elles avaient des visions. Et dorénavant, de la petite poignée que nous étions à connaître le don de Tess – en plus d'elle-même, il n'y avait que moi, Mei et, depuis cette nuit, Maura –, nous sommes passées au couvent tout entier : une cinquantaine d'élèves, une douzaine d'enseignantes, une douzaine de gouvernantes. À quoi Inez joue-t-elle?

Elle joint les mains sur sa poitrine, solennelle.

«Votre secret ne risque rien, Teresa. Nous sommes vos sœurs. Chacune de nous donnerait sa vie pour vous protéger!»

Est-ce si sûr? Est-il raisonnable d'en attendre autant? Que représente Tess pour les personnes ici présentes? On l'aime bien, c'est certain, mais donner sa vie n'est pas rien...

«Quoi qu'il en soit, poursuit Inez, je suis ravie d'avoir une petite élève si puissante.» L'accent mis sur «petite élève» me permet de comprendre immédiatement où elle veut en venir, et la seconde d'après le confirme. «Car Tess est très douée, certes, mais elle n'est qu'une enfant. Une fillette de douze ans ne peut pas diriger l'ordre des Sœurs, surtout en ces temps troublés. Il lui faudra un guide, et je serai heureuse de tenir ce rôle – de gouverner à sa place, en une sorte de régence, jusqu'à sa majorité, date à laquelle nous verrons bien s'il y a du vrai dans cette prophétie.»

Tess passe une main dans ses cheveux. Je sais qu'elle est exaspérée à la façon dont elle serre les dents et raidit ses épaules. Elle ne défiera pas Inez publiquement, elle est trop intelligente pour cela, mais bon sang! comme elle doit détester cette fausse bienveillance.

«Merci, murmure-t-elle. J'apprécie votre aide.

— Je vous en prie.» Inez parcourt l'allée centrale. «J'ai une annonce à faire. Avec l'attaque de Harwood et celle du Conseil suprême, l'ordre des Frères doit être sur le pied de guerre. Il est donc capital, si nous étions appréhendées, que nous soyons capables de nous tirer d'affaire seules, en usant de sortilèges d'animation ou d'illusion. Miss Auclair, si vous étiez au milieu d'une foule et que les Frères vous accusaient de sorcellerie, que feriez-vous ? »

Alice sourit, radieuse. En un battement de cils, elle se change en brunette frisée au teint café au lait, vêtue d'une robe écossaise rouge.

« Ou encore mieux », minaude-t-elle, et la voilà transformée en jeune Chinois râblé, avec des cheveux noirs et une chemise en denim.

« Excellent, Miss Auclair ! » approuve Inez. Alice a toujours été sa chouchoute. Rilla est pourtant meilleure en illusions, mais Rilla est beaucoup moins lèche-bottes.

« Nous ignorons comment les Frères vont riposter, mesdemoiselles, mais il est certain qu'ils vont frapper. Il va devenir de plus en plus difficile d'échapper à leur surveillance. J'ai modifié vos emplois du temps pour doubler les classes d'animation et d'illusion. Les cours d'arts plastiques, de musique, de botanique et autres options sont suspendus jusqu'à nouvel ordre. »

Rilla lève la main.

« Allez-vous continuer d'enseigner les illusions, en plus de vos responsabilités de prieure ?

— Je me chargerai le matin des classes de niveau avancé. Miss Auclair s'occupera du niveau initiation l'après-midi. »

Elle tapote l'épaule d'Alice – redevenue blonde comme les blés – et celle-ci se rengorge.

Je jette un regard à la tablée derrière moi. Rebekah Reed semble avoir mordu dans un citron et Lucy s'est recroquevillée sur sa chaise. Alice est une peste ; ses futures élèves s'attendent au pire.

« Pourquoi Alice ? s'enquiert Mei. Pourquoi pas Rilla ?

— Rilla ferait un professeur formidable, renchérit Pearl. C'est la meilleure de la classe !

— Ça se discute, rétorque Inez. Et je ne suis en rien tenue de justifier mes décisions devant mes élèves. Je précise toutefois que Miss Auclair aura dix-sept ans en mars, et qu'elle a d'ores et déjà annoncé son intention de devenir membre de notre ordre à part entière. Alors que l'anniversaire de Miss Stephenson n'aura lieu qu'en septembre et qu'elle ne s'est pas engagée en ce sens. Quel intérêt aurais-je à former une enseignante qui risque de nous quitter pour se marier ? »

Rilla rougit sous ses taches de rousseur. Elle est fleur bleue, certes, mais n'a pas de fiancé. Aucune fille du couvent n'en a. Les occasions de rencontrer des garçons sont rares quand on se fait passer pour une future nonne.

« Maintenant, s'il n'y a pas d'autres interruptions… poursuit Inez avec un regard noir pour Mei et Pearl. Nous sommes déjà en retard sur le programme du jour. Miss Kapoor, Miss Price, j'aimerais vous voir dans mon bureau après les cours de la matinée, si vous n'êtes pas trop fatiguées. »

Elle tourne les talons et le réfectoire explose de chuchotis.

« Qu'est-ce qu'elle leur veut, à Parvati et Livvy ? demande Rilla en tendant le bras vers la confiture.

— Elles sont capables d'intrusion mentale », dis-je en poussant vers elle le pot poisseux.

La plupart de celles que nous avons libérées de Harwood ne sont pas sorcières. Elles ont donc été réparties dans les trois refuges dont nous disposons à travers le pays. Grace, Caroline et Angela n'ont été recueillies au prieuré qu'en raison de liens familiaux avec certaines d'entre nous. Parvati et Livvy sont là parce que j'ai trouvé leur dossier aux Archives nationales et découvert ainsi leurs capacités. L'intrusion mentale est un don extrêmement rare. Jusqu'ici, au prieuré, nous n'étions que six à le posséder : mes sœurs et moi, Alice, Elena et Inez.

J'aimerais rejoindre Tess et vérifier qu'elle va bien, mais elle est littéralement encerclée ; ses amies l'assaillent de questions. Je capte son regard et elle m'adresse un petit clin d'œil. Elle s'en tire très bien sans moi. Je me dirige alors vers Parvati et Livvy. Il y a peut-être un moyen de contrecarrer Inez.

« Pourriez-vous venir avec moi un moment toutes les deux ? »

Parvati se dérobe à la main que j'allais poser sur son épaule.

« Nous risquons des ennuis ?

— Non, pas du tout. Simplement, je voudrais vous parler. »

La nuit dernière, nous avons rassemblé des vêtements pour les nouvelles venues. Livvy, brunette plantureuse, porte une robe rouge et rose offerte par Alice. Ce geste m'a plutôt étonnée – Miss Auclair n'est pas réputée pour sa générosité – et la robe va très bien à Livvy. J'ai prêté à Parvati un ensemble bleu marine, mais il pendouille comme un suaire sur son corps filiforme. Mei est douée pour la couture; peut-être pourra-t-elle faire quelques retouches.

Je les emmène toutes les deux dans la chambre que je partage avec Rilla et les fais asseoir sur mon lit. Livvy retire ses ballerines d'emprunt, puis replie ses jambes sous elle. Parvati, perchée au bord du matelas, replace d'une main tremblante une mèche brune derrière son oreille et demande: «Pourquoi la prieure nous a-t-elle convoquées?

— À cause de votre pouvoir d'intrusion mentale.» Je tire le tabouret de la coiffeuse et m'assieds en face d'elles. «Elle va vouloir vous tester.

— Quel genre de test?» s'inquiète Livvy.

Je hausse les épaules.

«Manipuler les autres filles, les obliger à faire des choses. À moi, elle m'a demandé de leur faire quitter le salon pour aller dans son bureau.

— Et vous l'avez fait?

— Je ne tenais pas à m'introduire sans leur permission dans l'esprit de mes camarades.

— Mais vous l'auriez pu, si vous l'aviez voulu?» veut savoir Parvati. Je confirme, et elle poursuit: «Accepteriez-vous de m'apprendre a le faire? Je n'ai jamais su; pas correctement. À cause du laudanum, je suppose. Il devait m'empêcher de me concentrer.

— Je vous montrerai, même si j'espère que vous n'en aurez jamais besoin. Je suis d'avis qu'il ne faut surtout pas user d'intrusion mentale à la légère. Mais bon, après... ce par quoi vous êtes passée...» Je me tais, gênée. «Si cela peut vous aider à vous sentir plus en sécurité...

— Ce qui m'aiderait ce serait de pouvoir forcer Frère

Cabot à se tirer une balle dans la tête, si je le croise un jour.»
C'est dit d'un ton détaché. «Et j'apprécie votre tact, mais
Livvy est au courant. Tout le monde savait, à Harwood,
et personne n'a remué un doigt pour y mettre fin.

— Parvati, je...» commence Livvy.

— Je ne vous en veux pas.» Parvati se tourne vers moi.
«J'ai tout fait pour me défendre. Une fois, j'ai tenté de
l'étrangler avec sa cravate, mais il m'a cogné dessus et il a
fichu le camp pendant que je voyais trente-six chandelles.
Une autre fois, j'ai voulu le pousser à se crever les yeux
avec le coupe-papier de la surveillante, malheureusement
il a repris ses esprits avant de passer à l'acte. Il m'a battue
comme plâtre... mais ça en valait presque la peine quand
même.

— Oh, Parvati...» Livvy essaie de la prendre dans ses
bras, mais Parvati la repousse.

«Je n'ai pas besoin de pitié! Je veux ma vengeance, c'est
tout. Comme Sœur Inez l'a promis!

— Sœur Inez, dis-je à mi-voix, n'est pas quelqu'un à qui
se fier. Je comprends que vous ayez...

— Non, vous ne le comprenez pas!» Son dos est bien
droit, ses jambes délicatement croisées, mais elle frémit
de colère. «Vous ne pouvez pas comprendre. Pas sans y
être passée vous-même.»

Suivant du doigt une rayure bleue de ma jupe, je tente
de réorienter la conversation.

«Inez entraîne l'ordre des Sœurs vers une guerre que
nous sommes assurées de perdre. Nous sommes puissantes, certes, mais nous n'avons pas l'avantage du nombre.
D'après la prophétie, Tess peut réconcilier la population

avec la magie ; mais en attendant, nous devons œuvrer à préserver la paix avec les plus modérés des Frères. Si Sœur Inez poursuit ses actes irresponsables, aucun compromis ne sera jamais possible.

— Parfait ! réplique Parvati. Des compromis, je n'en veux pas. Comment pouvez-vous espérer coopérer avec les Frères, après ce qu'ils nous ont fait ?

— Ils ne sont pas tous mauvais », dis-je, pensant à Finn, toujours à Finn – Finn grâce à qui j'ai compris qu'il y avait parmi les Frères des hommes comme lui, qui ont rejoint l'Ordre pour protéger leur femme, leurs sœurs, celles et ceux qu'ils aiment. « Et si nous ne voulons pas subir des traitements inhumains, nous ne devons pas non plus nous montrer inhumaines. Même si Frère Covington et les autres étaient des sombres crétins, ils ne méritaient pas...

— *Des sombres crétins ?* » Parvati bondit sur ses pieds. « Je dirais bien pire ! Et pour vous, ils ne méritaient pas ce qu'on leur a fait ? Parce que moi, peut-être, je le méritais, ce qu'on m'a fait ?

— Bien sûr que non ! » Je me lève à mon tour, confuse. « Je me suis mal exprimée. Ils étaient... ils sont odieux. Mais nous ne gagnerons jamais la confiance de la population en suivant Inez. Dieu sait ce qu'elle manigance encore. Elle est toujours à comploter, à manipuler les gens. Je ne compterais pas sur elle pour...

— Ah ! elle manipule ? persifle Parvati. Et vous, pas ? Non, bien sûr ! Qu'est-ce que vous faites, là, en ce moment, à nous avoir convoquées ici pour la dénigrer ? Vous lui en voulez, voilà la vérité. À cause de ce qu'elle et Maura ont fait à votre galant ! » Je ne peux pas dire le contraire ; mais ce n'est pas ma seule motivation. «Je ne peux pas croire que vous ayez laissé un Frère vous courtiser ! conclut Parvati avec dégoût.

— Il n'était pas… vous ne comprenez pas. Finn n'est pas…

— C'est vous qui ne comprenez pas.» Elle regagne la porte, l'ouvre violemment. «Vous avez été protégée toute votre vie. Vous prétendez vous mettre à ma place, et avec ça vous me faites la leçon pour me raconter ce que valent les Frères !»

Livvy remet ses ballerines.

«Je… excusez-moi, Cate», bredouille-t-elle. Et la voilà partie à son tour.

J'ai réussi mon coup.

J'aurais dû demander à Elena de venir. Elle aurait su comment mener une conversation si délicate. À présent, Parvati me voit en parfaite idiote qui sympathise avec les Frères, et Inez a gagné au moins une alliée de plus capable d'intrusion mentale.

Je tire les rideaux jaunes de Rilla et contemple le matin morne sur la ville. Où en sont les choses hors du prieuré ? Les Frères sont-ils déjà réunis pour élire un nouveau chef ? L'avenir va dépendre de celui qu'ils vont choisir et de l'esprit qui l'animera : vengeance ou pardon. Finn prévoyait qu'ils pourraient voter le rétablissement des bûchers. J'ai un frisson ; si seulement il était là pour me réconforter.

Il me manque déjà.

Cet automne, alors que j'étais à New London et lui encore à Chatham, je me disais souvent : «Peut-être pense-t-il à moi, lui aussi, en ce moment même.»

En ce moment même, il ne sait même plus que j'existe.

Je m'arrache à ces réflexions. Si je cesse de bouger, si je cesse d'agir, je vais y laisser la raison. Je ne donnerai pas cette joie à Inez et Maura.

L'ordre des Frères ne m'a jamais inspiré confiance, et moins que jamais ces temps-ci, et pourtant je veux croire que la plupart de ces hommes ne me livreraient pas aux flammes s'ils découvraient ce que je suis. Enfermer une fille à Harwood pour le restant de ses jours est une chose ; la brûler vive en place publique en est une autre.

Non ?

Ou Inez et Parvati ont-elles raison ? Les Frères iront-ils aussi loin ?

Je devrais descendre en classe, mais je ne peux pas envisager une seule seconde de m'asseoir à un pupitre et de prendre des notes. Comment me concentrer, alors que j'ignore ce que font les Frères à cet instant, et comment réagit la population au coup de force à Harwood ou à l'attaque contre le Conseil suprême ? Je suis certaine que *The Sentinel* a dépeint les deux événements sous le même éclairage, en le réduisant à de monstrueuses exactions de sorcières lâchées dans la nature. Mais la *Gazette* ? Alistair Merriweather perçoit-il l'abîme qui sépare l'acte d'Inez de la libération de détenues innocentes ?

On frappe à la porte entrebâillée.

« Entrez. »

Tess se faufile dans la chambre, referme la porte derrière elle et se laisse tomber sur mon lit, l'air passablement contrariée.

« Tout le monde me regarde. Je voudrais étrangler Sœur Inez. Et Maura avec.

— Je devrais être la première sur ta liste », dis-je avec un soupir, torsadant mes cheveux en chignon. « Maura n'avait pas le droit d'en parler sans ta permission. Mais moi non plus.

— Non, toi non plus, parfaitement. Mais toi, je te pardonne. Les circonstances t'y ont poussée. Je sais que tu n'avais pas l'intention de me nuire.

— Pour rien au monde.

— Maura, elle, avait le temps d'y réfléchir. Et Inez m'a fait passer pour une gamine ! Voilà exactement pourquoi je ne voulais pas le dire. Bekah et Lucy sont déjà différentes avec moi. Précautionneuses. Comme si j'allais m'effondrer d'un instant à l'autre.

— Tu ne t'effondreras pas. Et elles, elles viennent juste de l'apprendre. Laisse-les se faire à cette idée.

— Tu ne comprends donc pas ? » s'exaspère Tess. Elle a plus de patience que moi, mais même la sienne a ses limites. « Je ne serai plus jamais Tess ! Tout le monde me regardera comme la sibylle, maintenant. Celle de la prophétie.

— Ça ne durera pas. » Je l'espère, en tout cas. J'enfile mes bottines. « Je sors. Veux-tu venir avec moi ? Pour échapper aux regards un moment ?

— Nous avons cours, me rappelle-t-elle, brandissant le livre d'histoire posé au pied de mon lit.

— Je n'y vais pas. Il faut que je sache si les Frères ont élu un nouveau dirigeant. Et j'ai une importante mission à accomplir. Pour l'ordre des Sœurs. » J'agite sous son nez une enveloppe ivoire bordée d'oiseaux verts, issue du nécessaire à courrier qu'elle-même m'a offert à Noël dernier – pour écrire à qui, à l'époque ? Je me le demande encore.

Elle me la prend des mains et en sort le feuillet ivoire orné, dans un angle, d'un colibri bleu et vert, gaufré. La lettre est rédigée en code – le chiffre de César, avec un décalage de trois lettres vers la gauche.

« C'est toi qui l'as rédigée ?

— Oui. » Il n'y avait pas grand-chose d'autre à faire à cinq heures et quart du matin, tandis que Rilla dormait et que j'essayais de ne pas penser à Finn. Je suis donc descendue à la bibliothèque composer ce billet. Il m'a fallu trois brouillons avant d'obtenir un résultat acceptable, que j'ai ensuite recopié sur mon plus beau papier à lettres. Un homme comme Frère Brennan goûte probablement de tels raffinements. Ne l'ayant jamais rencontré, j'en suis réduite aux suppositions.

Je demande à Tess : « Ça te paraît correct ? »

Elle parcourt la courte note : *Sœur Cora est décédée. Je n'ai pas confiance en sa remplaçante – c'est elle qui a mené l'attaque contre le Conseil suprême. J'espère vivement que vous et moi pourrons œuvrer ensemble pour la paix. Je possède la clé de Cora et j'ai hâte de vous rencontrer lors de la réunion de demain soir.*

Je n'ai pas signé. Même en langage codé, je ne suis pas assez idiote pour donner mon nom à n'importe qui.

« C'est bien. » Le regard gris de Tess cherche le mien. « Tu vas le déposer maintenant ? Tu as déjà parlé avec Sœur Gretchen ?

— Oui. Je dois remettre ce message au propriétaire d'une papeterie. Et Noël arrive… Quel dommage que je n'aie pas la moindre idée de ce qui te ferait plaisir… »

Le sourire de Tess parle de lui-même. Elle pourrait passer des jours entiers dans une papeterie, autant que dans une librairie. Sa décision est vite prise : « Alors tant pis, je vais manquer les cours.

— Parfait. Tu pourras m'aider à trouver le moyen d'acheter un journal interdit, par la même occasion. »

Chapitre 3

Tess et moi nous glissons dans la rue furtivement par
la grande porte et traversons notre quartier résidentiel,
dont les beaux jardins dorment sous le ciel plombé.
Quelques rues plus loin, les pelouses se font moins vastes,
les arbres rares, et les bâtisses se rapprochent les unes des
autres. Dans le quartier commerçant, les jardins disparaissent ; il n'y a plus que d'étroits immeubles de deux ou
trois étages avec des boutiques au rez-de-chaussée et des
habitations au-dessus. Des hommes de toutes catégories
sociales se pressent sur les trottoirs pavés parmi les mar-
chands ambulants, les cireurs de chaussures – et les crieurs
de journaux.

Je me dirige vers le crieur le plus proche.

«Des sorcières attaquent le Conseil suprême ! clame-t-il
en boucle. Frère Covington à l'hôpital Richmond ! Évasion à l'asile de Harwood ! Les nouvelles du jour pour
deux pennies !»

J'attrape des piécettes dans ma poche et demande :
«C'est *The Sentinel* ?»

Je n'arrive pas à lire le titre tant il agite ce pauvre journal. Il m'a l'air d'un honnête vendeur, mais d'après Mei,
c'est à des vendeurs ordinaires que son frère achète la
Gazette.

Le garçon m'adresse un sourire effronté.

«Pour sûr, ma Sœur. Qu'est-ce que vous voudriez que je vende d'autre?»

Je me rapproche et baisse la voix. Je peux l'interroger. Il ne va tout de même pas me faire arrêter. Il ne doit guère être plus âgé que Tess.

«Savez-vous où je pourrais me procurer le... l'autre journal?

— Je ne connais pas d'autre journal, ma Sœur.» Il recule d'un pas, jette un regard à droite et à gauche. «Je travaille pour Frère Augustus Richmond, directeur de *The New London Sentinel*. C'est le seul journal de la ville.

— Certainement.» Je prends un air conspirateur. «Mais peut-être sauriez-vous où je pourrais me procurer...

— Non, je n'en sais rien!» Il s'éloigne à grands pas. «Vous cherchez les ennuis?»

Tess m'attrape par la manche.

«Bonté divine, Cate, tu t'y prends comme un sabot. Il a cru que tu lui tendais un piège.

— Et toi, tu ferais comment, alors?

— Réfléchis. Qui lit ce journal? Pas les Sœurs. Ni les gens aisés.»

Elle passe son bras sous le mien et brusquement, au milieu de cette rue qui n'a rien de désert, je vois sa cape noire devenir grise. L'instant d'après, la dentelle rose qui bordait sa jupe est changée en laine bleue effilochée, et son élégant manchon de fourrure, en moufles élimées.

Terrifiée, je lui dis très bas : «Tess!» J'observe les passants alentour. Aucun Frère, mais deux de leurs gardes flânent devant un bar. Ils auraient pu la voir. N'importe qui aurait pu la voir. Mon cœur bat à tout rompre. Cette imprudence ne lui ressemble pas ; c'est plutôt le genre de choses que ferait Maura.

«Je ne suis pas un bébé !

— Je le sais bien !» Je presse mes joues froides dans mes mains gantées de noir. «Tu es même très puissante. Et aussi très importante. Trop importante pour jouer avec ta vie de cette façon.

— À cause de ce que je suis ? me défie-t-elle en s'arrêtant.

— Oui, dois-je admettre. Mais surtout parce que je t'aime. Et que je serais anéantie – proprement anéantie – si quelqu'un tentait de t'arracher à moi.»

Elle se mord la lèvre, les yeux rivés sur des tulipes de serre derrière la vitrine d'un fleuriste.

«Parfois je me dis que ce serait mieux pour tout le monde si je me faisais arrêter et qu'on n'en parle plus.»

J'agrippe son bras.

«Quoi ?! Pourquoi dis-tu une chose pareille ?»

Elle ne répond pas. Du menton, elle indique le coin de la rue. Un autre crieur de journaux, adossé à la vitrine d'une épicerie, discute vivement avec trois ouvriers en blouson et jeans à bretelles.

«Celui-ci doit avoir ce que tu cherches.»

Il porte en bandoulière un sac bourré de journaux – sur lequel, en grosses lettres blanches, est écrit : SENTINEL.

«Qu'est-ce qui te fait dire ça ?

— Ses affaires ont l'air de marcher. Regarde.» Un client sort de l'épicerie, allume sa pipe et rejoint les trois autres. Il tend des pièces au vendeur et le garçon lui remet un journal. Même à cette distance, je peux voir que cet exemplaire est plus épais que celui qu'on m'a proposé tout à l'heure. « Je te parie que la *Gazette* est glissée à l'intérieur », me souffle Tess. Je suis prête à m'élancer, mais elle m'arrête. « Il faut que tu apprennes à observer, avant de te précipiter tête baissée. Laisse-moi faire. Je vais aller te le chercher, ton journal. Donne-moi trois pennies. »

J'obéis. « Tu vois ? Je serais perdue sans toi.

— Je te retrouve à la papeterie », promet-elle. Et la voilà partie en sautillant de l'autre côté de la rue.

Je la suis, mais du pas pondéré qui sied à une nonne. Au bord du trottoir, je fais mine de renouer mes lacets tandis qu'elle s'approche tranquillement du groupe d'hommes. Elle les salue de quelques mots que je n'entends pas, troque ses pièces contre un journal et remercie le vendeur avec un charmant sourire. Le garçon – un petit blond bouclé qui ne doit pas avoir plus de quatorze ans – l'escorte des yeux un instant, ce qui lui vaut les rires des hommes autour de lui, et Dieu sait quel commentaire qui le fait virer au rouge pivoine.

Après quoi, Tess, le journal sous le bras, entre résolument dans la papeterie O'Neill. Le temps que je la rejoigne, elle s'est retransformée en petite élève des Sœurs.

« Teresa Elizabeth Cahill ! dis-je à voix basse. Je devrais te…

— Me quoi ? Tirer les oreilles ? » répond-elle innocemment, caressant d'un doigt un ensemble de correspondance bleu lavande, orné de marguerites mauves en relief.

Je lui tourne le dos, agacée parce qu'elle n'a pas tort, et plus encore parce qu'elle le sait. Je parcours des yeux la boutique. Je m'achèterais bien quelque chose pour moi seule Ça lui servirait de leçon! Mais je suis déjà largement pourvue en papier à lettres, et c'est elle qui se charge d'écrire à Père. Mais peut-être pourrais-je m'offrir de quoi écrire justement, quelque chose de plus joli que ce que j'ai? Mon regard tombe sur la vitrine des stylos-plumes. Finn les adorerait. La pièce a un peu son odeur à lui, encre et papier. Il n'y manque que la note de bergamote de son thé. Sur les étagères s'alignent de jolis petits flacons d'encre de toutes les couleurs – brun, noir, bleu, vert, violet, rouge –, à côté de ramettes d'un épais vélin crème. Je passe une main sur ce beau papier, repoussant la douleur qui me serre la gorge. Est-ce que tout me rappellera Finn jusqu'au dernier jour de ma vie?

Je rejoins Tess, toujours en admiration devant les papiers à lettres pour dames.

«Bon, lequel préfères-tu?

— Celui-ci.» Elle se retient de sourire. «Et peut-être une petite bouteille d'encre? Ce violet me plaît bien.

— Pour ton anniversaire peut-être. Si tu es sage!»

Je prends l'ensemble de correspondance, déjà entouré d'un nœud rose, et l'emporte à la caisse. Un vieil homme à l'épaisse chevelure blanche m'accueille avec un regard bienveillant.

«Excellent choix. C'est pour la jeune demoiselle là-bas?

— Oui. Nous sommes élèves à l'ordre des Sœurs.»

Je guette une réaction, mais il n'en a aucune. Il glisse le nécessaire dans un sac et s'informe: «Vous désirez autre chose?»

Je me penche un peu par-dessus le comptoir. «Êtes-vous Mr O'Neill, le propriétaire?

— Pour vous servir. Patron de ce magasin depuis 1856. »
Il me dédie un sourire. « C'est la première fois que vous
venez chez nous ?

— Oui, mais j'espère que ce ne sera pas la dernière. »
Je jette un coup d'œil derrière moi. Deux dames bien
mises examinent un présentoir de cartes de visite ; par
bonheur, elles sont absorbées par leur commérage. « J'ai
appris que Cora et vous étiez amis. Je voulais vous prévenir qu'elle nous a quittés cette nuit.

— Je suis navré de l'apprendre. Cora était une grande
dame.

— Je l'admirais beaucoup. En fait, je… j'espérais poursuivre en partie son action. » J'attrape la chaînette sous ma
cape et montre la clé en pendentif. « Je souhaiterais laisser
un message pour Frère Brennan. »

O'Neill se rapproche encore et baisse la voix.

« Ah. Donc vous n'avez pas entendu parler de ses ennuis.

— Quels ennuis ? » Je suis atterrée.

O'Neill désigne Tess, et le journal sous son bras. « C'est
dans les nouvelles du matin. Le Conseil suprême a été
attaqué, hier soir, et Brennan était absent. Malade, à
ce qu'il a dit. Mais il y a eu également une mutinerie à
Harwood ; toutes les patientes de l'asile se sont évadées.
Les infirmières ne se souviennent de rien – leurs souvenirs ont été effacés –, mais on a retrouvé le corps sans vie
d'une sorcière et, juste à côté, un mouchoir d'homme
brodé de la lettre B.

— La lettre B ? »

Je réprime un frisson. Le mouchoir de Finn. B comme
Belastra ; il l'a donné à Zara quand elle crachait du sang.

Ma première pensée est purement égoïste : *Grâce au ciel, ils soupçonnent Brennan, et pas Finn !*

«Comme je vous le dis.» La désapprobation se lit dans le frémissement de ses sourcils gris. «Quant aux autres membres du Conseil, ils sont réduits à l'état de loques. Toujours de ce monde, mais guère mieux que morts. Une forme d'assassinat. O'Shea a pris le contrôle de l'ordre des Frères jusqu'à ce que des élections soient organisées dans les règles, et il a eu tôt fait d'accuser Brennan de complot avec les sorcières.

— Brennan a été arrêté ?» Je tente de me ressaisir. Il me faut jouer finement. D'après Gretchen, O'Neill est un sympathisant de notre cause, mais on n'est jamais trop prudent.

«Arrêté, non. Il a disparu. Personne ne sait où il est passé.» Il se caresse le menton, baisse les yeux. Son geste dément ses propos.

«Je vois.» De nouveau, je jette un regard en arrière. Les deux femmes gloussent en chœur et Tess est plantée devant les stylos-plumes. Je sors la lettre de ma poche. «Je voudrais laisser ceci pour lui. Au cas où il… réapparaîtrait.

— Ici ? Je ne vois pas ce qui l'y amènerait. L'attaque de cette nuit contre le Conseil suprême a totalement discrédité nos… ses arguments en faveur des sorcières. Si l'ordre des Frères parvient à prouver qu'il était au courant de leur projet d'attentat, il sera accusé de haute trahison. Crime capital. La moindre bienveillance dont il ait fait preuve à leur égard…

— L'acte perpétré envers le Conseil est inacceptable», dis-je fermement. Car après tout il est naturel qu'il nous

croie toutes complices de ce qu'ont fait Inez et Maura.
«J'étais une élève de Cora, Mr O'Neill. Sa protégée, si vous
voulez, et je…»

Il me coupe la parole.

«Cette agression ne ressemble pas aux méthodes de Cora.

— Cora n'y est pour rien. Ni moi non plus. Mais il faut
absolument que ce billet parvienne à Frère Brennan. Qu'il
sache à qui se fier – et de qui se méfier.»

Le vieil homme m'étudie un moment, puis il prend la
lettre et l'empoche au moment même où les deux femmes
s'approchent du comptoir. Alors il déclare d'une voix
claire : «Fort bien. Si vous le dites, Sœur…?

— Cate.»

Il me tend le sac avec le cadeau pour Tess. «Je vous
verrai demain soir, alors, Sœur Cate.»

Juste comme nous repartons, il se met à pleuvoir. Je
marche en silence, perdue dans mes soucis, et Tess redevient sombre. Aucune de nous n'a emporté de parapluie.
Nous pressons le pas, mais nos capes ne tardent pas à se
gorger d'eau.

J'avais espéré que Brennan, préservé de l'attaque d'Inez,
se trouverait en bonne position pour succéder à Frère
Covington. Je n'imaginais pas qu'il risquerait alors de se
faire accuser de haute trahison.

Je frissonne sous la laine détrempée de ma capuche.
Je revois ce jour où Frère O'Shea a arrêté la pauvre
Mrs Anderson, veuve avec deux enfants à charge. Son
crime : avoir permis à un client de la boulangerie où elle
travaillait de la raccompagner chez elle. Pour cet outrage,

elle a été enlevée à ses enfants et envoyée sur un navire-prison, à la grande joie de Frère O'Shea. Il est de ceux qui se délectent de leur pouvoir sur autrui. Un fier-à-bras doublé d'un tyran.

De nouveau, Tess m'inquiète. Je l'observe à la dérobée. Elle ralentit, comme si elle craignait de regagner le prieuré. Ma colère redouble. Serait-elle plus en sécurité – plus heureuse – si elle retournait à Chatham, où elle pourrait lire, cuisiner, vivre comme une adolescente ordinaire ? Pourtant, elle semblait plutôt satisfaite d'être ici. Un peu désorientée par l'effervescence de la ville, l'agitation et les bavardages, mais enthousiasmée par toutes les possibilités d'apprendre qu'offre le couvent.

De toute manière, le fait est là : quels que soient mes souhaits pour elle, Tess n'est pas une adolescente ordinaire. Elle ne peut pas rentrer à la maison et faire comme si – pas plus que moi d'ailleurs ! Nous avons des responsabilités, nous ne pouvons pas nous y dérober, et je vais devoir l'aider à en supporter le poids.

Nous gravissons d'un trait le perron de marbre et nous hâtons d'accrocher nos capes lourdes de pluie aux patères de l'entrée. Leur lainage s'égoutte sur le tapis. Je claque des dents et propose à Tess : « Allons au chaud dans ma chambre, d'accord ?

— Je peux me changer avant ? » demande-t-elle, soulevant sa jupe rose toute mouillée.

Arrivées au deuxième palier, nous partons chacune de notre côté : Tess dans la chambre qu'elle partage avec Violet van Buren, et moi dans celle que Rilla a joliment décorée. Je dégrafe ma robe, la laisse tomber à mes pieds, puis la suspens au-dessus du chauffage. En jupon et corset, je décroche de ma penderie une robe verte semée de pavots blancs quand Tess déboule dans ma chambre sans frapper : « Cate ! Oh, Cate, viens vite !

— Qu'y a-t-il ? »

Je passe ma robe par-dessus ma tête. Livide et les yeux luisants de larmes, Tess n'a même pas encore commencé à se changer.

« C'est Cyclope, sanglote-t-elle. Cyclope. »

Cyclope est l'ours en peluche borgne qu'elle chérit depuis toujours.

« Il a disparu ?

— Non, il… Viens voir. »

Je noue rapidement ma ceinture et me précipite derrière elle.

« Tess ? Cate ? nous hèlent Lucy et Rebekah, les bras chargés de livres, depuis l'autre bout du corridor. Qu'est-ce qui vous arrive ?

— Rien ! » ment Tess. Devant sa porte, elle attend que je la rejoigne. « Cate, regarde, quelqu'un a… »

Sa voix se brise. J'entre et j'inspecte sa moitié de chambre : les rideaux à pois que Mrs O'Hare a confectionnés pour elle, le daguerréotype de Père et Mère sur le rebord de la fenêtre, l'édredon bleu sur le lit… Cyclope repose sur l'oreiller.

J'interroge ma sœur, toujours à l'entrée : « Quelqu'un a quoi ? »

Elle entre à son tour dans la pièce et fixe intensément le haut de la fenêtre.

«Il était là, pendu!

— Pendu?

— À la tringle à rideaux. Avec une corde autour du cou. Cyclope!»

Elle tremble de la tête aux pieds, se précipite sur l'ours en peluche et le cueille aussi prudemment qu'elle le ferait d'une araignée.

J'ai mon idée.

«C'était peut-être une illusion? Quelqu'un qui voulait te faire une farce?»

Elle rejette l'ours sur le lit

«Sur sa patte, il y avait un papier épinglé, qui lui faisait dire: "Aujourd'hui, c'est moi, demain ce sera toi." Ça ressemble à une farce, ça, pour toi?

— Non.» Ça ressemble à une menace.

Elle se laisse tomber sur son lit et s'y recroqueville en petite boule rose et mouillée.

«Qui a pu faire ça?»

Je m'assieds près d'elle et lui masse le dos.

«Je n'en sais rien, mais nous trouverons. Nous te protégerons, Tess. Je te le promets.»

Chapitre 4

La cathédrale Richmond fait la joie et la fierté des Frères. C'est un lieu dédié à la prière, bien sûr, mais aussi au faste des cérémonies officielles. Frère Richmond et ses premiers disciples venaient de Salisbury, en Angleterre, et il paraît que ce monument est une réplique de la superbe cathédrale de cette ville.

Le long des murs extérieurs, les statues des apôtres et des pères fondateurs trônent dans des niches. La flèche se dresse à plus de trois cents pieds au-dessus du sol, et la loi spécifie qu'aucun bâtiment de Nouvelle-Angleterre n'est autorisé à s'élever aussi haut qu'elle. Sous ses dalles, dans une crypte de marbre, reposent tous les membres du Conseil suprême décédés.

L'édifice a la forme d'un crucifix. Des arches élancées soutiennent la voûte, et de magnifiques vitraux représentent les miracles de Notre Seigneur. Côté nord, derrière le maître-autel, Il monte aux cieux. À Ses pieds, des dizaines de bancs en acajou luisant accueillent aujourd'hui une assistance en deuil.

L'office est conduit par Frère O'Shea, pénétré de sa nouvelle importance. En principe, ce devrait être un honneur pour Cora que d'avoir son éloge funèbre prononcé par le nouveau chef de l'ordre des Frères. Mais O'Shea ne connaît rien de Cora ; ses paroles qui sonnent faux comme un violon mal accordé me font grincer des dents.

« Sœur Cora était une femme de bien, et nous pleurons sa disparition. Mais nous ne devons pas oublier qu'elle constituait une anomalie. Encourager nos filles à s'instruire est dangereux et risque de les dissiper, en plus d'encombrer leur esprit de sujets qui ne les concernent en rien. L'étude approfondie des Écritures doit être réservée aux hommes, dont le cerveau est mieux à même de discerner la juste parole de Dieu. »

Ses yeux bleus perçants scrutent la foule. Je baisse le front pour masquer ma révolte tandis qu'il poursuit :

« La plupart des filles sont incapables d'assumer… » Son long nez se plisse de désapprobation. « … l'*indépendance* dont bénéficiait Cora en tant que membre de l'ordre des Sœurs. Les femmes ont besoin des conseils éclairés de leur époux pour distinguer le vrai du faux, le bien du mal. Et j'avoue me demander aujourd'hui si l'ordre des Sœurs a encore bien sa place en Nouvelle-Angleterre. »

Autour de moi, les visages restent consciencieusement impassibles, même si Rilla et Mei, je le devine, bouillonnent de la même fureur inquiète que moi. O'Shea a le pouvoir de faire fermer le couvent et de nous jeter toutes à la rue, ou de nous contraindre à des mariages sans amour ; et il tient à nous le faire savoir.

« Dévier un tant soit peu du droit chemin est une remise en cause de l'obéissance. L'éducation des filles mène à la rébellion. Les dangers que représentent des femmes sans scrupules – les sorcières, qui se croient nos égales, voire nos supérieures – n'ont jamais été plus grands. » À ma gauche, Rilla se mord la lèvre. «Pour preuve, le coma dans lequel sont plongés Frère Covington et les autres membres du Conseil à l'hôpital Richmond. Pour preuve encore, la fuite qu'a jugé bon de prendre Sean Brennan, craignant à juste titre d'être arrêté pour complicité dans l'évasion des sorcières de Harwood. Et Dieu sait, à présent, de quoi ces folles lâchées dans la nature sont capables!»

Je fixe le cercueil en acajou où repose le corps de Sœur Cora. Je ne peux pas trahir sa confiance. Il faut que je trouve comment réhabiliter Brennan auprès des Frères – comment démontrer qu'il a fui pour sauver sa vie, et non parce qu'il était coupable.

Nous n'arriverons à rien avec un despote comme O'Shea au pouvoir

Après l'office, le lugubre après-midi se poursuit avec la réception funéraire organisée au prieuré. Tout un assortiment de savoureux petits pains, scones et sandwichs garnit les tables du réfectoire. En l'absence de Sœur Sophia – la meilleure cuisinière du couvent –, Tess et quelques autres ont dû passer la matinée aux fourneaux. Tess semble plus heureuse aujourd'hui, moins apeurée, mais je ne peux oublier que quelqu'un, dans notre entourage, cherche à lui faire mal.

Le plus beau service en porcelaine du prieuré, blanc et or, est disposé sur le buffet, et les Sœurs Johanna et Edith apportent des pots de thé et de chocolat fumants. Les portes coulissantes entre réfectoire et salon sont grandes ouvertes. Inez et Gretchen, en charge de la cérémonie, accueillent nos hôtes et font l'éloge de Cora.

Les yeux de Gretchen sont rouges et gonflés. Inez a l'œil sec.

Notre tenue de nonne – robe de bombasin noir qui nous couvre de la gorge aux chevilles, bottines noires à petits talons et gants de satin noir – convient naturellement au deuil. Respectueuses et modestes, nous gardons le front baissé et n'élevons pas la voix.

Nul ne trouvera aujourd'hui le moindre semblant de texte interdit entre les murs gris du prieuré. Sur les étagères, les romans gothiques se sont changés en bibles. Les magazines de mode venus de Dubaï ou de Mexico ont disparu. Dans la classe de soins infirmiers, notre cher squelette Sac d'os a été enfermé à double tour avec les planches anatomiques.

Mes yeux tombent sur Maura, debout avec Alice près de la causeuse de velours fuchsia. L'austérité de notre uniforme lui sied et met en valeur son teint clair et ses boucles flamboyantes. Elle lève sa tasse à ses lèvres ; ses yeux saphir rencontrent les miens. Aucun signe de regret en eux. Ni culpabilité, ni remords

Je voudrais pouvoir la briser. Je voudrais que la porcelaine explose entre ses mains, que les éclats la transpercent, que sa peau crème se couvre d'écarlate. Je voudrais lui faire mal comme elle nous a fait mal, à Finn et à moi.

À la seconde même où je pense à lui, la douleur sourde dans ma poitrine s'éveille. Sa gentillesse face à ma mauvaise humeur. Sa découverte que le roman préféré de mon enfance avait été écrit par une femme. *Et une Catherine, qui plus est.* Sa promesse que nous affronterions l'avenir, quel qu'il fût, ensemble.

Il ne tiendra pas cette promesse. Je suis la seule à m'en souvenir.

Ma magie monte en moi, inextricablement liée à ma colère. Elle brûle dans tout mon être. Je tente de la retenir, mais elle crépite à travers mes muscles, embrase ma gorge, grésille au bout de mes doigts. Je détourne le regard de ma sœur – trop tard.

À l'autre bout du salon, Maura pousse un cri.

Alice se penche pour ramasser des éclats de porcelaine. Maura presse sa main droite contre elle et balbutie : «Quelle maladroite je suis.» Sa voix a l'intonation claire d'une clochette et son sourire penaud donne le change. Je sors de la pièce précipitamment. Personne ne semble avoir noté que la tasse s'est brisée dans la main de ma sœur, non pas en touchant le sol. Mais Maura le sait. Ou du moins s'en doute. Je sens son regard dans mon dos, juste entre mes omoplates, qui accompagne ma fuite le long du couloir.

Je suis atterrée. Horrifiée d'avoir eu cette impulsion de m'en prendre à ma sœur. D'avoir perdu le contrôle de ma magie comme une gamine sans cervelle.

«Cate!» On m'attrape par le coude, on m'entraîne dans la classe d'anatomie. Elena. Elle ferme doucement la porte derrière nous.

«Oui?» dis-je d'un ton sec. A-t-elle vu ce que j'ai provoqué ?

De toute manière, elle n'est plus ma gouvernante. Elle n'a qu'un an et demi de plus que moi ; donc, aucun droit de me réprimander.

Ses yeux brun chocolat contemplent le plancher.

«J'ai appris ce qu'a fait Maura.

— Je ne tiens pas à en parler.»

Ses doigts bruns chargés de bagues se crispent sur sa jupe.

«Je m'inquiète pour elle. Qu'est-ce qui a pu la pousser à commettre pareille monstruosité?

— Ça crève les yeux, non?» Je ricane d'un rire sans joie. «Elle était jalouse parce que j'avais Finn et qu'elle vous a perdue. Par ma faute, à ses yeux. Elle doit penser qu'ainsi nous sommes quittes.

— Ce qui s'est passé entre Maura et moi…» Elena hésite, cherche ses mots. «C'était une erreur. La mienne, pas la vôtre. J'aurais dû être honnête sur mes sentiments, sans me préoccuper du prix à payer.»

Je m'assieds sur un pupitre. Qu'aurait été ma vie si les événements avaient suivi ce cours-là? Je repense à cette affreuse scène dans la chambre qu'Elena occupait chez nous. C'était il y a seulement deux mois, mais cela me semble une éternité. J'étais tellement sûre, alors, qu'Elena manipulait Maura.

Je les revois en train de s'embrasser, je revois Elena frappée par ma stupeur et prête à tout nier face à ma colère. J'ai oublié les mots exacts de notre échange, mais je l'entends encore assurer à Maura que ce baiser est une erreur, qu'elle a été prise de court, qu'il ne signifie rien qu'un égarement passager. Je revois le désarroi de Maura, sa fureur à l'idée que j'ai dit vrai, qu'elle n'a été qu'un jouet entre les mains d'Elena. Je la revois me jeter, avec un regard meurtrier: «Tu avais raison! Tu es contente maintenant?»

Oh! pouvoir revenir en arrière, revenir sur mes propres

actes. Il ne me semble pas avoir été contente alors, mais à présent je suis désespérée.

« D'accord, dis-je, vous n'avez pas été honnête avec Maura. Et c'est moi qui en suis punie.

— Il y a sûrement autre chose encore derrière le geste de Maura. » Elle se perche sur le pupitre devant le mien, pose ses pieds sur le siège et plante les coudes sur ses genoux.

« Vous croyez ? dis-je. Je pensais que c'était l'ordinaire entre sœurs. Toujours à se chamailler, toujours à se jalouser. Moi aussi, j'étais jalouse d'elle. De son intelligence. De sa beauté. De sa vivacité. Elle a toujours attiré tout le monde, les gens n'arrêtaient pas… Mais vous le savez mieux que personne, je suppose.

— Oui. Elle peut être impulsive, mais elle n'a pas le fond méchant. Pas du tout. C'est l'influence d'Inez. Nous devons à tout prix…

— Non ! Pas *nous*. Si vous voulez la sauver de l'emprise d'Inez, vous allez devoir vous en charger seule. Maura n'est pas innocente dans cette affaire. Elle savait ce qu'elle faisait. Elle m'avait prévenue, à sa manière, qu'il n'était plus question de collaborer avec les Frères. Elle a même dit à Finn de s'en aller – qu'il n'était plus le bienvenu ici, à présent que Cora était morte.

— Mais lui ne voulait pas vous quitter. » Je lis une ombre d'envie dans son regard.

Je pousse un soupir.

« De toute façon, c'est Tess la sibylle, de sorte que ce qu'elle a fait ne servira à rien. Maura ne dirigera jamais l'ordre des Sœurs.

— Et ça te fait plaisir, hein ? »

Je sursaute au son de la voix de Maura dans mon dos. Les dents serrées, sans me retourner, je gagne l'avant de la salle, face au tableau noir.

Mais elle poursuit : « Tu t'étais bien gardée de m'en informer, hein ? Depuis combien de temps le savais-tu ? »

Il me faut un moment pour comprendre qu'elle parle de Tess.

Elle se rapproche, ses bottines claquent sur le plancher comme celles d'Inez. Je perçois l'odeur citronnée du parfum qu'elle s'applique sur le cou et derrière les oreilles.

« Maura, prévient Elena, pas maintenant.

— Oh, quelles excellentes amies vous êtes devenues, toutes les deux, pour papoter ensemble si gentiment ! Qui l'eût cru ? »

Jalouse encore. Je serre les poings. Elle est si mesquine !

« Cate, enchaîne-t-elle, on dirait bien que j'ai une coupure à la main droite. Sachant que tu en es responsable, je suis d'avis que tu devrais me soigner. »

Je fais volte-face, parcours les cinq pas qui me séparent d'elle et empoigne sa main nue. Elle a une minuscule entaille à la paume ; qui ne saigne déjà plus. Sitôt que je la touche, je perçois sa blessure de l'intérieur, et elle est bien telle que je la vois : insignifiante.

Maura m'observe, lèvres pincées. Elle a toujours clamé que le don de guérison était une branche mineure de la magie. Évidemment. Puisque c'est celui où j'excelle.

Impulsivement, je presse sa main et le sang jaillit de sa paume.

Elle glapit : « Aïe ! » et tente de reculer, mais je la tiens fermement. Au lieu de refermer la plaie minuscule, j'ordonne à ma magie d'élargir l'entaille. Des gouttes de sang perlent, se faufilent jusque sur ma main.

«Cate!» Elena m'attrape par le bras et me tire en arrière, ses doigts enfoncés au creux de mon coude.

Ma sœur ouvre sur moi des yeux incrédules.

Je lui ai fait mal. J'ai usé de mes pouvoirs – de mon don de guérison – pour lui faire mal. Résolument.

Je tourne les talons et sors précipitamment en criant : «Ne t'approche plus de moi. Je ne veux plus te parler. Je ne veux même plus te voir!»

À peine sortie, j'entends comme un bruit de chute sur ma gauche. Juste à côté, dans le petit salon parloir, des voix poursuivent leur conversation.

Sur ma gauche, c'est la classe d'Inez. J'entrouvre la porte tout doucement.

Assise par terre à côté d'un tabouret renversé, Alice se masse une cheville. Les bottines ordinaires ne sont pas pour elle ; elle est chaussée de souliers à talons ornés d'une boucle sophistiquée. Neufs, à en juger par le cuir immaculé.

«Qu'est-ce que vous voulez?» me lance-t-elle, toujours aussi gracieuse. Elle se remet sur pied avec une grimace.

«Je vous ai entendue tomber. Je voulais m'assurer que ce n'était pas grave.

— Je vais très bien, crache-t-elle en claudiquant vers le pupitre le plus proche.

— Mais que faisiez-vous donc?» Mon regard part du tabouret et remonte vers le haut du mur pour s'arrêter sur la trappe de ventilation. Elle est ouverte. Je baisse le ton, mais jubile intérieurement d'avoir pris Alice sur le fait. «Vous étiez en train d'espionner… Et qui donc? Qui parle, de l'autre côté?»

Elle rosit.

«Sœur Inez et Sœur Johanna discutent avec Frère O'Shea. De projets pour l'ordre des Sœurs. Et Inez a dit…

— Quoi? Qu'a-t-elle dit?»

Je relève le tabouret, mais derrière moi la porte s'ouvre sur Elena et Maura.

«Que se passe-t-il ici? s'informe Elena.

— J'ai trébuché, grogne Alice.

— En quoi faisant?» s'enquiert Maura. Sa main est bandée d'un mouchoir blanc.

Alice replace une mèche blonde échappée de son chignon. Ses yeux bleus naviguent entre Maura et moi.

«Rien de spécial, répond-elle. J'étais venue rapporter un livre, je ne regardais pas bien où je marchais et je me suis cognée dans ce tabouret. Je me suis méchamment tordu la cheville.»

Je suis un peu surprise. Alice est la pire commère de tout le couvent. Pourquoi ne s'empresse-t-elle pas de rapporter à Maura ce qu'elle vient d'entendre?

«Oh, et Cate va vous soigner, c'est ça?» lâche Maura avec un petit rire acidulé.

Lorsque Sœur Sophia m'avait prévenue que la magie guérisseuse avait sa face obscure, je n'avais pas pensé une seconde qu'un jour je serais capable d'aggraver un mal délibérément au lieu de le soulager – pas pensé une seconde que quelque chose en moi pouvait être tapi, quelque chose de sombre qui éprouverait une jouissance à faire souffrir ma propre sœur.

«Excusez-moi», dis-je d'une voix étranglée. Et je m'éclipse, en lâche que je suis.

La nuit tombe. Elena et moi cheminons à travers le quartier commerçant, dans les ruelles obscures à l'arrière des boutiques. Encombrées de détritus, elles empestent le chou pourri et la viande avariée, et plus d'une fois nous surprenons une ombre à fouiller dans une poubelle en quête de nourriture. Devant nous, une porte s'ouvre sur une salle emplie de lumière, de musique et d'hommes. Trois marins ivres titubent vers nous, rigolards. Elena m'entraîne sous un porche sombre où nous attendons qu'ils nous aient dépassées.

Un peu plus loin, un homme nous siffle : «Hey, les chéries!» Il nous adresse un large sourire édenté à toutes les deux – il ne fait pas dans le détail –, mais Elena lui lance un tel regard qu'il file sans un mot de plus.

Nous traversons la rue en direction d'un bloc d'immeubles plus paisible. L'arrière de la papeterie O'Neill ne paie pas de mine ; pas de fenêtres, juste une porte en bois munie d'une petite pancarte destinée aux livreurs. Un pâle filet de lumière se faufile sous la porte. Je jette un coup d'œil derrière nous. Personne. Je retire la chaînette à mon cou, transforme en clé le faux rubis que Gretchen m'a confié, et fais vivement tourner cette clé dans la serrure. Elena et moi nous glissons dans l'arrière-boutique, éclairée par une modeste lanterne. Des boîtes de crayons, du papier à lettres et des cartes de visite voisinent avec des faire-part de mariage, de décès ou de naissance, tous en piles bien ordonnées sur les étagères, du sol au plafond. La pièce est petite, mais impeccablement rangée.

Elle dispose de deux portes, en plus de celle qui ouvre sur la ruelle : la première, que j'entrouvre, donne sur la boutique ; l'autre doit donc mener au sous-sol, le lieu de réunion de la Résistance.

Mes nerfs vibrionnent comme une colonie de guêpes. Je remets la chaînette autour de mon cou et ouvre la porte qui donne sur l'escalier. Je descends à pas comptés, m'agrippant à la rampe branlante, Elena sur mes talons. En bas, je cligne des yeux, le temps qu'ils s'accommodent à la lumière de la pièce.

Sept hommes sont assis là, autour d'une longue table couverte de journaux et de chopes de bières, éclairée de quelques chandelles. Je ne suis pas rassurée. Si c'était un guet-apens ? Et s'ils nous amenaient à dévoiler que nous sommes sorcières afin de nous dénoncer ensuite ? Et si, et si, et si… Mon esprit scande le chant de la peur.

« Sœur Cate, dit Mr O'Neill en se levant. Bienvenue. »

Le sommes-nous vraiment ? Les six autres hommes nous observent depuis leur siège, le visage fermé, soupçonneux. Ils ne veulent pas de nous ici, c'est on ne peut plus clair. Parce que nous sommes sorcières, ou parce que nous sommes femmes ?

« Merci. » Je lui serre la main, très femme d'affaires. « Mr O'Neill, je vous présente Sœur Elena. Elena, Mr O'Neill, propriétaire de ce lieu. Et je vous en prie, appelez-moi Cate. Je ne suis pas encore membre de l'ordre des Sœurs à part entière. »

Elena sourit à notre hôte.

« Merci de nous recevoir parmi vous.

— Me semble pas qu'on ait eu tellement le choix, grommelle le jeune homme assis en bout de table. » Il se lève, vient à nous, nous toise de toute sa hauteur. « C'est à elle que Cora a donné sa clé ? À une gamine à peine sortie des jupes courtes ? »

Je me cabre. Les jupes courtes, je leur ai dit adieu à treize ans, et je n'ai plus été vraiment une gamine depuis que Mère est morte et que j'ai dû veiller sur mes sœurs.

O'Neill dissimule un sourire derrière sa main semée de taches brunes.

« Sœur Elena, Cate, je vous présente Alistair Merriweather, directeur et rédacteur en chef de la *Gazette*. »

C'est lui, Alistair Merriweather ? Gretchen n'avait pas fait mention de son âge, mais je m'étais imaginé un vieux croûton, or il ne peut pas avoir plus de vingt-cinq ans, et il ressemble à un poète plus qu'à un révolutionnaire. Anguleux, la mâchoire carrée, le nez aquilin, des cheveux noirs qui retombent sur un front pâle, il pose sur nous un regard pénétrant. Comme Brennan, il doit sans doute se faire plus que discret ces temps-ci, mais il n'en est pas moins habillé en dandy, avec cravate de soie violette, gilet de brocart et veste noire sur une chemise d'un blanc éclatant.

« Hugh, dit-il, c'est de la folie. Tu t'en rends bien compte, non ? » Il a de l'encre d'imprimerie sur les doigts, et immédiatement cela me fait penser à Finn. « Admettre Cora dans nos réunions, passe encore. Elle nous fournissait de précieux renseignements. Nous n'étions peut-être pas toujours d'accord, mais bon, elle était plutôt intelligente pour une femme. Mais qu'est-ce que cette gamine peut nous apporter?»

Plutôt intelligente pour une femme? Et il se prend pour un progressiste? Je riposte immédiatement: «J'ai des oreilles, vous savez. Quant à ce que j'ai à vous apporter…» J'effleure la clé pendue à mon cou et la change de nouveau en rubis. «La magie.

— Quoi? s'écrie Merriweather. Une autre sorcière dans l'ordre des Sœurs? Intéressant…» Il m'examine un instant puis, ne me trouvant à l'évidence pas à la hauteur, il se tourne vers Elena: «Où est Gretchen? Je pensais qu'elle prendrait la suite.

— Sœur Gretchen est souffrante.» Elena tire une chaise et s'assied dans le cercle sans attendre qu'on l'y invite. «Elle a veillé Cora toute la semaine.

— J'ai été désolé d'apprendre que Cora nous avait quittés.» Merriweather incline le front et les autres hommes l'imitent. «Mais je dois vous avouer que je ne vois pas l'utilité d'accueillir parmi nous des personnes comme vous.

— C'est-à-dire?» Ma voix se fait acide. «Des sorcières, ou des femmes?

— Comme vous voudrez. Les deux.» Ses sourcils s'arquent au-dessus de ses yeux gris. «Je ne suis pas en faveur du droit de vote pour les femmes. Nous allons devoir batailler bien assez pour obtenir que les hommes de toute race, toute condition et toute religion aient leur voix dans le nouveau gouvernement. Réclamer en plus ce droit pour les femmes – ou demander à légaliser la magie –, ce serait faire de notre cause un combat perdu d'avance.

— Eh bien! dis-je, posant les mains sur le dossier de la chaise d'Elena, si ce n'est pas du défaitisme, ça! Et on m'avait dit que vous étiez progressiste! Vous ne croyez donc pas à l'égalité des droits?

— Entre tous les hommes, oui.» Il se met à marcher de long en large sur le plancher poussiéreux. «Les hommes du peuple sont les meilleurs penseurs de notre époque. Et les philosophes et les écrivains, ceux qui se dressent contre…»

C'en est trop pour moi, j'explose: «Parce que les hommes se font rarement arrêter! Qu'une femme ose s'écarter, si peu que ce soit, du rôle qui lui est imparti, et elle se fait accuser de sorcellerie et jeter en prison! La plupart de celles que condamnent les Frères sont pourtant incapables de magie. C'est le châtiment idéal pour celles qui essaient de sortir un peu de la cage d'épouse, de mère ou de fille dans laquelle les Frères veulent nous enfermer.»

Un long silence s'ensuit, puis le plus âgé des hommes, un barbu aux épais favoris, éclate d'un grand rire.

«Ça ne te rappelle pas quelqu'un, Alistair?»

Il fait basculer sa chaise en arrière, en équilibre sur deux pieds, et avale une lampée de bière. Mr O'Neill se rassied face à Elena et sourit à son tour.

«On jurerait Prue, c'est vrai. As-tu de ses nouvelles?

— Toujours pas», répond Merriweather, tendu.

Qui est Prue? Sa petite amie? J'ai du mal à imaginer qu'une femme puisse le supporter.

Je repars à l'assaut: «Nous devons coopérer, Mr Merriweather. Les sorcières et tous ceux qui s'opposent à l'ordre des Frères. Si nous caressons l'espoir d'un véritable changement, nous…

— Après ce que vous avez fait au Conseil suprême?» Merriweather est catégorique. «Nous associer aux sorcières est hors de question à présent. Avez-vous lu mon papier sur l'attentat?»

Il en parle avec tant de fierté que, bien que je l'aie lu – je m'en suis fait un devoir –, je suis tentée de répondre que non.

Mais je muselle mon agacement.

«Oui, et je suis d'accord avec vous : cette attaque, c'était de l'inconscience ; et, moralement, un acte indéfendable.» Je soupire intérieurement. Merriweather est peut-être arrogant, mais j'ai besoin de son aide. Son journal touche de nombreuses personnes auxquelles je n'ai pas accès, et son appui pourrait nous être précieux. J'ajoute étourdiment : «J'y étais opposée.

— Attendez… Vous savez donc qui est responsable de cet acte?»

Il me considère, soupçonneux. Je croise les bras sur ma poitrine pour contrer l'envie que j'ai de disparaître dans un trou de souris.

«Oui, je le sais.»

Il s'approche de moi et, dans son exaltation, me prend le coude sans souci des convenances.

«Dites-le-moi. Nous allons tout révéler dans la *Gazette*. C'est le meilleur moyen de prouver que nous nous opposons à ce genre de méthodes.»

Je suis plutôt grande pour une femme, mais il doit mesurer plus de six pieds et il est large d'épaules. Je m'efforce de garder à l'esprit qu'il n'essaie pas de me dominer – et qu'un rien de magie me suffirait pour l'envoyer à l'autre bout de la pièce. Je jette un regard peu amène sur ses doigts qui me serrent le bras et réponds fermement : «Je ne le dirai pas.

— Ah bon? Vous n'estimez donc pas que les coupables méritent châtiment?» Il me lâche. «En ce cas, je ne vois pas comment nous pourrions...

— Les coupables rêvent de diriger le pays avec les mêmes méthodes que les Frères. Par la peur et l'intimidation. Le pire châtiment à leur infliger est de faire en sorte que leur rêve ne se réalise pas. Je suis favorable à l'idée d'un gouvernement mixte. N'est-ce pas ce que vous désirez, vous aussi?

— Il est rare que quelqu'un qui possède un réel pouvoir souhaite le partager, fait observer Merriweather, sceptique. Au nom de qui parlez-vous au juste?»

Elena se met à rire. Tous se tournent vers elle.

«Nous pourrions rassembler au moins la moitié des sorcières de Nouvelle-Angleterre derrière Cate. Non parce qu'elle les y aurait obligées par la peur, mais parce qu'elles la respectent. Cate a sacrifié ce qu'elle avait de plus cher pour nous venir en aide.»

À vrai dire, pas volontairement. Jamais je n'aurais renoncé à Finn si le choix m'en avait été offert. Mais elle a raison. D'une certaine manière, outre que je suis celle qui a organisé l'évasion de Harwood, me voici devenue, au couvent, une sorte d'héroïne tragique. Ces deux derniers jours, la plupart de mes compagnes ont tenu à m'exprimer leur compassion. Mieux, ou pire : elles veulent connaître tous les détails de mon histoire avec Finn, détails pourtant bien trop intimes et douloureux pour être partagés.

Merriweather rajuste sa cravate et écarte ses cheveux de son front.

« La moitié des sorcières du pays ? Impressionnant. Presque autant que le cinquième de la ville qui achète mon journal. » Brusquement, il se fige. « Seriez-vous la sibylle ?

— Comment êtes-vous au courant de l'existence de la sibylle ? » Je me demande quelle serait sa réaction s'il apprenait que celle-ci est bel et bien une gamine.

« Nous avons nos sources au sein de l'ordre des Frères. N'essayez pas de détourner la conversation. »

Il pivote vers Elena, mais elle secoue ses boucles brunes.

« Pensez-vous que nous serions assez stupides pour envoyer la sibylle assister à une telle réunion ?

— Mais est-elle ici, à New London ? Ses pouvoirs se sont manifestés ?

— Mr Merriweather… » Je lâche un soupir appuyé. « Quand bien même je le saurais, ne croyez-vous pas que je prendrais sa sécurité trop au sérieux pour répondre à de telles questions ? »

Il plonge les mains dans ses poches.

« Compris. Dites-moi juste une chose : la sibylle approuve-t-elle l'attentat contre Covington ?

— Non. Et si je me tais, ce n'est pas pour protéger les personnes qui ont fait cela. » J'observe à la dérobée les hommes autour de la table. À la lueur des chandelles, leurs traits sont difficiles à déchiffrer. Considèrent-ils que nous n'avons pas notre place ici, ni même dans le pays ? «Mais dénoncer ces personnes aujourd'hui nous mettrait toutes en danger. Ce serait révéler des secrets qu'il vaut mieux taire pour le moment. » Comme le fait que l'ordre des Sœurs est entièrement constitué de sorcières.

«Quelle sorte de secrets ? demande Merriweather.

— Si je vous le disais, ce ne seraient pas des secrets longtemps, ou je me trompe ?

— Cesse de harceler cette fille, Alistair. Tu ne manques pas de sujets d'article. » L'homme aux favoris repose brutalement sa chaise sur ses quatre pieds. «Cet O'Shea est un fumier de première. Va interviewer n'importe quelle famille qui a eu affaire à lui, et elle t'en racontera des vertes et des pas mûres.

— Il faut blanchir Brennan, ajoute O'Neill. Laver sa réputation. Elle est là, la priorité. Je n'approuve pas l'attentat contre le Conseil suprême, mais si nous pouvions installer Brennan au pouvoir, ce serait une bénédiction pour tous.

— Interroge les infirmières de Harwood, déclare un homme sec et grisonnant. Il n'y en a pas une qui se rappelle avoir vu Brennan ce soir-là. Elles ne se souviennent de rien. Ce mouchoir qui a été trouvé, c'est juste… comment on dit déjà ?… une preuve indirecte ? une preuve accessoire ? Bref, n'importe qui aurait pu le déposer là. Y compris O'Shea. Il en serait bien capable. »

O'Neill frappe du poing sur la table.

«L'épouse de Brennan jure qu'il était malade comme un chien ce soir-là, qu'il n'a pas quitté la maison de toute la nuit. Sa femme et ses filles ont témoigné en sa faveur, mais ce n'est pas assez pour O'Shea et sa clique!»

Je me tourne vers le papetier.

«Avez-vous pu parler à Brennan? Lui avez-vous donné ma lettre?

— Oui, mais il ne viendra pas ce soir. Trop risqué pour lui de traîner en ville en ce moment. S'il se faisait prendre, je ne serais pas étonné qu'O'Shea le fasse exécuter pour refus d'obtempérer ou quelque chose du genre, ce salopard!» O'Neill nous adresse une petite grimace, à Elena et à moi. «Excusez mon langage.

— Il a quitté New London, alors? Il est loin? Pouvez-vous organiser une rencontre entre nous?»

Merriweather ne lui laisse pas le temps de me répondre.

«Messieurs», dit-il, et il n'a pas besoin de hausser le ton pour que tous se tournent vers lui. «Nous allons poursuivre notre enquête et blanchir le nom de Brennan. C'est la priorité absolue de la *Gazette*. N'ayez crainte, nous découvrirons la vérité au sujet de ce mouchoir.»

Je baisse les yeux. Pourvu qu'il ne découvre pas la vérité – parce que, alors, c'est Finn qui aura des ennuis. Sans même savoir pourquoi. Ni comment se défendre. Il se fera accuser de haute trahison et…

Mais Merriweather poursuit, une main dans ses cheveux en bataille : «Avant de continuer à partager des informations confidentielles, je suis d'avis que nous devrions voter pour décider si Cate et Sœur Elena sont invitées à participer à nos débats.»

Je sursaute : «Voter? Je croyais que nous avions hérité du siège de Cora.

— De sa clé, peut-être. Pas du droit d'en user. » Avec un haussement d'épaules aussi élégant qu'odieux, Merriweather conclut : « Nous vous ferons connaître notre décision. »

Il regagne son siège en bout de table. De toute évidence, nous sommes congédiées. Elena se lève et demande : « Vous nous la ferez connaître, mais de quelle manière ? »

Il attrape sa chope de bière et sourit d'un air suffisant.

« Ne vous inquiétez pas. Nous saurons vous trouver. »

Je voudrais protester, mais ce serait sans doute jugé puéril. Alors saluant l'assistance d'un petit hochement de tête, je suis Elena dans l'escalier.

Nous gardons le silence jusqu'au moment où nous nous coulons dans la nuit froide.

« La seule chose qui coince est son arrogance, bougonne Elena. Nous pourrions lui être sacrément utiles. Il doit bien s'en rendre compte.

— Vous croyez ? Il ne semble pas tenir les femmes en haute estime. Nous sommes la moitié de la population, pourtant. Une moitié abandonnée par les politiciens depuis plus d'un siècle. Si le nouveau gouvernement accordait le droit de vote aux femmes…

— Est-ce que leurs maris les laisseraient l'exercer ? »

Les ruelles derrière les boutiques sont à présent désertes. Je resserre ma cape autour de moi et me demande où sont partis ceux qui fouillaient dans les poubelles. Ont-ils trouvé où dormir au chaud ?

« Je refuse de croire que tous les hommes aient l'esprit si étroit », dis-je d'un ton catégorique.

Pas Finn en tout cas.

« Nous pourrions contraindre Merriweather délicatement, suggère Elena. S'il se range de notre côté, les autres suivront.

— Je ne veux pas recourir à ce procédé. Pas s'ils doivent être nos alliés. »

Mais je garde pour moi le fond de ma pensée. Non, je ne veux absolument pas user d'intrusion mentale sur ces hommes, mais si les investigations de Merriweather le menaient à Finn – si c'était le seul moyen de protéger Finn –, j'y aurais recours sans hésiter.

Chapitre 5

Comme tous les ans, ce samedi soir, les Frères donnent leur kermesse de Noël – vieille tradition à New London. Les vendeurs installent leurs stands dans les jardins de Richmond Square, les visiteurs s'acquittent d'un droit d'entrée modique, et toutes les recettes sont destinées aux œuvres de charité de l'ordre des Sœurs, ce qui nous permet de distribuer aux pauvres des cadeaux de Noël et des rations supplémentaires.

Pelotonnée sur mon lit, j'écoute mes compagnes d'étage s'affairer, s'interpeller, courir d'une chambre à l'autre dans un grand bruissement de jupons, qui pour emprunter une broche, qui pour des boucles d'oreilles. La tenue noire de l'Ordre est de rigueur, évidemment, mais il s'agit tout de même d'une fête ! Les voix s'entrecroisent, excitées, les appels au secours fusent, l'entraide est de rigueur – ne serait-ce que pour élaborer quelque coiffure sophistiquée... qui se fera mettre à mal par la première bourrasque venue, sans parler des ravages de la capuche.

Assise devant ma coiffeuse, Tess relève ses boucles blondes en chignon à la Pompadour.

« Tu es sûre que tu ne veux pas venir, Cate ? Vraiment sûre ? »

Dans un premier temps, nos enseignantes se sont

demandé si tout le couvent ne devait pas s'abstenir. Participer à cette kermesse, n'était-ce pas irrespectueux pour la mémoire de Sœur Cora, inhumée à peine une semaine plus tôt? Mais nous tenons toujours un stand et vendons à cette occasion des bonnets, des moufles et des écharpes tricotés de nos mains. C'est pour nos œuvres charitables. Inez a donc décidé que nous devions en être.

« Sûre et certaine. » Je ne suis pas d'humeur à folâtrer dans une kermesse. « Et toi, tu n'aimerais pas mieux rester? Nous aurions le prieuré pour nous toutes seules ou presque. On pourrait se faire du chocolat et... » Je cherche ce qui plairait à Tess. « ... et jouer aux échecs?

— Cate! Aux échecs, tu es nulle. De toute manière, je ne vais pas rester enfermée ici jusqu'à la fin de mes jours.

— Pas jusqu'à la fin de tes jours. Jusqu'à ce que les choses se calment un peu.

— Ça pourrait prendre des siècles. » Elle se lève, rajuste sa ceinture de satin noir. « J'y vais.

— Entendu. Mais pas de magie, hein? Sous aucun prétexte. » Ses imprudences de la semaine passée sont encore bien présentes dans mon esprit. « Le parc va grouiller de Frères. »

L'assemblée annuelle du Conseil national aurait dû s'achever hier, mais une prolongation a été décidée d'urgence, à la suite de l'attentat contre le Conseil suprême. Curieusement, cette nouvelle m'a soulagée. Finn ne va donc pas quitter New London immédiatement. C'est que l'avenir n'est pas clair pour lui. Il occupait le poste de secrétaire auprès de Frère Denisof, mais que va-t-il faire, maintenant que Denisof gît à l'hôpital Richmond, dans un état quasi végétatif ? Retourner à Chatham pour enseigner à l'école des Frères ? Il serait probablement plus en sécurité là-bas, mais l'idée de le voir partir si loin me brise le cœur.

« Cate, enfin ! s'indigne Tess. Qui te parle de magie ? J'ai envie de sortir un peu, c'est tout. Et d'aller acheter des petites choses pour Père et pour Mrs O'Hare, et de me balader avec Lucy et Bekah, comme une fille ordinaire ! Comme quelqu'un qui ne porte pas en permanence le poids du monde sur ses épaules ! C'est trop demander ?

— Bien sûr que non. Pardonne-moi. »

Je me masse les tempes pour chasser un début de mal de tête – et c'est alors qu'on frappe à la porte, trois ou quatre coups précipités.

Brenna passe la tête par l'entrebâillement, ses longs cheveux châtains emmêlés retombant en rideau devant elle.

« J'ai des choses à dire à la petite. »

La robe de Rory qui pend sur elle souligne son absence de formes. Ce velours d'un rouge agressif lui donne l'allure étrange d'une petite fille grandie trop vite, déguisée en dame.

Rory. Je me demande soudain comment elles s'en tirent, elle et Sachi. À l'heure qu'il est, elles doivent avoir atteint le refuge visé, une ferme du Connecticut perdue dans les bois. Reviendront-elles au prieuré après y avoir installé les autres, ou choisiront-elles de rester là-bas ? Je n'aurais jamais cru que Rory Elliot me manquerait un jour, et pourtant c'est le cas. Elle a l'art de me faire rire quand j'en ai le plus besoin.

Je n'en dirais pas autant de sa cousine. Avec ces grands

yeux qui voient tout dans un visage décharné par des semaines de privations, Brenna me ferait plutôt peur.

Mais ce n'est pas moi qu'elle cherche. Elle n'entend pas mon mot d'accueil et s'adresse directement à Tess : «J'ai eu une vision. Vous m'avez dit de vous en parler, si j'avais une vision.

— J'arrive, répond ma sœur en me jetant un bref coup d'œil. Allons dans votre chambre. »

Elles ne vont tout de même pas me laisser de côté !

«Vous pouvez en discuter devant moi, non ?

— Il va se passer quelque chose d'horrible », lâche Brenna tout à trac. Ses doigts nerveux tiraillent sa jupe. «Il va l'annoncer ce soir.»

Je saute sur mes pieds.

«Annoncer quoi ? Et qui ?»

Elle ferme les yeux, serre les paupières.

«Il y a un homme à tête de cheval, sur une estrade, face à une foule de gens… Il dit quelque chose et tout le monde sursaute, et vous, la petite sibylle… vous êtes là… Vous avez l'air très malheureuse… Et vous !» Elle pointe l'index vers moi, au risque de m'éborgner. «Vous êtes furieuse.»

Je suis furieuse en permanence ces temps-ci, rien de bien nouveau. Mais je sens que je vais aller à cette kermesse moi aussi, finalement.

«Et que dit-il, cet homme-cheval ?

— Je n'arrive pas à l'entendre. Il est sous l'eau, comme un poisson. Comme quelqu'un qui parlerait du fond de l'océan.» Elle mime un mouvement de brasse. «On allait au bord de la mer, quelquefois, Maman, Papa, Jack et moi. Avant.»

Avant que son père ne la dénonce aux Frères. Avant qu'Alice ne lui délabre le cerveau.

« L'homme est sous l'eau et il a une tête de cheval ? demande Tess, perplexe.

— Pas une vraie tête de cheval, bécasse ! s'esclaffe Brenna. Une tête comme ça, tout en longueur. Et un crâne chauve, brillant. »

Je réprime mon exaspération. C'est le problème, avec les sibylles au cerveau fêlé : Brenna peut prédire que Frère O'Shea va faire ce soir une proclamation terrifiante, mais pas nous préciser ce qu'il va proclamer.

« Et toi, Tess ? dis-je. Tu as eu ce genre de vision ? » Elle fait non de la tête. « Tu n'en as pas eu d'autres depuis Zara ? »

Elle se détourne, mais dans le miroir de la coiffeuse je la vois rougir.

« Je ne suis pas obligée de tout te raconter.

— Je sais. » Je me suis fait serment de ne pas la presser de questions, mais ce n'est pas toujours facile. « Je pense vraiment que tu ne devrais pas sortir ce soir, Tess. Pas si…

— Écoute, on arrête d'en discuter. J'y vais, un point c'est tout. Et si on en croit Brenna, toi aussi ; alors tu ferais mieux de commencer à te préparer. Venez, Brenna, je vous raccompagne dans votre chambre. »

Et toutes les deux sortent résolument.

Face à n'importe qui d'autre que Tess, Brenna reste sur le qui-vive. Elle recule comme un chien battu lorsqu'on fait mine de la toucher ou pour peu qu'on la dévisage – or tout le monde la dévisage. Hier, croisant Alice dans le hall, elle s'est mise à hurler. Mais d'ordinaire, elle ne quitte pas sa chambre, et Tess est son seul lien avec l'extérieur. C'est Tess qui lui apporte ses repas, Tess qui lui tient compagnie en dehors des heures de cours. J'ignore de quoi elles parlent. De leurs visions, peut-être. En essayant de reconstituer le puzzle des événements à venir…

Je viens d'enfiler ma tenue de Sœur quand Rilla entre dans notre chambre. Elle est fin prête pour la kermesse, ses boucles brunes arrangées avec art autour de son visage éclaboussé de taches de rousseur.

« Ah, vous avez décidé de venir, finalement ? Vous êtes très élégante. »

Je lui jette un regard sombre.

« Certainement pas. » J'ai l'air d'un grand vautour blond et maigre en uniforme des Sœurs. Comme toujours.

« Taisez-vous et acceptez le compliment », rétorque-t-elle, et elle prend le risque de refermer ses bras sur moi. Elle sent le chocolat chaud, et ces bonbons au sirop d'érable que sa mère lui envoie depuis leur ferme du Vermont. « Ça va ? Vous semblez… plus sombre que d'habitude.

— Je vais très bien. »

Je ne vais pas bien du tout. Que manigance O'Shea à l'heure qu'il est ? Des centaines de Frères vont assister à la kermesse. N'importe laquelle d'entre nous pourrait commettre un faux pas et se faire arrêter. Les périls sont si nombreux. Par-dessus le marché…

« Craignez-vous de croiser Finn là-bas ? »

Elle a touché juste. Mon estomac se tord. Suis-je si transparente qu'on devine mes pensées ?

« Je ne sais pas. » J'enfouis mon visage dans mes mains. « Oh, Rilla, il me manque. Il me manque tant. Je meurs d'envie de le voir mais… il ne me reconnaîtra pas. Pas vraiment. C'est tellement horrible…»

Elle serre les poings.

«Votre espèce de sœur… Je pourrais la rouer de coups.

— Moi aussi.» Je lui adresse un pauvre sourire, puis m'accroche des boucles d'oreilles que je transforme en rubis pour les assortir à mon pendentif. «Mais le mal est fait. Je n'y peux plus rien.

— En êtes-vous si sûre?» Elle désigne son étagère à romans. «Vous savez, dans *Le Duc et moi,* le duc a un accident de chasse; il tombe de son cheval, se cogne la tête et perd la mémoire. C'est une amnésie, hein, pas de la magie. Mais ensuite la duchesse et lui retombent follement amoureux l'un de l'autre.

— Ça n'arrive que dans les romans.

— En êtes-vous certaine?» Elle m'installe d'autorité devant la coiffeuse et entreprend de tresser mes cheveux. «Si Finn est tombé amoureux de vous une fois, qui vous dit que ça n'arrivera pas de nouveau? Vous le connaissez. Vous savez ce qui lui plaît. Sans compter que vous pourriez aider un peu les choses.»

L'espoir monte en moi; je le refoule.

«Ce serait malhonnête. Et puis commencer une histoire en cachant des choses…» Je repense à mes parents. Mère a effacé de la mémoire de Père le fait qu'elle était sorcière et que ses trois filles pouvaient fort bien l'être aussi. Ainsi, en cas d'ennuis, il aurait pu protester de son ignorance en toute bonne foi devant les Frères au lieu de se mettre en danger. Mais je ne crois pas que leur union soit restée la même après cela.

Rilla épingle mes nattes en diadème autour de ma tête. « En ce cas, le mieux serait de lui dire la vérité. Combien vous vous aimiez, et ce qu'a fait Maura.

— Vous plaisantez ? Et s'il la dénonçait ? Non, je préfère me taire. » J'ai beau en vouloir à Maura, je ne lui ferai jamais courir le risque de finir… où ? Après l'attentat contre le Conseil suprême, où les Frères enverraient-ils une sorcière accusée d'intrusion mentale ? Elle serait exécutée sur la place publique, oui. « Et puis ce serait dangereux pour lui. Et si Maura nous revoyait ensemble ? Qu'est-ce qui l'empêcherait, qu'est-ce qui empêcherait Inez de s'en prendre de nouveau à lui et de le laisser dans le même état que… Covington et les autres ? Pas question. »

L'enthousiasme de Rilla retombe comme un soufflé.

« Vous avez raison. Simplement, j'aimerais tellement vous voir plus heureuse, Cate.

— Moi aussi », dis-je, amère, sans relever les yeux.

Une foule endimanchée mais bien emmitouflée se presse dans les jardins de Richmond Square, les dames en cape de fourrure et les messieurs avec leur col relevé contre le vent glacé. Des lanternes se bercent aux branches des grands érables, jetant sur la fête des lumières dansantes. Des enfants jouent à se poursuivre dans les allées tandis que leurs mères examinent les étals. Officiellement, cette kermesse est pour les pauvres, mais je n'en vois pas beaucoup. Depuis que les Frères ont interdit aux femmes de travailler, les familles peinent plus que jamais à joindre les deux bouts. C'est tout juste si elles peuvent se payer de quoi se nourrir, se vêtir et se chauffer, alors tant pis pour les cadeaux de Noël.

L'air sent le cidre chaud et les marrons grillés, vendus dans des cornets de papier journal et que les gourmands dégustent en marchant. À l'autre bout de la kermesse, un joueur de vielle à roue fait danser un singe sur une estrade. Peu de temps avant, deux clowns avaient réjoui le public avec leurs fausses chutes et leurs jongleries. Plus tard, d'après le programme, il y aura un spectacle de marionnettes.

Je tiens le stand des Sœurs avec Rilla, Mei, Vi et deux de nos plus jeunes compagnes. Nous nous sommes toutes les six portées volontaires pour la tranche horaire du milieu, et, en attendant de nous remplacer, les autres filles parcourent les allées ou regardent les attractions.

Mei lorgne sur le stand d'à-côté, où un homme et son fils vendent de petits automates.

«Yang adorerait. Il est fou de mécanique depuis toujours. Démonter les choses, les remonter…

— Pourquoi ne pas lui en offrir un pour Noël?» lui dis-je.

Elle rit.

«Et avec quel argent? Je n'ai même pas un sou.»

Bien sûr. Mon indélicatesse me fait rougir. Contrairement à Mei et à d'autres, je n'ai jamais eu à me préoccuper de mes finances. Je fouille dans ma poche à la recherche de pièces, et je lui en glisse quelques-unes dans la main.

«Tenez.

— Non, je ne peux pas accepter.

— Mais ce n'est pas pour vous! C'est pour votre frère.

Vous devriez acheter aussi deux ou trois babioles pour vos petites sœurs. »

Elle me rend mes pièces, gênée.

« Je ne sais pas. »

J'insiste.

« Noël va être triste chez vous, cette année, sans Li et Hua. Apportez des cadeaux aux autres, ce sera plus joyeux. » Deux de ses sœurs cadettes purgent une peine sur un navire-prison pour avoir participé à la manifestation de Richmond Square en début de mois ; mais il y a encore chez elle les deux plus jeunes et son frère. « Prenez, il m'en reste bien assez pour gâter Tess et mon père. » Et Rilla, évidemment, sans oublier Mei elle-même. « Ça me fait plaisir. S'il vous plaît !

— C'est juste un prêt, alors. Je vous rembourserai. Merci, Cate »

Elle empoche les pièces et se penche par-dessus notre comptoir pour mieux voir les automates.

« Allez-y donc maintenant, lui dis-je. Avant que ceux qui vous plaisent soient vendus. »

Après une dernière hésitation, elle quitte notre stand et se faufile parmi les badauds.

« Je reviens tout de suite.

— Prenez votre temps. »

Vi et Rilla sont occupées avec des clients, les autres filles discutent entre elles à voix basse, lorsqu'un peu plus loin, au détour d'une allée, surgissent deux Frères en cape noire. Mon cœur bondit. La silhouette de gauche est celle de Finn, grande et mince. Mon pouls cogne à mes tempes, je déglutis avec peine, la bouche subitement sèche.

Mais ils approchent, et la ressemblance s'évanouit. Le pas du Frère ne ressemble en rien à celui de Finn. Beaucoup trop raide. Finn marche en souplesse, observant ce qui l'entoure d'un regard vif, l'esprit plus vif encore. Malgré tout, je garde les yeux sur l'inconnu jusqu'à ce qu'il soit assez près pour que l'erreur devienne manifeste : il ne porte pas de lunettes.

Quelle idiote ! C'est la cinquième fois en deux heures que je me fais ce genre de fausse joie. Ou de fausse peur.

Des centaines de Frères circulent dans ce square. Même si Finn est ici, nous pourrions fort bien ne pas nous croiser. Ce n'est pas comme s'il avait une raison de me chercher.

Je remets en ordre les écharpes, sur ma partie du stand. Certaines sont vraiment très jolies. Mei, fille de tailleur, a la main sûre et un vrai sens des couleurs. Pearl et Addie tricotent souvent, le soir, en bavardant, et leurs mailles traduisent la méticulosité dont elles font preuve dans tout ce qu'elles entreprennent. Nous avons déjà vendu cinq des écharpes de Pearl, de magnifiques étoles de douce laine grise.

Grace, la sœur de Lucy, n'a pas cessé de tricoter, elle aussi, depuis qu'elle est arrivée de Harwood. Ces gestes répétitifs semblent la réconforter. Grace manie les aiguilles ; Livvy joue du piano jour et nuit ; la nièce de Sœur Edith peint ; Caroline papote avec tout ce qui se trouve à sa portée, même les plantes en pot ; et Parvati…

Que fait donc Parvati ? Elle étudie assidûment avec Inez, je ne le sais que trop ; et au réfectoire elle est toujours avec Maura et Alice.

Je m'y suis mal prise avec elle.

Une main calleuse saisit une petite écharpe bleue et je m'arrache à mes pensées.

«Je voudrais celle-ci, s'il vous plaît.»

Je lève les yeux. L'homme aux favoris rencontré chez O'Neill me sourit dans sa moustache rousse.

«Bonsoir, Cate.

— Bonsoir.»

Par réflexe, je vérifie que nul ne nous écoute.

«La réponse est oui, mademoiselle, me dit-il à mi-voix. À l'unanimité. Alistair aboie plus qu'il ne mord, vous savez.

— Je suis heureuse de l'apprendre, Mr...?

— Moore.» Il garde un instant le silence tandis que j'emballe son écharpe, puis reprend: «J'ai un gamin chez moi, neuf ans à peine. J'espère que le monde sera devenu meilleur, le temps qu'il grandisse.

— Moi aussi.» J'encaisse les pièces qu'il me tend. «Merci, Mr Moore. Je vous souhaite une belle soirée.

— À jeudi prochain, alors, mademoiselle.»

Je hoche la tête et le regarde partir, tout heureuse.

Mei réapparaît, un petit dragon en métal dans les mains.

«Cate, avez-vous entendu parler d'une épidémie de fièvre? La fièvre des estuaires, je crois. Dans le quartier du fleuve.

— Non, mais je n'ai pas mis les pieds là-bas depuis...»

Je me tais net. Depuis que j'ai aidé Tess à libérer, en vain, les manifestants de Richmond Square, au nombre desquels figuraient les sœurs de Mei.

Elle passe une main nerveuse dans ses cheveux.

«Il y a déjà eu plusieurs décès. Tous dans le quartier du

fleuve. Aux obsèques de Cora, une des infirmières de l'hôpital m'a dit qu'elles étaient débordées. Je n'y ai pas trop réfléchi sur le moment, mais…

— … mais nous pourrions nous porter volontaires?»

En l'absence de Sœur Sophia, partie accompagner des évadées de Harwood dans l'un de nos refuges, nous n'avons pas repris nos tournées à l'hôpital.

«C'est ce que je me disais. Peut-être pourrions-nous contenir l'épidémie avant qu'elle ne devienne incontrôlable.

— Il va falloir essayer. Voulez-vous aller chercher des cadeaux pour vos sœurs? Il n'y a pas foule ici pour l'instant. Ensuite, nous pourrions aller regarder les marionnettes.

— D'accord.» Elle me tend le jouet. «Je vous le confie et je reviens vite.»

Ce dragon mécanique est une merveille d'ingéniosité. Je manipule le petit levier qui lui fait remuer la queue et ouvrir la gueule tout grand, en un rugissement silencieux.

«Sœur Cate?»

L'appellation ne m'est pas familière, mais la voix, si. Je dépose le dragon sur une pile d'écharpes et lève la tête.

Les oreilles de Finn rougissent, comme chaque fois qu'il est embarrassé. Son front se plisse entre les sourcils, de cette «ride du lion» que je meurs d'envie de lisser. Sa tignasse cuivrée est plus hirsute que jamais, signe qu'il a dû y plonger la main bien des fois depuis le dernier passage du peigne.

Mais derrière ses lunettes cerclées de fer, ses yeux ne sont plus les mêmes. Vides d'amour ou de désir. Il ne me regarde plus comme si j'étais à lui.

Mon cœur se brise une fois de plus.

« Frère Belastra. » Les mots sonnent faux dans ma bouche. Trop cérémonieux. « Comment allez-vous ? »

Il m'adresse un sourire, révélant le petit écart entre ses dents de devant, mais c'est pure politesse. C'est celui qu'il adresserait à un étranger, à un client de la librairie.

« Très bien, et vous ?

— Bien. » Comme si c'était vrai ! Je croise les bras sur ma poitrine. « La kermesse vous plaît ?

— Oui. Je me suis lancé dans la chasse aux cadeaux pour ma sœur et ma mère. » Il examine nos articles. « Certains sont de vos mains ? »

J'éclate de rire, puis je me rappelle qu'il ne peut pas deviner ce que la question a de saugrenu.

« Oh, non. Je ne suis pas très habile avec les aiguilles à tricoter. Je préfère passer mon temps au jardin, les mains dans la terre. Ou dans la serre, maintenant que l'hiver est là. »

Il ne rime à rien de le tester ainsi. Il ne peut pas se souvenir que j'aimais jardiner, ni que nous allions dans une serre en cachette et qu'il m'a embrassée jusqu'au vertige au milieu des orchidées.

« Ça me revient », déclare-t-il, et l'espoir naît en moi, vif et exquis comme les premières tulipes d'avril.

« Ah bon ? » dis-je d'une voix bien trop haut perchée, trop pleine d'attente.

« Oui, votre père me l'a dit, un jour. Nous étions… Je ne me rappelle plus très bien. » La ride du lion réapparaît. « Il disait que vous n'étiez pas une littéraire, que vous préfériez le jardinage à la lecture. Amusant que vous vous retrouviez chez les Sœurs. »

Amusant? Une douleur me traverse, plus mordante que le vent de décembre.

« Je pourrais en dire autant de vous. »

Il jette un regard autour de lui. Pas de Frères en vue. Il m'adresse un autre sourire poli, mais à présent, son regard brille.

« J'ai toujours aimé les livres. »

À quoi bon poursuivre? Qu'est-ce que j'essaie de prouver? Je sais que cela n'a aucun sens, et pourtant je m'obstine : « Mais vous n'étiez pas du genre à entrer dans l'ordre des Frères. »

J'ai parlé si bas qu'il a dû se pencher sur notre étal pour m'entendre. Son regard se voile.

« Je vous avouerai que, ces temps-ci, je ne sais plus trop quel genre d'homme je suis. » Il y a une pointe de découragement dans sa voix. Qu'a-t-il ressenti lorsqu'il s'est découvert membre de l'Ordre sans avoir la moindre idée de ce qui l'y avait conduit?

« Comment cela? » dis-je étourdiment. Et aussitôt je mesure ce que la question peut avoir d'insolite pour lui. Dans son esprit, nous nous connaissons à peine; je suis une ancienne cliente occasionnelle de la librairie de sa mère, rien de plus. Rien qui puisse inciter aux confidences. Mais cela me fait mal au cœur de le voir si égaré, si seul et... Maudite soit Maura pour ce qu'elle lui a fait!

« Peu importe », décide-t-il. Il se redresse, se passe les deux mains dans les cheveux, puis reprend un ton plus distant, comme s'il retrouvait le sens des convenances. « Désolé de vous avoir importunée. »

Je tends un bras vers lui, effleure sa cape.

«Mais pas du tout. Si je peux vous rendre service en quelque manière...

— C'est très gentil à vous. Très... sympathique.» Il remonte sa capuche, me jette à peine un regard et s'en va. «Merci, Miss Cahill.»

Sympathique? Mes yeux s'emplissent de larmes tandis qu'il se fond dans la foule. Je m'agenouille sous notre étal et fais mine de chercher quelque chose parmi les cartons pour qu'on ne me voie pas pleurer.

«Hé, Cate – ça va?» dit Rilla, s'accroupissant près de moi sous l'étal.

Cette fois, je n'ai pas la force de mentir. J'enfouis mon visage dans son cou et gémis: «Non.

— C'est ce que je vois. Question stupide. Voulez-vous rentrer?

— J'ai promis à Mei d'aller voir les marionnettes avec elle.»

Et surtout Brenna a prédit un événement horrible, sans préciser lequel. Il faut que je sois là.

Rilla me caresse les cheveux.

«Mei comprendra.

— Merci, mais j'aime mieux rester. Ça va aller.» Je m'extirpe de ma cachette et m'efforce d'endiguer mon chagrin. Au loin, une tempête d'applaudissements se lève. «Le joueur de vielle en a terminé, je crois. Allons du côté de l'estrade.»

Je préfère m'éloigner du stand pour ne pas me retrouver face à Maura quand elle viendra prendre son tour.

Nous sommes à mi-chemin lorsque Frère O'Shea commence son discours. Je n'entends pas ce qu'il dit, mais je reconnais immédiatement sa voix forte et son ton affecté. Je ne suis pas la seule à l'identifier, à l'évidence : quantité de gens délaissent les étals pour se diriger vers la scène. Les mères appellent leurs enfants, les pères regroupent leur famille. Le long de l'allée principale, les vendeurs se risquent à sortir de leur stand, tout en gardant un œil vigilant sur les clients qui tendent l'oreille, marchandise en main. Quelle que soit la terrible annonce dont parlait Brenna, elle semble imminente.

Où est Tess ? Je scrute la foule, mais il y a vraiment trop de monde et trop de capes noires. J'accélère ; Rilla peine à me suivre. Nous arrivons en vue de l'estrade où Frère O'Shea, un sourire plaqué sur son faciès chevalin, poursuit son discours :

« ... d'interrompre la fête quelques instants. Comme vous le savez, une mutinerie a eu lieu la semaine dernière à l'asile pour aliénées criminelles de Harwood. Des cen taines de sorcières se sont évadées avec la complicité d'un membre de notre ordre, Sean Brennan, qui a pris la fuite afin de se dérober à la justice pour ce crime de haute trahison. » D'un pas de coq de basse-cour, il vient se poster à l'avant de l'estrade, et quelque chose me dit que son laïus a fait l'objet de répétitions, ce qui le rend à peu près aussi spontané que son sourire. O'Shea n'a pas le charisme de Covington, qui, malgré ses odieuses prises de position, était un orateur envoûtant. « Ces sorcières, mes chers concitoyens, constituent une menace pour la Nouvelle-Angleterre tout entière. J'ai fait déployer la garde nationale afin de les retrouver, et j'ai le plaisir de vous annoncer que d'ores et déjà nous avons remis la main sur deux douzaines d'entre elles, cachées dans des granges ou des demeures abandonnées à travers le pays. »

Mon cœur sombre, mais la nouvelle n'a rien d'une surprise. Plusieurs des détenues de l'asile ont filé sitôt les portes ouvertes. De toute manière, nous leur offrions le choix : soit nous suivre dans l'un de nos trois refuges, soit essayer de s'en sortir seules. Une bonne moitié a opté pour cette seconde voie.

« Si vous possédez la moindre information sur l'endroit où pourraient se dissimuler une ou plusieurs de ces créatures malfaisantes, il est de votre devoir de nous en faire part sans délai. » Ses yeux pâles parcourent la foule. « Elles vous paraîtront peut-être faibles, égarées, elles prétendront sans doute avoir été battues et mal nourries, mais ce ne sont là que ruses de sorcières. Ce sont des menteuses et des simulatrices, toutes autant qu'elles sont. Surtout, ne vous laissez pas prendre par leur chantage aux sentiments. »

Il est madré, il faut le reconnaître. J'avais espéré, après avoir gagné la confiance de Merriweather, pouvoir témoigner de ce que nous avions vu à Harwood, afin que la *Gazette* dénonce les atroces conditions de vie à l'asile. Maintenant, les gens vont avoir des doutes.

O'Shea fait appeler une femme sur l'estrade. « N'ayez pas peur, Mrs Baldwin. Nos concitoyens ont le droit de connaître la vérité. »

Elle se présente la capuche abaissée, afin que tous puissent voir qu'elle a une bonne tête. C'est une grande et forte femme aux cheveux gris acier coiffés en chignon serré, avec une tache lie-de-vin sur la joue droite.

L'infirmière qui a tué ma marraine, Zara Roth.

Qui a tiré sur elle, plutôt. Techniquement, c'est moi qui lui ai donné la mort.

«Que pouvez-vous nous dire sur les conditions de vie à Harwood, Mrs Baldwin?

— Nos pensionnaires étaient bien traitées, sir. Elle avaient deux bons repas par jour et un thé l'après-midi.» Heureusement que Parvati, Livvy et les autres ne sont pas là pour entendre ces mensonges! Mei, qui vient de se glisser à côté de moi, a du mal à contenir sa colère. «Elles disposaient d'une infirmerie, où du personnel compétent prenait soin d'elles lorsqu'elles étaient souffrantes. Tous les jours elles faisaient une promenade dans la cour. Et on s'efforçait de leur soigner l'âme en plus du corps. Un Frère venait chaque semaine leur faire un sermon dans la chapelle. Celles qui se sentaient assez bien pouvaient s'occuper à de petites tâches, aider à la cuisine, au jardin. L'oisiveté est la mère de tous les vices, comme vous le savez. Mais celles qui étaient trop faibles… eh bien! on ne leur demandait rien d'autre que de reprendre des forces.

— Merci, Mrs Baldwin.» O'Shea affiche son sourire reptilien. Autour de moi, le public est tout ouïe. Un reportage de première main sur Harwood, voilà qui vaut largement la musiquette d'une vielle. «Donc, vous n'avez jamais été témoin du moindre mauvais traitement?

— Jamais, sir.», Elle joint les mains comme en prière. «Pas une fois en douze ans de service.

— Si je comprends bien, elles avaient la vie facile, ironise O'Shea. Plus que beaucoup d'entre nous! Deux bons repas par jour, un thé, logées et blanchies gratis! Maintenant,

Mrs Baldwin, racontez-nous ce qui s'est passé le soir de la mutinerie.

— Normalement, je travaille dans l'équipe de jour, et donc je n'aurais même pas dû être là. Mais le mari de Mrs Snyder a fait parvenir un message disant qu'elle ne pourrait pas venir, parce que son bébé était malade. Alors je suis restée. Je me rappelle être descendue dans le bureau de la surveillante générale pour aller chercher quelque chose. Et après, voilà que je me réveille au milieu des autres infirmières, et on est toutes enfermées là, dans la salle des cas difficiles, mais les patientes ont disparu. On ne savait pas comment on s'était retrouvées là, et on avait très peur que ces folles mettent le feu à l'asile avec nous dedans. On s'est agenouillées et on a prié, sir. Après ça, Dieu soit loué, le gardien de jour est arrivé et nous a trouvées.

— Dieu soit loué! » répète O'Shea, et l'assistance lui fait écho. « Vous nous dites, Mrs Baldwin, que vous n'avez aucun souvenir de la mutinerie? Quelqu'un se serait introduit dans votre esprit pour effacer cet événement?

— Absolument, sir. » Elle frissonne avec ostentation, lèvres et double menton tremblotants. « Et je peux vous dire, j'en ai encore les sangs tout retournés.

— Je vous crois. Une sorcière qui vient farfouiller dans votre cerveau... Il y a de quoi retourner les sangs au plus brave d'entre nous. Merci pour votre témoignage, Mrs Baldwin. »

Sur une courbette, l'infirmière quitte l'estrade en hâte, et je respire. C'était grotesque à en pleurer, mais ce n'est pas non plus la catastrophe que Brenna laissait craindre.

Hélas, O'Shea n'en a pas terminé.

«Le veilleur de nuit et six autres infirmières ont subi ce viol mental. Nous ne pouvons pas laisser en liberté ces créatures malfaisantes. Certaines d'entre elles détiennent des pouvoirs diaboliques. Il nous faut les poursuivre sans relâche et les châtier!» Sa voix enfle, plus bravache que jamais. «Par bonheur, une information reçue la semaine passée nous a conduits tout droit à un nid de ces vipères. Hier, nos gardes ont localisé une ferme du Connecticut dans laquelle se terraient pas moins de trente-cinq sorcières…»

Mei me saisit la main.

«… Pour résister à leur arrestation, ces femmes ont usé de magie. Elles ont cependant été maîtrisées, et sont à présent en route pour New London sous bonne escorte.» Tonnerre d'applaudissements, mené par un groupe de Frères au premier rang. Rictus ignoble de Frère O'Shea. «Mes chers concitoyens, voilà bien longtemps qu'aucune sorcière n'avait plus été condamnée à mort. Ce n'est pas une sentence que nous prononçons de gaieté de cœur. Mais aujourd'hui, après avoir longuement prié, le Conseil national a voté le rétablissement de la peine capitale. L'ignominie des femmes que nous avons rattrapées est sans bornes. Nous ne pouvons pas – pas un jour de plus – les laisser gangréner notre société, terroriser notre pays, mettre en danger chacun de nous et de nos enfants. À l'heure où je vous parle, de l'autre côté de la rue, une troupe de nos gardes entreprend d'élever une potence. Demain à midi, sur Richmond Square, commenceront les pendaisons.»

Chapitre 6

Dans la foule, plusieurs voix d'hommes insultent grossièrement les sorcières, mais pas une acclamation ne s'élève. Sommes-nous tombés si bas que je suis soulagée de voir mes voisins s'abstenir d'applaudir à l'annonce d'une pendaison massive ? O'Shea quitte l'estrade et le spectacle de marionnettes commence, mais le cœur n'y est plus. Un lourd silence s'est abattu sur la kermesse.

Ce qui vient d'être annoncé n'a pas de nom.

Brenna disait vrai. Bien sûr.

Clouée sur place au milieu de l'assistance qui se disperse, je vois venir à moi Tess, Lucy et Bekah, toutes les trois blêmes.

« Sachi et Rory… commence Tess.

— Je sais. »

Elles ont dû être les premières à résister, et Dieu seul sait dans quel état elles se trouvent à présent. Les gardes ne se sont sûrement pas privés de faire usage de la force.

Il faut agir, mais comment ? La question résonne dans ma tête à chacun de mes pas sur le gravier. Je ne sais même plus qui je suis, ni où je vais. Est-ce l'heure tardive, ou la froidure, ou la déclaration de Frère O'Shea ? Quoi qu'il en soit, les gens quittent la kermesse en masse, pressés de regagner le confort de leur foyer.

Il y a tant de monde à l'entrée qu'un bouchon s'est formé ; pour passer le temps, nous parcourons les allées gravillonnées.

En s'extasiant du mieux qu'elle peut sur des jouets en peluche ou des barrettes à cheveux, Rilla s'efforce d'égayer un peu Bekah et Lucy. J'achète une chope de cidre et la plaque d'autorité dans les mains de Tess. Elle la repousse si vigoureusement que quelques gouttes éclaboussent ma cape.

« Je n'en veux pas.

— Bois, tu es toute pâle. »

Elle soupire mais se résigne. Même les vendeurs commencent à remballer leur marchandise. Quelques rires s'élèvent du côté des marionnettes, mais la plupart des enfants ont été ramenés à la maison. Nul ne semble plus avoir envie de s'amuser.

Lucy s'offre un petit cake chaud, parsemé de raisins de Corinthe et de sucre glace. Mei tient serré contre elle le dragon destiné à Yang. Je l'interroge : « Avez-vous trouvé quelque chose pour vos sœurs ? » Elle tire de sa poche un lot de rubans colorés, couverts de motifs contrastés – fraises, pois rouges et blancs, petits oiseaux jaunes… Ils feront bel effet dans les cheveux d'ébène des petites Zhang. « Ils sont très jolis, lui dis-je. Je parie qu'elles vont les adorer. »

Mais elle se tourmente. « Cate, qu'allons-nous…

— Pas ici. »

Je ne peux m'empêcher de voir des espions partout. Qui a mis les Frères au courant pour la ferme du Connecticut ? Un voisin aura-t-il remarqué quelque chose de suspect ? Seules les quinze filles ayant participé à l'expédition connaissaient l'existence des refuges. Et nous sommes encore moins nombreuses à avoir vu les plans tracés par Zara, ou à les avoir vus d'assez près, du moins, pour indiquer leur localisation aux Frères. Il y avait Tess. Moi. Sœur Mélisande, qui devait conduire le chariot, avant que Rory et Sachi prennent sa place. Qui d'autre ?

Cela ne peut pas avoir été l'une de nous. Et tout va bien se passer pour les deux autres refuges. Je veux y croire.

Nous sommes revenues à notre stand. Les boucles de Maura flamboient à l'autre bout du comptoir. Plus près de nous, Elena encaisse la vente d'une paire de moufles. Sitôt ses clients partis, son sourire s'éteint.

« Ah ! vous voilà ! Inez et plusieurs des autres sont déjà rentrées au prieuré.

— On se retrouve à la maison pour discuter ?

— D'accord. »

Depuis quand, dans mes pensées, le prieuré est-il « la maison », un lieu sûr où se réfugier ?

Et, avec Inez aux commandes, combien de temps cela va-t-il rester vrai ?

Toutes celles qui sont rentrées avant nous sont au réfectoire, le dos rond, silencieuses. Quelques-unes sirotent un thé, mais bien peu ont pris la peine de retirer leur cape ou leurs bottines. Dans une désespérance de veillée funèbre, elles attendent. Le seul son est le cliquetis des aiguilles à tricoter de Grace.

À notre vue, les visages s'éclairent. Addie remonte ses lunettes sur son nez.

« Cate ! Qu'allons-nous faire ? »

Je m'attendais à trouver Inez ici, occupée à tirer des plans tout en maudissant les Frères, mais aucune enseignante n'est présente. Peut-être sont-elles toutes réunies dans le nouveau bureau d'Inez – elle a pris possession des appartements de Cora aussitôt après les obsèques.

«On ne les a pas libérées pour que maintenant elles se fassent exécuter! proteste Vi. Il faut empêcher ça!

— Mais comment? demande Alice, tortillant l'une de ses mèches blondes. Les Frères vont les enfermer dans la prison du Conseil national, et des dizaines de gardes vont les surveiller toute la nuit.»

Sur le chemin du retour, j'ai passé en revue les options possibles. Alice n'a pas tort.

«Il va falloir attendre, dis-je. Et les libérer demain.

— Demain? Devant tout le monde?» Vi écarquille ses yeux mauves. «Mais il y aura des centaines de gens sur la place!»

J'en conviens volontiers : «Peut-être même des milliers.» Oui, il y aura du monde pour assister à cette série de pendaisons : un large contingent de Frères et de gardes, pour commencer ; mais aussi des curieux, des dévots, et ceux qui veulent se faire passer pour dévots. Sans oublier ceux qui avaient à Harwood une parente ou une connaissance... «Mais justement, dis-je. Quoi de mieux qu'une foule pour se dissimuler?

— Quel est votre plan?» m'interpelle Alice.

À cet instant, un bruit de talons ferrés se fait entendre dans mon dos. Ce petit martèlement qui annonce l'arrivée d'Inez me rendra toujours malade. Et c'est elle qui répond à ma place : «Quel que soit ce plan, Miss Cahill, vous pouvez l'oublier tout de suite. Notre conseil de guerre vient de voter la non-intervention.»

Je n'en crois pas mes oreilles. Elles ne vont tout de même pas rester les bras ballants, sans rien faire?

Mais la petite lueur de satisfaction qui brille dans les yeux d'Inez m'informe que c'est très exactement son intention. Du vivant de Cora, le conseil de guerre était partagé en deux camps égaux : d'un côté, Cora, Gretchen et Sophia ; de l'autre, Inez et ses âmes damnées, Evelyn et Johanna. Sophia n'étant pas de retour, seule Gretchen a dû exprimer un avis divergent. Justement, je la vois se glisser à son tour dans le réfectoire. Ces deux dernières semaines, elle a pris dix ans d'un coup.

«Vous ne pouvez pas…» s'étrangle Rilla. «Vous comptez rester les bras croisés et les regarder se faire pendre?

— Asseyez-vous, mesdemoiselles», ordonne Inez.

Je prends le siège le plus proche ; Mei et Rilla s'installent de chaque côté de moi. Inez gagne la table d'honneur. Les autres enseignantes s'asseyent, mais elle reste debout derrière sa chaise, tel un général d'armée face à ses troupes. Ses cheveux sombres, poivre et sel aux tempes, sont tirés en un austère chignon sur sa nuque. Tout de noir vêtue, avec ses traits pincés, ses joues creuses et ses épais sourcils, ce n'est pas une belle femme – pas même ce que Père appellerait gentiment une femme charmante –, mais elle en impose à la salle entière.

«Les Frères ont pris une décision ignoble, poursuit-elle. Toute personne soupçonnée de sorcellerie sera passible d'exécution publique sans bénéficier d'un procès. Sans qu'il lui soit permis de dire un mot pour sa défense. Bientôt, quiconque parlera en faveur d'une sorcière sera également passible de peine de mort en tant que sympathisant. Ce à quoi nous assistons aujourd'hui est ni plus ni moins que le début d'une seconde Terreur. »

Un silence de plomb tombe sur le réfectoire. Le crépitement du feu dans la cheminée en prend un relief saisissant. Les paroles de Frère Ishida, peu avant mon départ de Chatham, me reviennent en mémoire : « S'il ne tenait qu'à moi, nous rétablirions le bûcher. »

Eh bien, voilà. Son souhait va se réaliser. Et ses filles seront parmi les premières victimes. Elles seront pendues, non pas brûlées, mais on ne va pas chicaner sur la méthode. Il sera sûrement ravi de les voir périr – un homme pieux comme lui !

Mon sang bout dans mes veines, mes pensées tournent en rond. Que faire, que faire, que faire ? Je ne laisserai pas Rory et Sachi finir au bout d'une corde. Mais Inez paraît calme. Ses mains sur le dossier de sa chaise ne frémissent même pas.

Et soudain les mots m'échappent : « C'est à cause de vous qu'ils font cela. » Autour de moi s'élèvent de petits cris étouffés. Mais j'enfonce le clou. « À cause de ce que vous avez fait au Conseil suprême.

— Voilà une grave accusation, Miss Cahill. Pensez-vous que telle était mon intention ? Voir souffrir des innocentes ? Non. Et je dirai même plus : ces filles seraient toujours en sécurité dans leur lit si vous et vos amies les aviez laissées où elles étaient.

— En sécurité dans notre lit ? s'indigne Parvati. Vous voulez rire ! Jamais nous n'avons été en sécurité là-bas !

— Il demeure que ce qui arrive là n'est pas de mon fait. Si vous cherchez quelqu'un à blâmer pour le regain de violence des Frères, Miss Cahill, je vous suggère de regarder dans un miroir. D'ailleurs… » Elle a un petit reniflement de mépris. « D'ailleurs, bien que je déplore ce que les Frères s'apprêtent à faire, nous ne sommes en rien tenues de tenter de les en empêcher. Pour la plupart, ces filles qu'ils ont reprises ne sont pas sorcières. Elles ne relèvent donc pas de notre responsabilité.

— Mais c'est encore pire, alors ! intervient Sœur Edith, notre maigrichonne professeur d'art. Si elles ne sont pas sorcières, elles vont se faire exécuter pour des actes dont nous sommes seules responsables.

— C'est regrettable, concède Inez, mais en tant que prieure, il est de mon devoir, en ces temps difficiles, de protéger les membres de notre ordre. » Elle parcourt d'un regard dur notre groupe désemparé. « Si on m'en avait laissé le choix, je n'aurais même pas accepté de recueillir celles d'entre vous qui sont incapables de magie. »

Grace pose son tricot et s'affole. « Mais je n'ai nulle part où aller !

— Je n'ai pas l'intention de vous jeter à la rue, Miss Wheeler, maintenant que vous êtes ici. » Inez lève une main et son anneau d'argent capte la lueur orangée des flammes. « Des milliers de personnes se rassembleront demain à Richmond Square : les Frères et la garde, et des gens avides d'assister à une exécution publique. Tenter d'intervenir serait attirer l'attention sur nous. Il serait extrêmement difficile, voire impossible, de tout mener de front : maintenir des illusions pour nous dissimuler et mobiliser une énorme quantité de magie pour libérer les condamnées. Si nous étions démasquées, ce ne sont pas seulement ces malheureuses qui se feraient exécuter, et pas seulement non plus celles d'entre nous qui interviendraient. C'est notre ordre tout entier – chacune d'entre vous – qui irait à sa perte.»

Autrement dit, à ses yeux, il faut sacrifier ces filles pour le bien de la communauté. La conclusion flotte dans l'air avec les odeurs de thé et de feu de bois. La réalité est plus crue : Inez se moque éperdument de *chacune d'entre nous*. Seule l'intéresse la communauté, ou plutôt le pouvoir qui lui est associé. Pouvoir dont elle tient les rênes.

Pour ce qui est des risques, elle n'a certes pas tort. L'opération exigerait une étourdissante quantité de magie, et serait éminemment dangereuse. Mais ne rien tenter? Je ne pourrais plus vivre en paix avec ma conscience.

Je regarde Inez droit dans les yeux.

«Avec ce genre d'attitude, en quoi valons-nous mieux que les Frères? Si nous refusons d'intervenir alors que nous le pourrions?

— Intervenir, fort bien, mais si c'est pour échouer? Quoi qu'il en soit, la question n'est pas en discussion.

— Je suis d'avis qu'elle devrait l'être, déclare soudain Tess, se levant résolument. N'ai-je pas droit à la parole dans ce débat?»

Un murmure traverse le réfectoire comme un feu de forêt.

«Elle est tout de même la sibylle», fait observer Rilla.

Ce que personne n'avait oublié – mais ces mots semblent

galvaniser Tess. Elle se redresse, écarte ses boucles blondes de son visage clair.

Inez se tapote la lèvre d'un doigt maigre.

«Dites-moi, jeune Teresa : aviez-vous vu venir la décision des Frères? La capture des évadées? Savez-vous quoi que ce soit sur la journée de demain?»

Tout le réfectoire retient son souffle. Tess s'empourpre et avoue très bas : «Non.

— Alors je ne vois pas en quoi le fait que vous soyez sibylle ait une quelconque pertinence. Nous n'avons pas consulté Brenna Elliott, que je sache.»

Tess soutient le regard d'Inez sans battre d'un cil.

«La comparaison ne vaut pas. Je ne suis pas Brenna. Selon la prophétie, je suis celle qui fera naître un nouvel âge d'or de la magie.

— Ou qui sera la cause d'une deuxième Terreur», rappelle Inez, intraitable. «N'oubliez pas cette seconde moitié de la prédiction. Vous êtes une épée à double tranchant, en quelque sorte, non? N'oubliez pas non plus que vous n'avez que douze ans et que vous dormez toujours avec un ours en peluche. Il va falloir grandir encore un peu, mon petit.»

Tess encaisse le coup. Je me porte à son secours.

«Tess a assez de maturité pour distinguer le bien du mal. Ce qui ne me semble pas toujours être votre cas.

— Miss Catherine Cahill, vous êtes priée de ne pas vous mêler de tout. Et je vous interdis d'intervenir demain. Richmond Square sera bondé. Je doute fort que vous puissiez sauver une seule de ces fuyardes. En essayant de le faire, vous nous mettriez toutes en danger. Je ne le permettrai pas.

— Vous ne le permettrez pas ? » Je m'autorise un petit ricanement. « Et que comptez-vous faire, m'enfermer dans un placard ? Me ligoter à un poteau ? »

Un long silence s'ensuit. Inez caresse sa broche en ivoire, ses yeux bruns soutiennent les miens.

« Je ne peux pas vous retenir, c'est vrai, admet-elle enfin. Mais si vous vous faites capturer, sachez que je ne risquerai pas la vie des autres pour sauver la vôtre. Ma préoccupation première, maintenant et à jamais, c'est la sauvegarde de l'ordre des Sœurs. »

Mettre sur pied un plan d'attaque nous prend une bonne partie de la nuit.

Je tiens à impliquer le moins de personnes possible. Ainsi qu'Inez l'a fait remarquer, c'est une opération à haut risque, rendue plus dangereuse encore par le refus de nos plus puissantes sorcières d'y participer. Au bout du compte, il est décidé que nous ne serons que six : Elena, Mélisande, Rilla, Mei, Tess et moi.

Sitôt seule avec Elena dans sa chambre où nous avons tenu conseil, je lui confie mes doutes : « Croyez-vous que ça va marcher ? »

À trois heures du matin, même Elena, toujours si fringante et inaltérable, a perdu un peu de sa fraîcheur. Affalée au fond de son sofa, la tête sur l'accoudoir, elle réprime un bâillement.

« Je l'espère. Ou nous sommes mortes.

— Encourageant », dis-je en peignant mes pauvres cheveux avec mes doigts. Je suis assise sur son lit à baldaquin, et j'ai défait mes nattes qui me tiraient le cuir chevelu.

« C'est de la magie, Cate, pas une science exacte. Bien des choses vont dépendre de la vitesse de réaction de Sachi et Rory, et de l'état dans lequel se trouvent les captives. Si elles ont été battues, si elles ont des membres cassés, ce genre de problèmes…

— Elles n'y arriveront jamais.

— Espérons que si. » Cette fois, elle ne réprime pas son bâillement et s'étire longuement, bras au-dessus de la tête. Je bâille aussi et, rouvrant les yeux, je constate qu'elle m'observe intensément, de son regard félin. « Avez-vous parlé avec Maura, finalement ? me demande-t-elle.

— Vous avez vu ce qui est arrivé la dernière fois que nous nous sommes retrouvées dans la même pièce.

— Je l'ai vue vous provoquer, jouer à vous faire sortir de vos gonds… et y parvenir. Je ne vous en blâme pas, Cate. Je sais combien elle peut se montrer provocante. Mais vous ne pourrez pas l'éviter toute votre vie.

— On parie ? » Je descends de son lit. « Bon, nous ne ferons rien de plus cette nuit. Il vaut mieux aller nous coucher. »

Je me coule hors de sa chambre et remonte le couloir jusqu'à la mienne, pour découvrir avec stupeur Alice assise à côté de ma porte, la tête contre le mur.

« Enfin ! souffle-t-elle, se relevant vivement. « Je vous attends depuis une éternité.

— Mais quelle idée, Alice ? J'ai besoin de dormir. Si vous êtes venue me dissuader d'agir demain…

— Vous allez être surprise, me coupe-t-elle. J'ai quelque chose à vous dire. »

Elle se dirige vers l'escalier et me fait signe de la suivre.

Sa chemise de satin ivoire descend jusqu'à ses pieds nus et ses mèches blondes sont enroulées sur des papillotes.

« Ce n'est pas un piège, au moins ? Vous comptez m'enfermer dans la cave ?

— Ne dites donc pas de bêtises ! »

Son ton autoritaire m'exaspère, mais ma curiosité l'emporte, et je la suis donc où elle a décidé de m'emmener – le petit salon parloir de devant. Les lampes à gaz sont allumées, un feu ronronne dans la cheminée, et une couverture est pliée sur l'un des sofas rêches.

« Attendez, dis-je. Vous vous êtes installée ici pour dormir ?

— On est brouillées, Maura et moi. »

Elle ferme la porte puis traverse la pièce sur la pointe des pieds pour tirer la corde qui referme l'évent. Ces préparatifs achevés, elle se plante devant la fenêtre.

Je suis toujours dans ma tenue noire râpeuse, et si fatiguée que le sofa semble me tendre les bras.

« Pourquoi tant de précautions ?

— On n'en prend jamais trop. » Elle soulève l'épais rideau, scrute la rue, puis se retourne. « Voilà. Juste après les obsèques, Inez a eu une conversation privée ici, avec O'Shea. Je les ai écoutés depuis la pièce d'à côté, à travers l'évent. C'est comme ça que je suis tombée de ce tabouret. J'essayais de mieux entendre.

— Je m'en souviens. » Alice est une vraie fouine. Nous le savons toutes.

Elle presse un poing contre sa bouche. Son désarroi paraît sincère.

« Ce que j'ai entendu, Cate – c'est ça qui m'a fait tomber…

Je pensais que j'avais dû mal comprendre. J'espérais avoir mal compris. Je ne pouvais pas croire que…

— Mais qu'avez-vous entendu ?» La curiosité me tire de mon engourdissement.

Elle me fait face.

«C'est Inez qui a dit à O'Shea où trouver ces filles.»

Inez. Bien sûr.

«Vous le saviez déjà ?» demande Alice devant mon absence de réaction. Je fais non de la tête et elle enchaîne : «Mais vous n'en êtes pas surprise.

— Non.

— Je pense qu'elle essayait d'obtenir que rien ne change pour l'ordre des Sœurs. Une façon de prouver sa loyauté. Mais bon, ça ne… ce n'est pas une excuse. Elle savait forcément ce qui allait arriver.»

Savait-elle réellement qu'elles allaient toutes se faire exécuter ? Elle ne pouvait pas ignorer que le risque était grand. Je crois plutôt – pensée insoutenable – qu'elle espère tout bonnement que si les Frères se montrent ignominieux, la population va se dresser contre eux ; et que par contrecoup les sorcières deviendront une option envisageable. Que pèse la mort de quelques dizaines de filles au regard du pouvoir qu'elle convoite ?

Pour un peu, j'en aurais de la peine pour Alice. Elle a toujours été la protégée d'Inez. Avant mon arrivée, puis celle de mes sœurs, elle était la seule élève capable d'intrusion mentale. Ce doit être cruel de voir son modèle tomber de son piédestal.

«Inez pense chacun des mots qu'elle a prononcés tout à l'heure, dis-je à mi-voix. Seul compte pour elle l'ordre des Sœurs. » Je vais m'adosser au manteau de la cheminée. « Plus exactement, elle veut renverser les Frères et s'emparer du pouvoir. Et peu lui importe si des vies sont perdues dans l'affaire. Au fond, en quoi est-ce différent de ce que vous avez fait aux membres du Conseil suprême ? Onze hommes supprimés. Assassinés, ou tout comme. Vous n'y avez rien vu de mal.

— Mais c'étaient des Frères, Cate. Alors que là… » Alice s'effondre dans un fauteuil, face au feu. « Et puis le Conseil suprême faisait de notre vie un enfer. Tandis que ces malheureuses… Elles ont peut-être été imprudentes, ou elles ont joué de malchance. Elles ne méritent pas…

— C'est bien la première fois que je vous entends vous préoccuper de détenues de Harwood.

— Je n'ai jamais voulu leur mort ! » proteste-t-elle en criant presque, puis elle se plaque une main sur la bouche et poursuit très bas : « S'ils les tuent demain, ce sera ma faute, hein ? Pour ne pas vous l'avoir dit plus tôt ? »

Comme toujours, elle ramène tout à elle.

Mais même Alice n'a pas à porter sur ses épaules la responsabilité d'un tel drame.

« De toute manière, dis-je, pas sûr que nous aurions pu leur faire parvenir un message à temps. Ce n'est pas votre faute, Alice. C'est celle des Frères, qui ont voté le rétablissement de la peine capitale. Et la faute d'Inez, qui a révélé à O'Shea où se trouvait ce refuge. »

Mais qui l'a révélé à Inez ? A-t-elle usé d'intrusion mentale sur l'une de mes coéquipières, ou l'une d'entre nous nous a-t-elle trahies ? Ce n'est pas moi qui l'ai informée. Ni Tess. Quant à Elena… Aussi étrange que ce soit, après nos débuts difficiles, j'ai une totale confiance en elle.

À moins qu'Elena ne se soit confiée à Maura, et que Maura ait tout rapporté à Inez.

« Pourquoi tant de gentillesse avec moi, Cate ? Je sais très bien que vous ne m'aimez pas.

— Vous voulez la vérité ? dis-je avec un haussement d'épaules. Votre talent pour les illusions nous sera très utile demain. Vous dites que vous avez des remords ? Prouvez-le. Aidez-nous à sauver ces filles.

— Entendu.

— Parfait. Rilla et moi vous dévoilerons notre plan avant l'office. Vous n'aurez qu'à marcher avec nous sur le chemin de l'église et vous asseoir à côté de nous. Je veux vous avoir sous les yeux en permanence jusqu'à la fin de l'opération, compris ? Et vous ferez équipe avec Rilla sans discuter, est-ce clair ?

— Tout à fait. Bonne nuit, Cate.

— Bonne nuit, Alice. » Mais à la porte, je me retourne, curieuse malgré moi. « Vous l'avez dit à Maura, ce que vous avez entendu ? C'est pour cela qu'elle vous a jetée dehors ? »

Elle se lève et va éteindre les lampes avant de regagner le canapé. Pour toute lumière, il n'y a plus que les braises dans la cheminée.

« Oui, mais elle ne m'a pas crue. Elle m'a accusée d'avoir tout inventé, elle m'a dit que j'étais jalouse des attentions d'Inez envers elle. »

Je monte l'escalier à tâtons. Maura. Elle s'est tant éloignée de moi que je n'ai plus aucun espoir de la rejoindre. Quand bien même je le voudrais.

Chapitre 7

Comment s'habille-t-on pour une pendaison ?
J'ai remis ma tenue de Sœur, raide et noire jusqu'à la pointe des bottines. J'enfonce les dernières épingles dans mon chignon lorsque Brenna se glisse dans ma chambre de son pas de chat. Elle ne semble jamais marcher normalement · tantôt elle danse ou virevolte, tantôt elle avance sans bruit. Je sursaute en l'apercevant soudain dans le miroir.

« Bonjour, Cate.

— Bonjour, Brenna. » Je pose ma brosse en argent. « Tout va bien ?

— Vous allez sauver Rory après l'office. Il y aura des coups de feu et des gens qui crieront. » Elle entre pour de bon et se glisse derrière mon dos. Son haleine sent la framboise et ses doigts portent encore des traces de confiture. « Et des armes qui feront *pan-pan-pan*. »

Ciel ! J'espère que la situation sera moins horrible que ce qu'elle décrit. S'il vous plaît, Seigneur, faites que tout se passe bien.

Brenna se met à chanter sur un air de comptine :

« Tout autour du gibet, *boum ! boum !*

C'est pour faire fuir les gens.

Et après ça, *pan, pan* et *pan* !

Vous autres, allez-vous-en!»

Je me retourne et elle sourit.

«*Pan-pan*, c'est pour les Frères, hein. Il ne faut pas les laisser tuer Rory.

— Bien sûr que non.» J'ai la gorge sèche. «Je vais aller à l'église, et ensuite à Richmond Square, puis je ramènerai Rory ici. Ne vous inquiétez pas.»

Sauf si, bien sûr, elle sait des choses dont je devrais m'inquiéter.

Mon cœur cogne. Pas Rory, s'il vous plaît, pas Rory. Elle en a déjà vu de dures, avec sa mère alcoolique et son butor de père.

«Moi aussi, je me suis habillée pour l'église.» Brenna tourne sur elle-même et fait virevolter sa robe dorée, semée de pivoines rouges et bordée d'une frange écarlate. Pour être honnête, cette tenue fait plutôt penser à un rideau. «Je veux venir et vous aider.

— Oh! Brenna, merci, mais non.» La dernière chose dont j'ai besoin est une sibylle dérangée, en plus de tout le reste. «Non, quelqu'un pourrait vous reconnaître. Ce ne serait pas prudent de sortir.»

Elle mâchonne une mèche de ses cheveux et m'observe de ses étranges yeux bleus.

«Je m'en doutais, que vous alliez dire ça.»

Pourquoi diantre avoir deux sibylles, si aucune d'elles ne nous est d'une quelconque utilité? Je me retiens de lâcher une méchanceté. Ce n'est pas comme si elles avaient leurs visions sur commande, les malheureuses.

Mais Brenna danse d'un pied sur l'autre et ne semble pas vouloir s'en aller.

«Brenna, lui dis-je, il y a autre chose ?

— La petite en sait plus qu'elle ne le dit.»

Je me fige.

«Comment cela ?

— Chut !» Elle fait mine de se cadenasser la bouche et de jeter la clé. «J'ai promis.

— Tess a vu quelque chose, et vous a demandé de ne pas m'en parler ?

— Oui. Mais ça la ronge de garder des secrets, surtout vis-à-vis de vous. Je ne veux pas qu'elle soit brisée. Elle est si jeune encore.

— Je sais.» Au rez-de-chaussée, l'horloge sonne la demie. Je me lève. «Il faut que j'y aille, Brenna. Je ramènerai Rory.»

J'implore le ciel que ce soit vrai.

«Oui, vous la ramènerez.» Elle s'empare brusquement de ma main, ses ongles mal taillés me rentrent dans la chair. «Merci pour tout, Cate.

— De rien», dis-je, et je file.

L'office est une torture. C'est O'Shea en personne qui monte en chaire pour le sermon. Il nous parle en long et en large de l'enfer et des tourments qui attendent les âmes des damnés, et particulièrement des sorcières. Lorsque enfin nous ressortons de la cathédrale, nous clignons des yeux comme des souriceaux nouveau-nés dans le soleil du matin glacé. Une bonne moitié de l'assemblée s'engouffre dans l'étroite rue pavée qui mène à Richmond Square.

Tess et moi allons bras dessus bras dessous, nos bottines crissant sur le givre. À nous voir, on pourrait nous croire en route pour un pique-nique plutôt que pour une pendaison publique. Mais je note avec soin les gardes en livrée noir et or. Ils sont neuf de chaque côté de l'entrée de l'immense square, tous armés de fusils à baïonnette, et je parie qu'il y a un troisième détachement devant le portillon du fond.

Les Frères ont tout prévu en cas de troubles, et ils tiennent à le faire savoir. Ma main se crispe sur le bras de Tess et, du coin de l'œil, je vois Rilla s'assombrir. Alice commente, volubile, l'excellente recette que nous avons faite à la kermesse – comme si elle n'avait à cœur que les miséreux. Elle est très forte à ce petit jeu. Je scrute la foule et repère enfin Mei, en cape grise élimée sur une robe orange vif. Mélisande et elle se sont dispensées de l'office pour aller explorer les ruelles et trouver des chemins détournés par où emmener les filles au prieuré.

L'un des avantages de la grande ville est que cela ne se voit pas quand vous n'assistez pas à l'office.

Nous arrivons près de l'échafaud sur lequel est montée la potence. Deux énormes poteaux, en bois mal équarri, soutiennent une épaisse traverse. À cette traverse sont suspendues six cordes à nœud coulant. Le plancher – une plate-forme à cinq ou six pieds du sol – est percé d'une trappe qui doit s'ouvrir lorsqu'on actionne un levier ; dessous s'étire la tranchée de terre censée recevoir les corps.

Plaise au ciel qu'aucun corps ne se retrouve là !

Les doigts de Tess frémissent sur mon bras. Nous nous tenons à vingt pas d'une potence où des personnes qui nous sont proches sont sur le point de se faire pendre.

Nous reprenons notre marche pour nous mêler à

la foule. Je compte les Frères en cape noire – vingt, trente, quarante, plus encore. Nous sommes cruellement en minorité.

L'un d'eux se retourne et ses yeux bruns croisent les miens. Finn.

Il vient vers nous résolument. Mon pas fléchit.

«Bonjour, Frère Belastra.»

Est-ce mon imagination ou mon salut le perturbe-t-il?

«Puis-je vous parler un instant, Miss Cahill?

— Continue, Tess, je te rejoins tout de suite.»

Finn et moi nous écartons légèrement de la foule en mouvement. Ses cheveux roux, toujours aussi fous, pointent sous sa capuche.

«Je ne sais trop comment vous l'apprendre, commence-t-il, alors je vais aller droit au but. Deux des filles qui vont être exécutées aujourd'hui sont de Chatham. Sachi Ishida et Rory Elliott.»

Je feins la surprise, une main sur la bouche.

«Je savais que Sachi avait été arrêtée le mois dernier, mais… Rory aussi?

— Elle et Sachi ont toujours été comme deux doigts de la main.» Il baisse les yeux. «J'ai pensé qu'il valait mieux vous mettre au courant. Que vous puissiez vous préparer.»

Oh, je suis déjà aussi préparée qu'on peut l'être. Je jette un coup d'œil à la potence, puis au bâtiment du Conseil national, d'où les condamnées vont sortir d'une seconde à l'autre sous bonne escorte.

«Merci. Tout ceci est vraiment affreux.

— J'ai voté contre.» Il relève la tête avec une expression d'écœurement. «Je… Je tiens à ce que vous le sachiez.

Je ne suis pas le genre d'homme à penser que tuer est une solution.

— Je sais, dis-je en souriant.

— Ah ?» Il se rapproche de moi. Trop selon les convenances, et alors même que la moitié de New London peut nous voir. Derrière ses lunettes, ses yeux s'arriment aux miens. «Comment se fait-il que vous me connaissiez si bien, Cate Cahill ?»

Seigneur, mon nom sur ses lèvres et mon cœur s'emballe. Mes joues prennent feu.

«Je… il faut que j'y aille.» Qu'est-ce que je fais là, à jouer à être son amie ? «Je dois rejoindre les autres.

— Attendez.» Ses doigts rudes sur mon poignet, sur ma peau nue au-dessus de mon gant, m'enflamment encore davantage. «Vous savez quelque chose, n'est-ce pas ?»

Je devrais me dégager.

«Je sais beaucoup de petites choses, bien sûr. Je ne vois pas de quoi vous parlez.

— Vous êtes une très mauvaise menteuse.» Il baisse la voix. Moi seule peux l'entendre. «Il m'est arrivé quelque chose, je ne sais pas quoi, mais vous… J'étais avec vous quand je suis revenu à moi, devant le prieuré. La nuit où ces filles se sont évadées de Harwood.»

Du coin de l'œil, je vois Frère Ishida, debout près de la potence avec un groupe de Frères, se retourner et nous observer de loin, immobile. Je libère mon bras, Finn fourre ses mains dans ses poches.

«Je ne sais absolument rien à ce sujet, lui dis-je.

— Sean Brennan est en fuite parce qu'on l'a accusé de trahison. Je ne me souviens peut-être pas de tout, mais je suis certain que c'est un homme bien. Soyez assurée que jamais il n'aurait voté pour le rétablissement de la peine capitale. » Ses traits se durcissent. « Quelqu'un a monté un coup contre lui et s'est servi de moi pour le réaliser. On a trouvé un mouchoir à Harwood, sur le corps d'une sorcière tuée par balles. Un mouchoir avec un B brodé dans un coin. Il n'appartient pas à Brennan. Je le sais parce que je l'ai reconnu. Il est à moi.

— Chut ! Vous êtes fou ? Vous voulez donc vous faire arrêter, et pendre vous aussi ?

— Vous n'avez pas l'air surprise. » Il me dévisage sans ciller. « J'étais à Harwood ? Avec vous ? »

Il a démêlé les événements plus vite que je ne le pensais, mais je joue l'innocente.

« N'en auriez-vous pas le souvenir, si c'était le cas ?

— Non, répond-il d'un ton égal. Curieux, n'est-ce-pas ? Je ne crois pas que je m'en souviendrais. »

Il sait. Je m'efforce de ne pas laisser la panique se lire sur mon visage.

« Nous ne pouvons pas discuter de cela ici.

— Où, alors ? Et quand ? Puis-je venir vous voir cet après-midi ?

— Au prieuré ? Non ! Vous ne pouvez pas. » Je cherche du regard Tess et Rilla. Alice est un peu à l'écart, en pleine querelle avec Maura, mais Maura a les yeux sur Finn et moi. « Il ne faut pas qu'on nous voie ensemble, je… C'est dangereux. S'il vous plaît, Finn. »

Il ne recule pas, mais ses traits s'adoucissent au son de son prénom.

« Il me faut des réponses.

— Je le comprends bien, mais… vous ne pouvez pas prendre le risque de venir au prieuré. C'est trop dangereux. » Je réfléchis avec fièvre ; une idée me vient : « La papeterie O'Neill. Sur la Cinquième rue. Retrouvez-moi dans la ruelle de derrière. Ce soir, à dix heures. Et maintenant… allez-vous-en.

— Parfait. À ce soir, alors. »

Je me hâte de rejoindre les autres. Maura a disparu dans la foule, qui recouvre toute la place à présent. L'assistance est contenue, sur trois côtés, entre les hautes grilles de fer forgé. Sauf si les gens s'affolaient au point d'escalader ces grilles, au risque de s'empaler sur leurs pointes en fleurs de lys, il n'existe que deux issues : la grande entrée de devant et le petit portail à l'arrière. Si tout se passe comme prévu, le square entier va bientôt se retrouver en folie.

Je me penche vers Alice.

« Que voulait Maura ?

— M'accuser d'avoir retourné ma veste, dit-elle d'un ton rageur. Et lui, que vous voulait-il ?

— Me prévenir que je connais deux des filles qui vont être exécutées, puisqu'elles sont de Chatham. Afin que j'y sois préparée.

— C'était gentil de sa part », déclare Rilla.

Finn a regagné sa place au milieu des Frères. Ils sont des centaines, alignés à l'avant du public, prêts à voir se réaliser ce pour quoi ils ont voté. Ont-ils été contraints de venir ? Parmi eux, il y en a forcément que ce spectacle ne réjouit pas… À coup sûr, certains s'y sont opposés, comme Finn, mais combien ?

« Votre échange avait l'air plus personnel que ça, insinue Alice.

— Absolument pas. Et vous ne semblez pas être la mieux placée pour me faire la leçon. »

Une clameur soudaine m'empêche d'entendre la réplique d'Alice. Les condamnées – une soixantaine – descendent les marches du Conseil national, encadrées de gardes, et se dirigent vers le square. Malgré le froid mordant, aucune d'elle n'a de cape. Elles sont vêtues de jupes marron et de blouses blanches, l'uniforme de Harwood.

Bon sang de bois ! J'avais espéré qu'elles se seraient trouvé d'autres vêtements depuis leur évasion. Un uniforme, ce n'est pas l'idéal pour se perdre dans la foule. À leur approche, je repère enfin Sachi et Rory, en uniforme elles aussi. Elles marchent côte à côte, les mains liées dans le dos. Rory, grande et plantureuse, domine de près d'une tête son aînée toute menue.

Un murmure parcourt l'assistance, les cous se tendent pour mieux regarder. Quelles peuvent être les pensées de tous ces gens ? Sont-ils surpris de voir les condamnées si jeunes pour la plupart, si maigres, si pitoyables ? Ou croient-ils, comme l'assurent les Frères, que derrière ces airs innocents se dissimulent les pires vices ?

Les gardes écartent la foule. Pouvons-nous les repousser ? Cela suffirait-il ? J'observe les détenues. Pas trace de coups récents – du moins, pas que je puisse déceler –, et toutes paraissent étonnamment calmes. J'étais persuadée que certaines allaient se débattre, crier, sangloter, marmotter des prières.

Alice me pince le bras.

«Elles sont droguées», me souffle-t-elle à l'oreille.

Oh non! Je n'y avais même pas pensé, pourtant c'est l'évidence. Les Frères ont dû les abreuver de laudanum, comme ils le faisaient à Harwood. Ce qui explique leur lenteur, leur apathie, leurs paupières qui clignent dans la lumière.

Inutile de compter sur leur magie. L'opération repose sur nos seuls pouvoirs.

Les gardes font monter six des condamnées sur la plate-forme et parquent les autres dans un espace délimité par des cordes, à gauche du gibet. Sachi et Rory figurent dans le premier groupe. Dans l'assistance, les plus excités se mettent à vociférer.

«Putains de sorcières! hurle un robuste barbu.

— Démons! glapit un autre en faisant un signe de croix.

— Eh! retournez donc en enfer!» s'époumone une petite vieille. Son imprécation s'achève en quinte de toux. Rouge comme une betterave, elle resserre sa cape élimée. Je songe à la mise en garde de Mei, à cette épidémie de mauvaise fièvre dans le quartier du fleuve. D'autres que nous sont au courant: les gens s'écartent de la tousseuse et remontent leur écharpe sur leur nez.

«Ces rats du fleuve. On devrait les pendre avec les sorcières», gronde le barbu avec un regard de dégoût pour la vieille.

À cet instant, je vois Sachi sursauter. Une tomate vient de s'écraser sur sa poitrine et de lui éclabousser le visage. Quelques bonnes âmes ont apporté des fruits pourris à jeter sur les détenues. Ou peut-être est-ce les Frères qui les ont distribués? Nombreux sont ceux, parmi l'assistance, qui ne peuvent pas gaspiller la nourriture, même avariée, même pour le plaisir d'un jeu de massacre !

Les yeux noirs de Sachi scrutent la foule et je me demande si c'est moi qu'ils cherchent. A-t-elle l'intuition que je vais intervenir ? D'un autre côté, je n'ai même pas été capable d'empêcher son arrestation… Mais son regard s'arrête sur un homme, à l'avant. Son père. Que peut bien ressentir Frère Ishida face à ses filles sur l'échafaud ? S'est-il endurci le cœur au point de pouvoir se tenir là sans rien ressentir, ou quelque chose en lui est-il tout de même vaguement troublé ?

Dieu du ciel, que je hais cet homme !

Tess m'agrippe la main. Je laisse ma rage monter, la magie parcourt tous mes muscles, mes doigts se crispent sur ceux de Tess.

Les bourreaux s'avancent pour passer les cordes au cou des condamnées.

« On y va ! » me souffle Alice à l'oreille.

Et brusquement la potence prend feu. Des flammes courent sur la traverse, s'attaquent aux poteaux latéraux. Déjà une épaisse fumée déroule ses volutes sur la plate-forme, des escarbilles volent en tous sens.

Ce feu n'a rien de réel. Il n'est qu'une illusion. Mais des plus convaincantes. Les pouvoirs conjugués de Rilla et d'Alice font des prodiges.

Le mouvement de fuite est immédiat. Les gens des premiers rangs hurlent, et tout le monde se pousse, se bouscule en direction des sorties. O'Shea et ses comparses battent en retraite sans plus attendre, avec l'aide de gardes qui ne se gênent pas pour frapper sur les simples citoyens, afin de frayer un chemin aux Frères. Dans la débandade, je cherche Finn des yeux, mais pas moyen de le repérer au milieu de cette marée de capes noires.

«Vite, ou on va se faire piétiner!» gémit une femme entre deux âges cramponnée au bras de son mari. Ils se précipitent vers le portail du fond. C'est le plus proche, mais il faudra un temps fou pour que s'évacue la foule qui se rue par là : l'ouverture est trop étroite, autant vider un tonneau avec une paille!

Le barbu de tout à l'heure hurle : «Quelqu'un est allé prévenir les pompiers, au moins? Sinon, tout part en fumée!»

Sur l'échafaud, Rory sourit jusqu'aux oreilles.

Un garde s'élance, baïonnette au clair, en rugissant : «Sorcellerie!»

Tess me presse la main ; ma magie se déverse en elle et se mêle à ses pouvoirs déchaînés. Ses incantations muettes paralysent les gardes. L'homme à la baïonnette a été stoppé net, sa lame à un pouce du dos de Rory. Une seconde de plus, et il l'embrochait. Un garde blond changé en pierre tient à bout de bras le nœud coulant qu'il s'apprêtait à passer au cou d'une brune à lunettes. Elle fait un saut de côté

Les cordes qui liaient les poignets des six condamnées se dénouent, prennent leur vol et s'en vont ligoter les bourreaux. Si nos sortilèges échouent, ceux-là, au moins, ne pourront pas faire usage de leur arme, pas avant de s'être libérés. Une idée d'Elena.

Rory et Sachi entraînent la brune à lunettes et crient quelque chose. Les trois autres filles se ruent à leur suite vers les marches de bois.

Des hommes de la garde hurlent et s'agitent au pied du gibet, brandissant leurs fusils, mais leurs collègues changés en statues dans leur ligne de mire les empêchent de tirer. D'autres s'élancent pour intercepter les six filles en fuite, mais Tess intervient. Le premier s'arrête net, une botte sur la marche du bas. Le suivant trébuche sur lui, et les voilà tous à terre, écroulés comme des dominos, et paralysés devant les flammes qui s'approchent.

L'incendie illusoire se propage à toute allure. Il atteint déjà le pied de la plate-forme, lèche l'herbe rase décolorée par le gel. La fumée s'épaissit, âcre, agressive. Le bois craque, les flammes ronflent – tout cela de façon très crédible. On jurerait que le gibet va s'écrouler d'un instant à l'autre sur les hommes alentour.

J'espère qu'ils sont terrorisés. J'espère que leur sang se glace à l'idée de se faire carboniser ou écraser ou les deux à la fois.

Les filles dégringolent les marches. Sachi enjambe à bonds légers les hommes à terre, alors que Rory n'hésite pas à donner un coup de talon dans un estomac. Je jette un regard aux autres condamnées, là-bas, près de l'échafaud, blotties les unes contre les autres et médusées devant l'incendie. L'escouade qui les encerclait s'est considérablement réduite : une bonne partie de la garde tente de maîtriser la foule en panique.

Les cordes qui ligotaient les mains des condamnées se dénouent à leur tour et s'en vont ligoter à la place les gardes encore présents. Certains se débattent, mais Tess les paralyse. D'autres tentent de fuir ; nous les faisons tomber sans ménagement. Enfin, malgré les brumes du laudanum, les détenues entrevoient que la liberté leur est offerte : elles s'élancent en direction de la sortie.

Richmond Square n'est plus qu'un immense chaos. Tout autour de nous, des gens affolés se bousculent, trébuchent les uns sur les autres, poussent des cris d'effroi et de rage. Tess et moi résistons tant bien que mal, nos mains farouchement soudées. Alice et Rilla se pressent contre nous, et notre quatuor fait bloc contre le maelström.

Dans ce vacarme, il me semble bien entendre une cloche sonner quelque part. Peut-être l'alerte au feu donné par le beffroi ? Au même instant, un homme m'attrape par la manche.

« Mes Sœurs ! Ne restez pas ici !

— Qu'est-ce que vous fichez là, transies comme des brebis ? ajoute son compère, moins chevaleresque. On va tous rôtir, si on ne bouge pas ! »

Je leur jette un coup d'œil avant de rendre mon attention à l'échafaud.

« Vous ne voyez donc pas que nous prions ? Sauvez-vous vite ! »

Surtout, qu'ils n'aillent pas déconcentrer Alice et Rilla ! L'illusion s'évanouirait et nous en avons encore bien besoin.

La plupart des Frères se sont rués vers l'une ou l'autre des sorties, mais une poignée d'entre eux tente d'arrêter les condamnées en fuite, et je m'affole.

« Tess ! »

Par bonheur, Rilla et Alice les ont vus aussi. Déjà un mur de flammes s'élève de la pelouse et encercle le petit groupe. Tess et moi scrutons la foule, mais il n'est pas facile de repérer les Frères au milieu de la cohue.

C'est alors qu'éclatent des coups de feu, là-bas, du côté de la rue.

Ce que je redoutais le plus.

Le square est à présent presque vide. Alice et Rilla s'agenouillent, toujours main dans la main, les yeux rivés sur le gibet, leurs lèvres s'agitant doucement. Elles forment un tableau très convaincant : deux jeunes nonnes en prière.

« Vite, me souffle Tess, filons dans la rue. Il faut rattraper les filles pour leur indiquer où aller. »

Elle n'en dit pas plus. Sans dénouer nos mains, nous gagnons en hâte l'entrée du square. Deux véhicules des services d'incendie s'arrêtent et les pompiers sautent à terre. Les engins bloquent la rue devant la cathédrale, ajoutant à la confusion. Dans leur empressement à quitter les lieux, les gens serrent de trop près les pompes à incendie, au risque de se faire blesser dans les manœuvres, ou piétiner par les chevaux.

Plus loin, l'une des fugitives se débat contre un homme deux fois plus grand qu'elle. Dans la bagarre, sa blouse qui se déchire dénude l'une de ses épaules. Je lance un sortilège en silence et l'homme vole en arrière, libérant sa captive qui reprend sa course aussitôt.

Tess se jette à quatre pattes et rampe sous l'une des voitures de pompiers pour passer de l'autre côté. Je la suis – assurément, l'urgence de la situation autorise des nonnes à perdre toute notion de dignité. Nous nous relevons et repartons, cherchant des yeux les évadées. La foule qui bat en retraite nous empêche de les voir. Autour de nous, des enfants séparés de leurs parents les appellent et pleurent bruyamment. J'ai un petit pincement au cœur pour eux

– même si par ailleurs, je dois l'avouer, j'éprouve une sinistre satisfaction à la pensée que je suis responsable d'un tel remue-ménage.

Et brusquement nous savons à quoi correspondaient les coups de feu. Un corps sans vie gît sur la chaussée, un de ses pieds reposant sur le bord du trottoir. C'est l'une des évadées. Elle a reçu une balle dans la tête ; un filet de sang s'écoule de ses cheveux blonds et sinue sur le pavé. Ses yeux bleus sont grands ouverts. Elle me semble étrangement familière… Seigneur, je la reconnais. C'est la jeune femme que j'ai soignée à l'infirmerie de l'asile, celle qui venait de perdre son bébé.

Elle ne retournera jamais auprès de ses petits garçons.

Tess me tire par la main vers une rue de traverse, moins encombrée. Là, des femmes à leur fenêtre interpellent leurs voisins pour essayer de savoir ce qui se passe. Des hommes s'attroupent sur la chaussée, échangent des informations, puis s'en vont voir de plus près de quoi il retourne. Parfait. Plus il y aura de curieux, plus la garde aura du mal à faire son travail.

Combien de temps encore Rilla et Alice vont-elles réussir à maintenir l'illusion ?

J'ai un point de côté et je suis à bout de forces, après la dépense d'énergie que m'ont coûté tous ces sortilèges, mais je ne ralentis pas. Il nous faut retrouver les fugitives, et les conduire en lieu sûr avant que notre magie soit épuisée. Combien de ces filles Mélisande, Mei et Elena ont-elles rattrapées ?

Quatre gardes se faufilent dans une ruelle derrière la Quatrième rue. Mue par un pressentiment, je m'engage

à leur suite avec Tess, en conservant une distance prudente. Mais comme nous passons l'angle, nous nous arrê-
tons net. À l'autre bout de la voie, une carriole de laitier,
abandonnée, bloque le passage. Sachi, Rory et la fille à
lunettes qui ne les a pas quittées courent à toutes jambes
vers le véhicule, poursuivies par les gardes.

« Halte là ! » hurle l'un d'eux, mais elles ne ralentissent
pas.

Je lance un *intransito* muet afin d'immobiliser les gardes,
mais sans résultat. Je renouvelle l'essai à voix haute ; toujours rien. Mes pouvoirs n'opèrent plus.

Trois des gardes font feu. *Pan-pan-pan !* comme l'a dit
Brenna.

Non, Seigneur, pitié ! Sachi pousse un cri, la brune
tombe à genoux devant la carriole, une main sur son bras.
Les chevaux se cabrent, les bouteilles de lait s'entre-
choquent.

J'en pleure presque, tant de désespoir que de panique,
et c'est alors que, devant moi, Tess s'effondre sur le pavé,
prise de vertige. Elle ne va tout de même pas avoir une
vision maintenant ?

« Tess ! » Je l'attrape par les épaules, tente de puiser dans
ses pouvoirs ; rien ne vient. Son regard passe à travers moi,
je ne perçois aucune magie en elle. Tout va trop vite : un
bruit de bottes se fait entendre de l'autre côté du véhicule
– un autre garde sans doute –, la brune à lunettes rampe
sous le chariot, tirant Sachi à sa suite, un nouveau coup
de feu retentit, nous allons toutes être tuées. Cette fois,
je hurle de toutes mes forces : « *Intransito !* » Deux des
hommes se figent.

Au son de ma voix, Rory s'arrête dans sa course et se retourne. Un des hommes se jette en avant, baïonnette pointée sur elle et…

« Rory ! » C'est Brenna. Surgie de l'arrière de la carriole, le long du mur d'une boutique, elle s'interpose, bras en croix, entre le garde et sa cousine – et s'empale sur la lame avec un bruit que je n'oublierai jamais.

« *Intransito !* » hurle Tess.

Les deux derniers gardes sont enfin hors d'état d'agir – trop tard. Nous nous précipitons vers les filles.

« Brenna, Brenna » sanglote Rory, allongeant sa cousine près du chariot. Une fleur écarlate s'épanouit sur le thorax de Brenna et se confond avec les pivoines de sa jupe. D'où sortait-elle ? Comment nous a-t-elle trouvées ? Rory m'empoigne le bras. « Cate, faites quelque chose ! Ranimez-la !

— Je ne le peux pas. »

Les yeux bleus de Brenna sont vides, son visage empreint de… de quoi ? Quelles ont été ses dernières pensées ? Tout s'est passé si vite.

« Merci pour tout, Cate. » Savait-elle ? Avait-elle *vu* cette scène ? Comment aurait-elle pu, sinon, se trouver là, exactement au bon moment ?

Rory arrache le fusil des mains du garde statufié et le pointe sur lui. La baïonnette est rouge du sang de Brenna. L'homme ne peut pas bouger, mais la terreur se lit dans son regard suppliant.

Je m'interpose entre Rory et lui. « Rory, non.

— Il a tué Brenna ! Il m'aurait tuée ! »

Elle épaule. Sachi lui retient le bras.

« Il faut filer, Rory. Avant que d'autres gardes arrivent.

— Écartez-vous, Cate», gronde Rory, les joues ruisselantes. «Que je lui passe cette lame au travers du corps, comme il l'a fait à Brenna !

— Non, Rory. Vous n'êtes pas une tueuse. Vous valez mieux que cela.

— Rory, ce n'est pas ce que Brenna aurait voulu», ajoute Tess d'une voix douce. Tout en parlant, très vite, elle jette un sortilège sur les filles : leur uniforme de Harwood se transforme en tenue noire de l'ordre des Sœurs.

«Elle a raison, dis-je. Ce matin même… Brenna n'arrêtait pas de parler de vous sauver, Rory.

— Elle savait ?» Rory éclate en sanglots. Elle abaisse le fusil et Sachi le lui prend pour le lancer au loin.

«Il faut partir», ordonne Tess. Elle me saisit la main et désigne les gardes. «J'efface leurs souvenirs.»

Elle puise dans mes pouvoirs – dans le peu qu'il en reste. Autant tirer de l'eau d'une pierre. Les dernières lueurs de magie papillotent en moi puis s'éteignent, me laissant harassée, les muscles endoloris.

Sachi entoure Rory d'un bras et franchit avec elle l'étroit passage entre le mur et la carriole. Une dernière fois, je regarde Brenna. Je suis déchirée de l'abandonner ainsi, mais quel choix avons-nous ? Nous n'allons pas traîner son corps dans les rues. Au bord de l'éblouissement, je titube à la suite de mes amies.

«Vous allez tenir le coup ?» me demande la fille à lunettes.

Derrière les verres ronds, ses yeux gris paraissent immenses. Elle tient le haut de son bras. Le sang perle entre ses doigts.

« C'est moi qui devrais vous poser cette question. Vous êtes blessée.

— Bah, juste une écorchure, je crois. Ça brûle un peu, mais le laudanum émousse la douleur.

— Tenez. » Je retire ma cape, la pose sur ses épaules. « Mieux vaut que personne ne voie ce sang. »

Elle tend sa main valide comme elle peut et serre la mienne.

« J'ai beaucoup entendu parler de vous, Cate. Je suis ravie de vous rencontrer enfin. Je m'appelle Prudencia. Prudencia Merriweather. »

Chapitre 8

C'est trop peu. Cruellement trop peu.

Dix filles. Nous en avons ramené dix. À notre arrivée au prieuré, Mei nous attendait avec trois rescapées. Peu après, Mélisande s'est faufilée par la porte de derrière avec quatre de plus. Ce qui fait dix, en comptant Sachi, Rory et Prue Merriweather.

Pour ce résultat, Brenna est morte et Elena a disparu.

Des heures se sont écoulées. De l'autre côté de la rue, le soleil couchant baigne d'une lumière dorée les toits pentus. Sachi, Rory et Prue sont blotties comme trois oisillons sur le sofa vert du petit salon. Dès que j'ai eu récupéré une partie de mes pouvoirs, j'ai soigné l'épaule de Prue. L'une des filles qu'a ramenées Mélisande avait une estafilade au bras, causée par une baïonnette, et une autre une cheville cassée, après avoir été piétinée dans la cohue. Je les ai soignées aussi, et elles s'en remettront. Mais à présent je scrute la rue, le front contre le carreau glacé. Où peut bien être Elena ?

Déjà, Rilla et Alice n'ont regagné le prieuré que plus d'une heure après notre retour, et cette attente nous a valu une belle angoisse. Des Frères les avait invitées à prier dans la cathédrale, et elles n'avaient pas jugé prudent de décliner. Lorsque enfin elles sont apparues à la porte de devant, elles semblaient à bout de forces. Alice s'est presque évanouie dans le hall. Rilla nous a rapporté qu'elles avaient vu trois corps sans vie sur le chemin du retour.

Je les ai envoyées se coucher. J'ai tenté d'en faire autant avec Tess, parce que son petit visage crispé et la manière dont elle se massait une tempe trahissait la montée d'une nouvelle migraine. Elle a refusé, catégorique – Inez lui a instillé la hantise de paraître faible –, mais elle s'est endormie devant la cheminée, roulée en boule dans un fauteuil. Ses cils blonds frémissent dans son sommeil comme si elle rêvait. À quoi, j'aimerais le savoir. Et qu'a-t-elle vu au cours de sa dernière vision?

Selon Brenna, Tess a un secret qu'elle a choisi de ne pas me révéler, et ce secret la ronge. Aurait-il un rapport avec l'antique prophétie, celle qui nous concerne toutes les trois, Maura, Tess et moi?

Des pas se font entendre et mon cœur tressaille. Elena, peut-être, arrivée par le portail du jardin plutôt que par l'entrée principale? Je me précipite à la porte – et réveille Tess en sursaut.

Maura entre d'un pas nonchalant, dans cette robe vert émeraude que je trouvais jolie il y a quelques semaines. À présent, elle me paraît criarde. Nous devrions toutes porter du noir, en hommage à Cora et Brenna.

Cette robe rend plus intense encore le bleu saphir de ses yeux et durant un instant, tandis qu'elle nous regarde, Tess et moi, j'ai presque l'impression d'y lire… du soulagement. Ses épaules raides semblent s'assouplir à notre vue, et le pli amer de sa bouche s'adoucir. Se pourrait-il qu'elle soit heureuse de nous voir saines et sauves?

L'instant de grâce ne dure pas.

«Dix filles, résume-t-elle, jouant avec l'une de ses boucles. Dix sur soixante. Le jeu en valait la chandelle, tu crois?

— Oui.» Je jette un regard vers le sofa. Sachi, Rory et Prue ont troqué l'horrible uniforme de Harwood pour des tenues plus seyantes: la première fait un peu écolière dans une robe de Tess, la deuxième a retrouvé son velours rouge, et la troisième m'a emprunté un ensemble gris tourterelle.

«Je reviens de l'épicerie de la Troisième rue, annonce Maura. Je voulais connaître le bilan de cette glorieuse opération de sauvetage.» Elle se tait une seconde ou deux, ménageant ses effets. «Trois détenues se sont fait tirer dessus. Mortes. Deux passants aussi ont été tués: un cordonnier – père de quatre enfants, à ce qu'il paraît – et la femme de l'ambassadeur de France.

— Je ne suis pas responsable de ce qu'ont fait les gardes. Je pensais qu'ils auraient assez de bon sens pour ne pas tirer dans la foule

— Une petite fille s'est fait piétiner dans la cohue. Elle a les deux jambes cassées. Je suppose que ce n'est pas non plus de ta faute?

— Ce n'est pas moi qui lui ai marché dessus! Où veux-tu en venir, Maura? Comment t'y serais-tu prise, toi? Tu meurs d'envie de nous le dire, alors ne te prive pas!

— J'aurais laissé faire et tant pis.

— Bonté divine, marmonne Rory.

— Remercions le ciel que vous ne soyez pas aux commandes», observe Sachi d'un ton de mépris à vous glacer le sang.

Je savais que Maura, sur ce point, se rangeait à l'avis d'Inez, mais l'entendre le déclarer si froidement me met hors de moi. «Comment peux-tu dire une chose pareille? Sachi et Rory sont mes amies!

— Et ça t'a fait perdre la tête. Sais-tu seulement combien de fois, aujourd'hui, tu as usé de magie en public? Toi, toujours si prudente, toujours à nous rabâcher, à Tess et à moi, des tas de consignes de sécurité! La fois où Tess a réparé ma robe à l'église, tu as failli avoir une attaque. Tu te rappelles, Tess? Mais maintenant que tu veux jouer les héroïnes, tu ne connais plus tes limites. Vous avez jeté des sortilèges d'illusion à droite, à gauche, pour déguiser ces filles, créer cet incendie… Et pire encore, pendant tout ce temps, vous portiez la tenue des Sœurs! Combien de gens pourraient vous avoir vues?»

Tess se redresse dans son fauteuil et croise les chevilles.

«Ça nous aurait demandé trop de puissance de nous métamorphoser nous-mêmes, et ça aurait nui à notre concentration. Ressembler à des Sœurs était le meilleur moyen d'échapper aux soupçons. Personne n'a tenté de nous arrêter ni de nous poser des questions. Et nous avons été très prudentes.

— Vraiment? Et si quelqu'un avait regardé par sa fenêtre et vous avait prises sur le fait? Il suffirait d'un seul témoin. Les Frères pourraient venir frapper à notre porte d'une seconde à l'autre.» Maura croise les bras. «Vous nous avez toutes mises en danger pour sauver dix filles. Et même pas sorcières, pour la plupart! À quoi vont-elles nous être utiles?

—Je vous demande pardon?» s'enquiert Prue, à l'évidence

peu habituée à être considérée comme quantité négligeable.

Maura se tourne vers elle, tout sourires.

«Désolée, j'en perds mes bonnes manières. Mais bon, êtes-vous sorcière?» Prue fait signe que non. Maura soupire. «On s'en serait douté. Alors pourquoi l'avoir amenée ici, Cate? As-tu oublié le but même de l'ordre des Sœurs? Nous ne sommes pas un orphelinat. Nous n'avons pas vocation à recueillir des inconnues pour leur offrir le gîte et le couvert par pure bonté d'âme.

— Pure bonté d'âme? Aucun risque avec toi!» Je regarde de nouveau par la fenêtre. Toujours pas d'Elena.

« De toute manière, nous informe Prue sèchement, je n'abuserai pas longtemps de votre charité. J'ai de la famille en ville.»

Pourvu qu'elle ne parle pas d'Alistair. Est-elle sa cousine? Sa sœur? Sûrement pas sa femme : elle ne porte pas d'alliance. Quels que soient ces liens, je ne veux pas que Maura lui mette le grappin dessus.

«Au moins, grogne Maura, vous êtes toutes revenues en un seul morceau.»

Un silence accablé s'ensuit. Rory ravale un sanglot. Les autres gardent le front baissé.

Maura comprend.

«Qui?

— Brenna. Elle est morte.»

Maura est abasourdie.

«Tu as emmené au combat une sibylle détraquée?

— Personne ne l'a *emmenée*, répond Tess à ma place. Elle y est allée toute seule. Cate n'y est pour rien.

— Bien sûr. Rien n'est jamais sa faute. » Elle toise Tess, le menton haut. « Est-ce que tu t'entends parler, seulement, petite cervelle de moineau ? Cate par-ci, Cate par-là. Tu es sa marionnette.

— Comme si tu te souciais de Brenna, lui dis-je. Il y a quelques semaines, tu voulais la supprimer.

— Et tu es bien placée pour traiter les autres de marionnettes ! renchérit Tess, sautant sur ses pieds. Depuis notre arrivée ici, tu n'as pas eu une seule pensée qu'Inez ne t'ait mise dans la tête ! »

Je risque un nouveau coup d'œil par la fenêtre. La rue est déserte. Où est Elena ?

« Notre conversation t'ennuie, Cate ? demande Maura. Tu attends quelqu'un ? »

J'hésite. Même après tout ce qu'elle a fait, ma réaction première serait d'éviter de l'inquiéter inutilement. Comme si elle me ménageait, elle qui n'a pas hésité à me broyer le cœur !

Sachi répond avant moi : « Elena n'est pas encore rentrée. »

Maura se fige, décomposée.

« Pas rentrée ? » Sa voix monte dans les aigus. « Où est-elle passée ?

— Si je le savais, je ne serais pas là à la guetter par la fenêtre. »

Elle se tord les mains.

« Mais pourquoi n'es-tu pas partie à sa recherche ? »

Tiens donc. Malgré ce qu'elle voudrait nous faire croire, elle s'inquiète. Sous ses dehors d'oursin, ses discours sans pitié, elle a toujours un cœur.

« Elena a de la ressource, dis-je pour nous rassurer toutes. Il n'y a pas plus futé qu'elle. Parions qu'elle a récupéré d'autres fugitives et trouvé où se cacher jusqu'à la nuit. Je suis certaine qu'elle va bientôt rentrer.

— Certaine, vraiment ? Si tu en étais si sûre, tu n'attendrais pas comme ça devant la fenêtre ! » Elle ouvre les bras d'un geste brusque et je recule d'instinct, persuadée qu'elle va me projeter à travers la pièce. Que nous est-il arrivé, que je redoute à chaque instant une attaque de sa part ? « Pour ce que tu en sais, poursuit-elle, amère, elle pourrait tout aussi bien être étendue morte dans un caniveau !

— Rilla a vu trois corps en revenant ici, objecte Rory, volant à mon secours. Elle nous l'aurait dit, si l'un d'eux avait été Elena. »

Mais Maura ne me lâche pas.

« Et c'est moi que tu accuses de jouer avec la vie des autres ! Si tu l'as envoyée à la mort, je te...

— Tu me quoi ? dis-je très bas. Que pourrais-tu bien me faire de plus ? »

Ses yeux s'étrécissent.

« Je t'ai vu parler avec lui, tout à l'heure. Au beau milieu du square, sans te gêner. »

La peur déferle en moi. Je répète la réponse que j'ai faite à Alice : « Il n'y avait rien de secret. Il tenait à m'avertir que Sachi et Rory figuraient parmi les condamnées. Pour que je m'y prépare.

— Je n'arrive pas à croire que vous nous auriez laissées mourir », grommelle Rory, les yeux sur Maura.

Mais Maura fait la sourde oreille.

« J'ai essayé de te prévenir, Cate. Je t'ai dit que nous ne

pouvions pas travailler avec les Frères. Ce sont nos ennemis.

— Oh, ne va pas prétendre que tu as fait ça pour protéger l'ordre des Sœurs. Finn était de notre bord.

— Du tien, peut-être. De toute manière, ce n'est plus pareil.» Il y a un soupçon de tristesse dans sa voix, mais je ne suis pas en état de m'en émouvoir. «Ce que j'ai fait, Cate – c'est de ta faute. Tu n'écoutais pas. Tu n'écoutes toujours pas! Chaque fois que tu... ne serait-ce que chaque fois que tu le regardes, tu le mets en danger.»

Et son petit haussement d'épaules signifie qu'à son avis je suis trop stupide pour comprendre ce qu'elle veut dire.

Mais je comprends. Elle recommencera. Elle s'introduira dans l'esprit de Finn, encore et encore, jusqu'à ce qu'il ne reste plus rien de l'homme que j'aime, jusqu'à ce qu'il ne soit plus qu'une coquille vide, incapable de la moindre pensée cohérente.

La magie monte en moi, le bout de mes doigts crépite d'électricité. Je siffle entre mes dents : «Essaie seulement.

— Et alors quoi?» Elle agite sous mon nez sa paume droite, sur laquelle court la ligne brisée d'une cicatrice fraîche. Cette blessure que je lui ai infligée dans un moment de colère, elle aurait pu demander à la faire disparaître, si elle l'avait voulu. Peut-être tient-elle à s'en souvenir. Elle se tourne vers les autres. «Cate vous a-t-elle raconté son joli coup? Elle a perdu tout contrôle au beau milieu de la réception après l'enterrement de Cora. Elle a fait éclater une tasse entre mes mains. N'importe qui aurait pu la voir. Il y avait des douzaines de Frères dans la pièce. Et quand je suis allée la trouver pour qu'elle me soigne, elle a agrandi la plaie.»

Tess me regarde, horrifiée. Je ne lui avais pas parlé de l'incident.

« Cate, c'est vrai ? Tu as fait ça ?

— Oui, et je le regrette. » Pas assez, cependant, pour présenter des excuses à Maura. « Ça ne se reproduira pas.

— On peut difficilement vous en blâmer, décrète Rory, si elle passe son temps à vous chercher noise de cette façon.

— Un chef ne doit jamais perdre le contrôle, réplique Maura. Je l'ai appris à mes dépens. Tu es trop faible, Cate. Ce besoin de te soucier de celles qui ne sont pas sorcières. Tes sentiments pour Finn... Tout cela t'affaiblit.

— Sûrement pas. » Je repense à Finn, pour une fois sans tristesse ; avec gratitude, plutôt. « Aimer la bonne personne, en être aimé en retour... ça te renforce. Tu as envie d'être meilleure pour elle – d'être telle qu'elle te voit lorsqu'elle te regarde – belle, courageuse, intelligente. Tu veux être à la hauteur de cette image, même si... » Je respire un grand coup. « Même si cette personne ne te voit plus de cette manière. Non, aimer Finn ne m'a jamais rendue faible. Et le perdre... Je ne laisserai pas non plus cette perte m'affaiblir. Je suis plus forte que tu ne le crois, Maura. »

Rory se penche en avant, et son décolleté généreux dévoile sa gorge plus que ne l'autoriserait la décence.

« Mais bon sang, que s'est-il passé ici ces dix derniers jours ?

— Chut, Rory ! » souffle Sachi, avec une tape sur le bras de sa sœur.

Maura lisse sa jupe émeraude.

« Je l'ai fait pour vous. Pour l'ordre des Sœurs.

— Mensonges ! Tu l'as fait parce que tu étais jalouse. »
Je sais que je vais la blesser, en lâchant ces mots devant les
autres, mais le temps où je m'en souciais est passé. « Si tu
avais déjà été amoureuse, vraiment amoureuse, jamais
tu ne m'aurais fait ce que tu m'as fait. »

Ses yeux lancent des éclairs.

« Amoureuse, si, je l'ai été. Et toi, tu as tout fichu en l'air.
Et maintenant tu l'as peut-être envoyée à la mort !

— Alors ? dis-je. Quel effet cela te fait ? » Je m'avance vers
elle, elle recule. « C'est bien ce dont tu menaces Finn, ou
je me trompe ? Je n'ai aucune envie de te faire de mal,
Maura. Mais si tu uses encore de magie contre lui, je
n'hésiterai pas. Je te jure que je n'hésiterai pas. Quitte
à user de mes pouvoirs jusqu'à la dernière parcelle, je me
débrouillerai pour que plus jamais tu ne t'approches
de lui.

— Cate ! » Tess m'empoigne le bras, mais je me dégage
et ne quitte pas Maura du regard.

« Pour défendre un homme, cingle Maura, tu sacrifierais
ta sœur ? Malgré ta promesse à Mère de veiller sur nous ?
Il n'y a pas si longtemps, c'était pour toi la chose la plus
importante au monde.

— Tu as clairement signifié que tu n'avais plus besoin
de moi.

— Exact. Plus besoin du tout. Depuis longtemps. »

Et, refoulant ses larmes, elle quitte la pièce en trombe.

« Maura, crie Tess, attends ! » Elle ne cesse de presser sur
sa tempe – sa migraine n'a pas dû céder –, puis elle s'élance
derrière Maura. J'entends leurs pas précipités se faire écho
dans l'escalier.

Comment Maura s'y prend-elle pour que je finisse toujours par avoir le mauvais rôle ?

Sachi passe un bras autour de moi.

« Maura a effacé la mémoire de Finn, c'est ça ?

— Oui. Le soir de l'expédition à Harwood. L'unique souvenir qu'il garde de moi est celui d'une cliente de sa librairie. D'une voisine, quoi. »

Elle m'entraîne vers un fauteuil et je m'y laisse tomber. Elle s'assied par terre à mes pieds, ses cheveux soyeux me caressent le coude.

« Vous devriez aller le trouver et lui dire toute la vérité.

— Impossible. Vous l'avez entendue : si elle nous voit ensemble, elle recommencera. En pire. Ou ce sera Inez, et vite fait, encore. » Les yeux sombres de Sachi brillent de compassion. C'est presque insoutenable. « Et qui sait dans quel état il sera, après ça ? Il est déjà si perturbé. Il est venu me parler, tout à l'heure, parce qu'il soupçonne que j'ai quelque chose à voir avec son état de confusion. Tout ça, parce que je suis une piètre menteuse, et je suis censée le retrouver ce soir… J'ai été obligée d'accepter, pour qu'au moins, sur le moment, il s'éloigne de moi. Et je ne sais vraiment pas ce que je vais lui dire ! »

Sachi pose sa main sur la mienne.

« Dites-lui la vérité, voilà tout. Il mérite de la connaître.

— Mais que lui expliquer au juste ? » Je frotte de mes poings mes yeux las. « Que nous étions amoureux, aussi farfelu que cela puisse paraître, et que ma sœur a effacé ses souvenirs ? Et vous croyez qu'avec ça il va retomber amoureux de moi séance tenante ? » J'enfouis mon visage dans mes mains pour étouffer mes sanglots.

Lorsque je me redresse, trois paires d'yeux sont posées sur moi. Je présente de pauvres excuses. «Je suis désolée, Prue, de vous infliger mes tourments. Avez-vous des sœurs ?

— Un frère.» Du bout de son index, elle remonte ses lunettes sur son nez. Le même geste que Finn.

«Alistair Merriweather est votre frère ?»

Elle confirme, jouant avec sa longue natte noire, et je perçois sa ressemblance avec Alistair, surtout au niveau des yeux. Elle est aussi jolie que son frère est beau. Son charme est simplement un peu dissimulé par ses lunettes, et par ces vêtements qui ne la flattent pas.

Je m'efforce de chasser ma tristesse.

«Si vous désirez le voir, je vous mènerai à lui.»

Ses sourcils s'envolent et ses lunettes redescendent le long de son nez.

«Vous savez où il est ? Il se cache depuis des années.

— Je sais seulement où il sera jeudi soir. J'ai rejoint les rangs de la Résistance et il y aura une réunion ce jour-là.»

Rory éclate de ce grand rire rauque et jubilatoire qui m'a tant manqué.

«Cate, racontez-nous un peu ce que vous avez fait pendant ces dix jours. Il semblerait que vous ayez été très occupée.»

Discuter avec Sachi, Rory et Prue m'aide à reprendre mes esprits. Au début, je redoute d'en dire trop devant Prue, mais à l'évidence ces trois-là ont noué des liens très forts. Je leur détaille les intrigues en cours au couvent, les tensions entre la faction d'Inez et la nôtre. Profitant de l'absence de Tess, je leur révèle qu'elle est la sibylle et les conjure de ne pas modifier leur comportement à son égard.

« Mais elle n'est pas… vous savez… comme Brenna ? demande Rory, attentive à ne pas médire de sa cousine morte.

— Non. Tess a bien toute sa tête. Mais elle a la hantise de la perdre, justement ; alors pas de plaisanteries là-dessus, s'il vous plaît. » Je ponctue ma prière d'un regard sévère pour Rory.

Elle renifle l'épaule de sa robe en velours rouge, et ses yeux s'embuent.

« Brenna me l'a empruntée, cette robe, n'est-ce pas ? Je reconnais son parfum. Elle adorait les violettes.

— Oui. Tess lui avait apporté un flacon d'eau de toilette. Elles étaient devenues proches, toutes les deux. Tess lui montait ses repas et lui faisait la lecture. Je pense que sa mort la bouleverse plus qu'elle ne le laisse paraître. D'ailleurs, je ferais bien d'aller la voir et de vérifier que Maura ne l'a pas trop perturbée.

— Nous allons rester ici pour guetter le retour d'Elena, propose Sachi, ravivant le feu.

— Merci beaucoup, dis-je, reconnaissante.

— Cate ! se récrie Rory. Vous nous avez sauvé la vie ; c'est nous qui vous devons des mercis.

— Et pensez à ce que je vous ai dit », me rappelle Sachi. Elle allume les lampes à gaz et ajoute : « Vous devez la vérité à Finn. Et vous méritez d'être heureuse. »

J'acquiesce en silence, tout en me demandant si le mérite a grand-chose à faire ici. Après tout, Brenna ne méritait certes pas son sort.

Toutefois, j'y réfléchis en gagnant la chambre de Tess. Pourquoi ai-je tant de réticence à parler à Finn ? À cause des menaces que font peser sur lui Maura et Inez ? Ou bien parce que je crains, maintenant qu'il ne m'aime plus, qu'il décide que je n'en vaux pas la peine ?

Plus grave encore : et s'il se sentait obligé d'essayer de m'aimer ? Rilla a suggéré que je pourrais de nouveau le séduire. Mais je ne l'ai pas *séduit* la première fois. Pas une fois je n'ai fait appel à ces petites ruses de charme, ces airs faussement timides qu'utilisent certaines filles dans leur chasse au mari. J'ai été moi-même, rien de plus.

Et si cela ne suffisait pas cette fois ?

Je frappe à la porte de Tess. Du fond de la pièce, elle me dit d'entrer. Elle est sur son lit, blottie en chien de fusil. Cyclope dépasse de sous son édredon, comme si elle venait juste de l'y cacher, gênée d'être surprise à se réconforter de façon si enfantine. Si c'est le cas, elle a tort. J'adorerais avoir une peluche ou un doudou pour me réconforter, moi aussi, quand je suis triste ou angoissée.

« Alors, lui dis-je, comment ça s'est terminé avec Maura ?

— Pas très bien. Elle a le sentiment que tu la rejettes au profit de Finn. »

Elle me fait une place à côté d'elle. Je m'assieds, me déchausse et replie mes jambes sous moi.

« Serait-ce si répréhensible ? Mais ça ne s'est pas passé de cette manière, je te rappelle. C'est elle qui m'a sommée de faire ce choix.

— Tu la connais. Il faut toujours qu'elle mette les gens

à l'épreuve ; elle veut qu'ils lui démontrent que c'est elle qu'ils préfèrent. » Elle enroule sur un doigt la dentelle noire de sa manche. « J'ai bien peur que, toi et moi, nous ayons échoué à cet examen.

— Échoué, pas d'accord ! » La colère me reprend. « Ce n'est pas notre faute s'il y a en elle ce... ce gouffre qu'elle essaie toujours de combler.

— Ce n'est pas notre faute, mais nous ne l'avons pas aidée non plus. Elle est tellement meurtrie, Cate. Elle est persuadée que tout le monde t'a toujours préférée à elle. Mère, Elena, Cora, moi... Inez est la seule pour qui ce soit l'inverse. » Tess respire un grand coup, puis maintient son souffle bloqué un instant avant de le libérer lentement. « Je sais que l'idée ne va pas te plaire, mais je crois que tu devrais aller lui parler. Lui dire que tu ne pensais pas vraiment ce que tu as dit, que bien sûr tu ne renonces pas à elle. »

Je secoue la tête.

« Si, je le pensais. Et si, je renonce. »

Tess se masse la tempe et poursuit comme si je n'avais rien dit, comme si je ne venais pas de refuser.

« Bon, j'admets qu'on jurerait qu'elle ne veut plus que tu veilles sur elle, mais elle a besoin de toi, Cate.

— Permets-moi d'en douter. Je vois bien que tu essaies d'apaiser la situation, et c'est une chose que j'apprécie, crois-moi, mais il faut que tu cesses de t'inquiéter pour nous. » Je regarde son petit visage tendu. « Toujours cette migraine, hein ? Tu devrais t'allonger un peu. Je viendrai te prévenir, dès qu'Elena rentrera. Mais dis-moi... Cet après-midi, lorsque nous étions dans cette ruelle, tu as eu une vision, n'est-ce pas? Tu as vu quelque chose concernant Elena?

— Non. Je veux dire : oui, j'ai eu une vision, mais rien à voir avec Elena. »

Ces yeux cernés, ce dos voûté, les événements du jour suffiraient à les justifier, mais l'humeur de Tess est devenue imprévisible ces derniers temps. Est-ce dû au simple fait qu'elle entre dans l'adolescence, et qu'elle est la sibylle par-dessus le marché? Ou alors – je repense à la mise en garde de Brenna – a-t-elle vu quelque chose qui lui pèse?

Je lui demande très bas : « Savais-tu que Brenna allait mourir? Comme pour Zara?

— Non! » C'est un cri du cœur. « Pas une seconde je n'ai… Simplement, je crois qu'elle, elle le savait. Ce matin, elle a dit quelque chose, quand je lui ai apporté son petit déjeuner. Je n'y ai pas prêté attention sur le moment, mais maintenant… Je pense qu'elle me disait adieu.

— À moi aussi, elle me l'a dit, je crois. Et elle m'a confié… » Je remonte mes genoux contre ma poitrine. « Elle m'a confié que tu me cachais quelque chose. Est-ce en rapport avec la prophétie? As-tu vu… As-tu vu que je m'en prendrai à Maura?

— Non. » Elle pose sa main sur mon genou. « Ce n'est pas ça.

— Qu'est-ce que c'est, alors? Brenna s'inquiétait… Elle avait l'impression que ça te rongeait, elle avait peur que ça finisse par te briser.

— J'ai aussi cette peur, parfois. » Elle a un petit rire triste, trop adulte pour ses douze ans. Trop amer. « Simplement, je ne suis pas encore prête à te le dire. Accorde-moi un peu de temps, tu veux bien ? »

Je voudrais insister, lui demander de tout me livrer maintenant. Est-ce en rapport avec Finn ? Avec moi ? Mais Tess est une fille intelligente. Je dois lui faire confiance et ne pas douter qu'elle me le dira lorsqu'elle y sera prête. Le moment venu.

« D'accord, j'attendrai. Mais tu me le diras, hein ? »

L'ombre qui passe dans son regard me fait mal. « Je ne vois pas comment je pourrais y échapper. »

Chapitre 9

Une assiette en équilibre sur les genoux, je suis en train de manger ma purée de patates douces lorsque j'entends s'ouvrir à la volée la porte principale du prieuré. Le cœur tambourinant, je me lève si brusquement que serviette et assiette se retrouvent sur le plancher. Pas de casse. Je ramasse le tout comme je peux et le dépose sur une table avant de m'élancer hors du petit salon, Mei sur les talons. Le reste du couvent soupe au réfectoire, mais nous sommes restées ici à attendre…

… Elena. Elle s'appuie contre la lourde porte comme si c'était sa dernière chance de ne pas s'effondrer. Six, non, sept filles l'accompagnent, toutes en cape noire. L'une d'elles s'écroule avec un gémissement. Une autre, soutenue par deux compagnes, claudique jusqu'à l'escalier et s'assied sur une marche. Le reste de la troupe paraît anéanti et jette alentour des regards effrayés.

«Dieu soit loué!», dis-je dans un souffle, partagée entre l'envie de secouer Elena et celle de la prendre dans mes bras. «Ça va? Que s'est-il passé? J'étais morte d'inquiétude! On vous attend depuis des heures.»

Elle m'adresse un sourire harassé.

«Voulez-vous vous occuper de Jennie et Dora? Elles sont blessées, et mes pouvoirs…». Elle fait un geste vague de la main. « Et Sarah Mae a une vilaine bosse sur le crâne ; un coup de crosse de fusil… Une espèce de brute épaisse qui…

— Je m'en occupe, propose Mei, s'agenouillant déjà auprès de l'arrivante à terre. Pensez-vous pouvoir marcher jusqu'à la classe de soins, si on vous soutient ? C'est juste au bout du couloir. Je vous soignerai là-bas. Et je vais demander à quelqu'un de nous apporter du chocolat chaud et les restes du souper. »

Les filles se tournent vers Elena.

« Allez avec Mei, dit-elle. Je vous rejoins dans un instant. »

Elles trottinent derrière Mei. Maintenant que je peux voir leurs traits, il y en a deux que je reconnais : Jennie Sauter, qui vient d'une ferme de Chatham, et Sarah Mae, du quartier des cas difficiles – la petite qui enterrait des oiseaux morts durant les promenades de l'après-midi à Harwood.

Ce qui nous fait dix-sept filles en tout. Dix-sept condamnées sauvées sur soixante. Un ratio acceptable. Je me sens immensément soulagée de les savoir ici en sécurité. Je redemande : « Que s'est-il passé ? »

Elena se dégage le front d'une main lasse.

« Sitôt sortie du square, j'ai récupéré deux filles, que j'ai cachées dans une arrière-boutique de la Deuxième rue. Puis je suis restée devant la porte pour cueillir celles qui passeraient par là. Un garde était lancé après Dora, et c'est un miracle qu'il n'ait pas tiré sur elle avant que j'intervienne. Après ça, et avec toute la magie que j'avais dépensée, je savais que mes pouvoirs n'allaient pas revenir avant des heures. Dora avait une jambe en triste état, Jennie avait pris une balle dans le bras, et Sarah Mae avait beau dire, je voyais bien qu'elle était commotionnée. J'ai donc jugé plus sage d'attendre qu'il fasse nuit, et surtout d'avoir suffisamment récupéré pour les dissimuler sous une illusion. Il restait tout de même pas mal de gardes dans les rues. L'un d'eux a repéré que Dora boitait, il est venu nous questionner. Si Sarah Mae n'avait pas réagi si rapidement…» Elle avale sa salive. «Il s'en est fallu de peu. De vraiment très peu.

— Je suis bien contente de vous voir saine et sauve.» Et même plus que contente, j'en suis la première surprise. «Sarah Mae est sorcière?

— Non. Elle a lancé une pierre dans un lampadaire, et le bruit a attiré le garde à l'autre bout de la ruelle.» Elle rejette en arrière ses boucles noires, qui dansent sur ses épaules en anglaises soyeuses, impeccables. Je m'aperçois que c'est la première fois que je lui vois les cheveux défaits. «Je ne crois pas qu'une seule d'entre elles soit sorcière, conclut-elle.

— Pourquoi avoir risqué votre vie pour elles, alors?» demande Maura qui vient de surgir, les traits bouffis, les yeux rouges et gonflés.

«Maura… commence Elena.

— Non! Je me moque de vos explications. Vous pouvez avoir toutes les raisons que vous voudrez, ça ne suffira pas. Vous n'allez pas passer votre temps à mettre votre vie en danger. Je ne le permettrai pas!»

Ce disant, elle tape du pied comme une enfant de quatre ans. Je suis sûre qu'Elena va répondre de façon cinglante, et signifier à Maura que ce n'est pas elle qui décide. Mais

Elena se contente d'un début de sourire. «Est-ce votre façon de me dire que vous étiez inquiète pour moi?

— Évidemment que j'étais inquiète pour vous! Je vous tenais pour une fille intelligente, moi. Et je vois que vous n'êtes qu'une... qu'une imbécile! Mon Dieu, à quoi pensiez-vous? De toute évidence, vous ne pensiez pas.» Elle se tourne vers moi, glaciale, et je me raidis. «Vous avez suivi les ordres de Cate, c'est bien ça?»

Elena a un petit rire.

«Maura, traitez-moi de tous les noms qui vous chantent, mais vous ne pouvez pas tenir Cate pour responsable.

— Bien sûr qu'elle le peut, dis-je. Elle trouve toujours un moyen de m'accuser.

— Vous savez mieux que personne que jamais je n'obéis aveuglément à des ordres, poursuit Elena. Ce que j'ai fait aujourd'hui, je l'ai fait parce que j'estimais, moi, que c'était ce qu'il fallait faire.

— Alors vous êtes une triple idiote, rétorque Maura. Le propre des sorcières est de savoir se protéger elles-mêmes. Épuiser vos pouvoirs au point de n'être plus capable d...

— Je vais très bien», l'interrompt Elena sans lever la voix. Elle pose une main sur la manche de Maura. «Je suis sauve.»

Maura rosit.

«C'est déjà ça.» Elle s'éclaircit la gorge et baisse les yeux. «Vous êtes une de nos meilleures sorcières. Nous ne sommes qu'une poignée à pouvoir pratiquer l'intrusion mentale et nous aurons besoin de toutes les...»

Elena retire sa main comme si elle s'était brûlée.

«Ah, c'est pour cette raison que vous étiez si inquiète ? Parce que ma disparition vous aurait privées d'une sorcière capable d'intrusion mentale ? » Elle se tourne vers moi, un peu découragée. «Je vais voir comment vont les filles. Elles étaient tellement terrorisées, tout le long du chemin, que j'ai cru ne jamais arriver ici. »

Sur quoi elle disparaît à longues enjambées furieuses.

«Qu'est-ce que… qu'est-ce que j'ai fait ? bredouille Maura.

— Si tu ne l'as pas compris, c'est toi la triple idiote. » Et, avant de suivre Elena, j'ajoute : «Elle mérite mieux que toi, Maura. »

«On se croirait dans un de mes romans», déclare Rilla, assise à côté de moi sur la banquette de la calèche. «*Sur les douze coups de minuit, elle se glissa dehors pour aller à son rendez-vous galant.*

— Il n'est que dix heures, Rilla, et ce rendez-vous n'a vraiment rien de galant. » Je me bats avec le bouton de mon gant de satin noir. «Je n'ai même pas réfléchi à ce que j'allais lui dire.

— Vous lui direz la vérité, tout bonnement. » Elle soulève le rideau pour observer la rue. «Je n'ai jamais vu autant de patrouilles. Bon, mais il faut dire que je ne suis jamais sortie aussi tard. Ah ! tout ça vous a un petit parfum de scandale…

— Un parfum de stupidité, oui, plutôt. »

La calèche s'engage dans la ruelle qui dessert l'arrière des boutiques de la Cinquième rue. À cette heure-ci, la plupart des gens devraient être au lit, à commencer par

Rilla et moi. Si Maura apprenait où je vais, elle trouverait six ou sept expressions bien choisies pour qualifier ma bêtise, et elle aurait probablement raison.

Je teste les fibres de magie qui parcourent tout mon corps, et sens mes pouvoirs réduits à l'état de traces. Jennie Sauter avait perdu beaucoup de sang, et ni Mei ni Addie ne venaient à bout de sa blessure. Elles craignaient qu'elle y perde son bras. Elles avaient déjà accompli beaucoup, je n'ai eu qu'à compléter leur travail et j'y suis parvenue. Mais après les efforts fournis tout au long de la journée, le peu de magie qui m'était revenu y est passé. Elena me déconseillait fermement de ressortir ce soir. Mais je ne voulais pas faire faux bond à Finn, et encore moins le laisser venir tout droit au prieuré – ce qui aurait été sa réaction, je n'en doute pas. Tant qu'à prendre des risques, autant que ce soit moi qui les prenne.

La calèche s'arrête.

Je descends d'un bond dans la ruelle obscure et tends la main à Rilla. Puis je m'approche de Robert, notre cocher.

« Vous revenez nous chercher dans une heure ?

— Une demi-heure, transige-t-il d'un ton paternel. Ce n'est pas une nuit à traîner dehors. »

Et il relance le cheval sans attendre ma réponse. J'ai la main posée sur le rubis à mon cou quand des pas résonnent au coin de la rue.

« Halte ! » ordonne une voix masculine. Je me fige. Le garde est grand, blond et carré d'épaules. Il nous rejoint en quelques enjambées et s'étonne : « Mes Sœurs, mais que faites-vous dehors à cette heure-ci ?

— Nous… » Là s'arrête mon inspiration. J'aurais dû prévoir un prétexte plausible.

Rilla, pas plus inspirée que moi, ouvre et ferme la bouche comme un poisson. Il épaule son fusil, méfiant. Il sent la pipe froide à plein nez.

« À moins que vous soyez pas vraiment des Sœurs. Je serais pas le premier à être berné par une sorcière aujourd'hui. Donnez-moi la raison de votre présence ou je vous emmène au Conseil national pour interrogatoire. »

Quel alibi pourraient avoir deux honnêtes religieuses pour se trouver seules dans une ruelle à dix heures du soir ? Je suis prise d'une illumination : cette femme qui toussait, cet après-midi, au square…

« Nous rendons visite à des malades. Une famille touchée par cette fièvre, vous savez. » J'esquisse un geste vague en direction d'une maison éclairée.

« Nous allons prier pour eux, enchaîne Rilla. Et prier avec eux. Ils ont un petit garçon très mal en point. » Elle se tord les mains en actrice accomplie. « Pauvre petiot ! Il ne passera peut-être pas la nuit.

— La fièvre des estuaires, vous voulez dire ? Elle se propage ? Je croyais que c'était que dans les bas quartiers, du côté du fleuve. » Il jette un coup d'œil vers la maison, puis durcit le ton. « Attendez voir. Il y a une chose qu'il faut m'expliquer : pourquoi vous entrez pas par-devant, au lieu de passer par ces ruelles comme des voleuses ? Où est votre calèche ?

— Oh, eh bien, nous… » Bon sang de bois ! J'essaie d'éveiller ma magie, cherche frénétiquement comment nous tirer d'affaire.

Nouveau bruit de pas au coin de la rue. Reflet d'un rayon de lune sur une paire de lunettes. Finn ! Il approche. Ses yeux croisent les miens. Désespérément, je lui lance un avertissement muet et son regard englobe le garde et le fusil.

« Qu'est-ce qui se passe ici ? » Il achève de nous rejoindre d'un pas tranquille, comme s'il n'avait pas un souci au monde Mais il a le dos raide, le menton haut, et je connais ce regard. « Vous n'êtes pas en train d'arrêter ces respectables novices, n'est-ce pas ? Elles ont rendez-vous avec moi.

— Avec vous ? » répète le garde, son arme toujours braquée sur nous. « Alors pourquoi elles viennent de me raconter qu'elles allaient voir un gamin malade ? »

Finn a un bon sourire.

« Raison de sécurité.

— Sécurité, ah oui ? » Notre homme n'a pas l'air convaincu. « Qu'est-ce que c'est que ces histoires ? Écoutez, si vous êtes venu prendre du bon temps avec l'une d'elles ou même les deux, dites-le et voilà tout. »

Le sourire de Finn se fait sévère.

« Ces jeunes femmes sont ici pour me communiquer des informations sur une personne soupçonnée de sorcellerie. Elles prennent de gros risques. Je devrais vous signaler à vos supérieurs pour insulte. »

Oh, il est magnifique !

Vite, je m'efforce de paraître outragée à cette idée de « prendre du bon temps » avec Finn – alors que bel et bien je ne demanderais pas mieux que de me glisser dans ses bras.

L'arme s'abaisse. «Toutes mes excuses, sir.

— Ce n'est pas à moi qu'il faut les présenter.» La voix de Finn est basse, lourde de dangers. Délicieux frisson.

«Toutes mes excuses, mes Sœurs. Je ne voulais pas vous manquer de respect.

— Je vous en prie, répond gracieusement Rilla. Vous avez eu une journée difficile.

— Vous pouvez disposer, conclut Finn. Je les raccompagnerai au prieuré.»

Le garde obtempère. Sans perdre une seconde, dès qu'il a disparu, je gagne la porte de la papeterie, le rubis déjà changé en clé à la main.

«Vite, avant que quelqu'un d'autre ne vienne», dis-je très bas, et nous nous glissons tous trois dans la réserve.

Le temps que je referme à double tour derrière nous, Rilla a déjà allumé une chandelle. Ses mains qui tremblent font danser les ombres sur les murs.

«Moins une, souffle-t-elle.

— Faites attention avec votre bougie, prévient Finn, les yeux sur les rames de papier. Cet endroit pourrait flamber comme une torche.»

Je remets le pendentif à mon cou. J'ai les nerfs à fleur de peau, non pas tant à cause de ce garde que parce que Finn est si proche. Inévitablement, il va me poser des questions auxquelles je ne peux ni ne veux répondre. Et s'il m'en voulait à mort pour cela?

«Finn, je vous présente Rilla Stephenson, ma compagne de chambre. Rilla, Finn Belastra.

— Ravi de vous rencontrer, Miss Stephenson.» Il se

tourne vers moi. « Pouvons-nous trouver un endroit où parler, Cate ? »

Mon cœur fait un bond. « Voulez-vous bien rester ici un instant, Rilla ? Nous descendons.

— Prenez votre temps. » De sa poche, elle tire un de ses romans. « J'ai apporté de quoi lire. »

Finn approuve d'un petit rire. Ils sont du même bois, tous les deux : toujours un livre à la main. Je m'engage dans l'escalier, Finn me suit avec un deuxième chandelier. Il le pose sur la table, puis retire sa cape et en drape un dossier de chaise.

« Merci d'être venu à notre secours, lui dis-je. Ça aurait pu très mal finir. » Je ne sais que faire de mes mains. Je tourne autour de mon doigt l'anneau de Mère, m'efforçant de ne pas penser à la bague de fiançailles que Finn m'avait donnée, voilà des semaines. Je la lui ai rendue lorsque j'ai annoncé mon intention de rejoindre l'ordre des Sœurs. Où est-elle à présent ?

Il roule ses manches de chemise au-dessus de ses coudes, dévoilant ses avant-bras constellés de taches de rousseur. Je suis prise d'une envie absurde de suivre du doigt les motifs qu'elles forment sur sa peau hâlée.

« Vous êtes sorcière ? » demande-t-il tout à trac.

Qu'il aille ainsi droit au but renforce le respect que j'ai pour lui.

Je devrais lui mentir. Pour son propre bien. Je le devrais, mais ne le fais pas. « Oui. Mais ce n'est pas moi qui ai effacé vos souvenirs. Je le jure.

— Alors, comment savez-vous qu'on a effacé mes souvenirs ? »

Je déglutis péniblement. Parce que j'étais là lorsque c'est arrivé. Parce que je sais qui a fait ça. Je ne pardonnerai jamais à la personne qui a commis cet acte, mais, oui, je continue de vouloir la protéger. Ou de vouloir protéger Finn. Ou moi. Mon raisonnement est plutôt brumeux, même pour moi.

«Parce que je vous connais, finis-je par répondre.

— Vraiment? s'étonne-t-il d'une voix douce. Moi, je ne me rappelle pas très bien de vous. C'est une sensation des plus curieuses. Comme si des petits morceaux de moi avaient été découpés. Je fais des choses, je pense à des choses, je ressens des choses, et j'ignore pourquoi. Et puis il y a le temps disparu. Des heures par-ci, par-là; des soirées entières… envolées.» Il fait claquer ses doigts tachés d'encre. «Je me souviens d'avoir travaillé dans le bureau de Denisof cet après-midi-là, à écrire divers courriers pour lui, et ensuite il y a un grand blanc, jusqu'à ce que je me retrouve devant le prieuré avec vous. Où étais-je avant? C'est un mystère pour moi. Un mystère très contrariant.»

La frustration s'entend dans sa voix. Elle tord sa bouche, ride son front, et je voudrais tant réparer le mal qui lui a été fait – le réparer, lui.

«Vous étiez venu avec moi. À l'asile de Harwood.»

Un sourire s'ébauche sur son visage.

«J'ai aidé à libérer les détenues?»

J'acquiesce, souriant à mon tour.

«Vous y avez grandement contribué.

— Je le savais, bon sang! C'est pour ça que j'ai rejoint l'ordre des Frères, hein? Pour les espionner?»

Son soulagement me brise le cœur. Je me retiens de me jeter dans ses bras, de l'enlacer, d'implorer son pardon.

De l'implorer de se souvenir de moi.

«Oui, dis-je. Pour cela, et pour protéger votre mère.

— Merci.» Il y a de la ferveur dans sa voix, de la vivacité dans son sourire. «Cette histoire me rendait fou. Les lettres de ma mère... Elle ne m'en parle pas ouvertement, mais elle sous-entend que j'ai une autre raison de me trouver à New London. Je n'ai jamais été ce qu'on appelle un dévot, et Mère... Vous la connaissez. Elle m'a appris à me poser des questions, pas à suivre aveuglément une doctrine. Je me demandais pourquoi j'étais chez les Frères, ce que je pouvais y fou... Oups, pardonnez-moi.

— Pas de problème. Vous... vous pouvez parler comme bon vous semble devant moi.»

Seigneur! Je bute sur les mots, je dois ressembler à une amoureuse transie. Dans la lueur de la bougie qui vacille, sa barbe naissante à cette heure tardive prend un relief amusant, et me rappelle nos autres rencontres secrètes – dans le jardin du prieuré, dans la serre, aux Archives nationales. Je retrouve en pensée la sensation légèrement abrasive de ce chaume sous mes doigts, sur mes lèvres.

«Donc, nous avons travaillé ensemble? Moi au sein de l'ordre des Frères et vous, de celui des Sœurs?» Je confirme d'un signe de tête, étourdie par mes rêves. «Je comprends mieux. Simplement, en ce cas, si j'apportais mon aide aux sorcières, pourquoi auraient-elles... Hé, vous entendez?»

Un coup sourd vient de retentir en haut des marches, suivi d'un cri étouffé. Je m'élance vers l'escalier.

«Rilla!

— Laissez-moi passer », ordonne Finn, tirant un pistolet de sa botte.

Nous montons sans bruit, il ouvre la porte à la volée. Alistair Merriweather se tient debout derrière Rilla, un bras autour de sa gorge, une main sur sa bouche. Je m'écrie : « Mr Merriweather ! Lâchez-la immédiatement. » Il nous regarde avec des yeux ronds.

« C'est quoi ce bazar ?

— Vous connaissez cet homme ? » demande Finn, abaissant son arme.

Rilla n'attend pas la réponse. Elle mord la main d'Alistair et, sitôt libérée, elle se retourne vers lui et lui lance un coup de genou dans les parties sensibles. Il pousse un geignement et se recroqueville contre une étagère de bouteilles d'encre. Rilla empoigne alors un balai et le brandit au-dessus de l'ennemi comme on le ferait d'une batte de base-ball. Avec sa robe jaune à fleurs, elle en est presque comique.

« Tout va bien, Rilla, je le connais », dis-je pour l'apaiser, malgré ma curiosité de voir comment l'affaire pourrait tourner. Merriweather doit la dépasser d'une tête, mais je parie qu'elle aurait le dessus.

« Non ! tout ne va pas bien, s'indigne-t-elle. Il a failli m'étrangler !

— Miss Cahill ? Que faites-vous là au juste ? s'informe Mr Merriweather.

— Je pourrais vous retourner la question.

— Il m'arrive de dormir dans ce local. Avec la permission de Hugh. » Vêtu d'un grand caban vert olive, un foulard noir autour du cou, il ne manque pas d'allure, en dépit de son air hautain. «Cette clé ne constituait pas une invitation à aller et venir ici à votre guise, que je sache. Ce n'est pas un lieu destiné à vos rendez-vous personnels. Nous travaillons depuis des années pour…»

Rilla le fait taire d'un léger coup de balai sur le crâne. Il lâche un petit cri.

Mais à voir de quel œil Finn le regarde, je dirais que c'est un moindre mal. «Monsieur, gronde ce dernier, je n'apprécie pas vos insinuations.

— Toutes mes excuses, répond Merriweather sans quitter Rilla des yeux. Mais avouez que la situation n'a rien de clair. Peut-être serait-il judicieux de faire les présentations?»

En effet, et je m'y emploie : «Je vous présente ma compagne de chambre, Rilla Stephenson, et mon… mon ami, Frère Finn Belastra… Rilla, Finn, je vous p…»

Merriweather me tire sur le bras d'un coup sec.

«Un membre de l'ordre des Frères? Bon Dieu, ma fille, avez-vous perdu la tête?

— Il est de notre bord, dis-je, me dégageant.

— J'ai aidé Cate à libérer les détenues de Harwood», ajoute Finn.

Je prie le ciel qu'Alistair n'additionne pas deux et deux. Et s'il comprenait que le mouchoir était celui de Finn?

«Vous avez pris part à l'évasion de Harwood?» C'est moi que Merriweather interroge, pas Finn. «Attendez. Et ce qui s'est produit dans le square aujourd'hui, vous y êtes pour quelque chose?»

Je me sens rougir sous le regard de Finn.

«J'y ai participé.

— Très bien, déclare Finn. L'idée que toutes ces filles allaient être pendues…

— Je sais.» Nos yeux se rencontrent et, durant un instant, tout semble redevenu… parfait. Puis je me tourne vers Merriweather. «Votre sœur Prue est en sécurité. Avec des amies. Je l'amènerai à la prochaine réunion de la Résistance, si vous le désirez. Sauf, bien sûr, si vous répugnez à utiliser cet endroit pour un rendez-vous personnel.» Une petite pique ne peut que lui faire du bien, et je n'ai pas pu résister.

Il hoche la tête, pensif, et enfonce les mains dans ses poches.

«J'ai une immense dette envers vous, en ce cas, Miss Cahill, dit-il enfin. Prudencia est pour moi la personne qui compte le plus au monde.

— Merriweather… bredouille Rilla. Vous êtes le rédacteur en chef de la *Gazette*?

— Vous lisez la *Gazette*, vous?»

Il la considère, incrédule. Elle hausse les épaules, puis se baisse et ramasse son livre, tombé par terre pendant la bagarre.

«Jusqu'à une date récente, non. Mais Cate l'a laissée traîner dans notre chambre.

— Et qu'en pensez-vous?» Il redresse sa longue silhouette et bombe un peu le torse.

«Oh, l'article sur O'Shea que vous avez publié cette semaine n'était pas mal. Il dépeignait bien le monstre qu'il est en réalité. Mais pour ce qui est des conséquences de sa politique, il mettait trop l'accent sur les hommes.

— Il se trouve que ce sont les hommes qui achètent mon journal.

— Peut-être que plus de femmes l'achèteraient si vous les preniez en compte. Par exemple, vous devriez interviewer quelques-unes des filles que nous avons sorties de Harwood. Bien sûr, vous ne pourriez pas dévoiler leur identité, mais vous pourriez révéler leurs vraies conditions de vie là-bas. Et il faudrait aussi interroger certaines d'entre nous. Entretien exclusif avec d'authentiques sorcières! Voilà qui vous ferait gagner de nouveaux lecteurs.

— Je n'ai aucune difficulté à trouver des lecteurs», reprend-il quelque peu abasourdi. Je parie qu'il s'attendait à des louanges plutôt qu'à des critiques de la part de ce petit bout de femme. Puis il pointe le doigt vers elle et se tourne vers moi. «Dites-moi… Elle aussi, elle est sorcière? Il n'y a donc que des sorcières dans l'ordre des Sœurs?

— *Elle* n'apprécie pas beaucoup qu'on parle d'elle à la troisième personne sous son nez», lui fait remarquer Rilla. Puis elle est prise d'inquiétude. «Vous… vous n'allez pas révéler ça dans votre journal, hein?

— Non. Je ne vois aucun intérêt à vous faire toutes exécuter.» Il s'adosse à l'étagère derrière lui, bras croisés, et ajoute d'un ton un brin paternaliste: «Vous êtes une fille impétueuse, Miss Stephenson.

— J'ai quatre frères. Ça vous apprend à donner des coups et à élever la voix pour vous faire entendre, explique Rilla, remettant sa cape. Cate, il faut y aller. La calèche doit nous attendre.

— Oui, oui.» J'avais complètement oublié Robert. «À jeudi, alors, Mr Merriweather?

— Qu'est-ce qui se passe jeudi?» s'enquiert Finn – et Alistair semble encore plus outré.

Je m'enveloppe de ma cape à mon tour et réponds à sa place : «Les chefs de la Résistance se réunissent ici. Ils débattent de… voyons, je n'en suis plus très sûre… Blanchir le nom de Brennan? Renverser les Frères en vue d'établir une vraie démocratie? Accorder le droit de vote aux femmes?

— Ce dernier point n'est pas au programme, objecte Merriweather – et Rilla fait la grimace.

— Eh bien, si un espion au sein de l'ordre des Frères peut vous être utile en quoi que ce soit, j'aimerais me joindre à vous, dit Finn.

— Ce n'est pas vraiment ouvert aux…», commence Alistair.

Je lui coupe la parole : «Vous me le devez. Pour Prue. Laissez Finn assister aux réunions, et réfléchissez aux suggestions de Rilla pour la *Gazette*. S'il vous plaît.

— Bon, entendu. Si vous restez quelques minutes de plus, je vais vous expliquer en quoi consiste notre mouvement. Belastra, c'est bien ça?» demande-t-il avec une point de méfiance.

Rilla passe la tête à la porte.

«Cate, la calèche nous attend.»

Arg! Je n'aime pas l'idée de laisser Finn seul avec Merriweather. Et s'il l'interroge sur Harwood? J'ai pu le détourner de ce sujet en lui parlant de Prue, mais lorsqu'il y repensera plus sérieusement, il comprendra que le mouchoir était à Finn et que les trous de mémoire de celui-ci ont sans doute une explication assez simple. Comment réagira-t-il alors?

«On se voit jeudi?» me demande Finn. J'acquiesce et il

m'adresse un sourire ravi. « Parfait. J'ai beaucoup d'autres questions à vous poser. »

Sur le chemin du retour, Rilla ne cesse de maugréer contre « cette grosse tête de Merriweather, avec ses airs supérieurs ». Nous nous glissons dans notre chambre, mais à peine avons-nous commencé à nous changer pour la nuit qu'un hurlement déchire le silence du prieuré.

Je sursaute. Je connais ce cri. C'est celui qui m'a réveillée tant de fois, après la mort de Mère, au temps où Tess faisait cauchemar sur cauchemar.

Je me précipite dans le corridor sans me soucier de ma tenue peu décente. Je me rue dans la chambre que partagent Tess et Vi pour trouver ma petite sœur assise sur son lit, bien entière, les joues encore rougies de sommeil, les cheveux emmêlés.

Elle est secouée de sanglots.

« Qu'est-ce qu'il y a ? Qu'est-ce qui t'arrive ? »

Le visage enfoui dans la fourrure de son ours, elle pleure trop fort pour pouvoir me répondre. Je me tourne vers Vi.

« Qu'est-ce qu'elle a ?

— Je n'en sais rien. Je dormais comme une bûche quand elle s'est mise à crier. J'ai cru mourir de peur. » Elle rejette ses couvertures et se lève. « Tess, dites-nous, qu'est-ce qui ne va pas ? Vous avez fait un cauchemar ? »

Tess désigne le pied de son lit en tremblant.

« Il y en avait partout, tout autour.

— Partout, de quoi ?

— Des flammes. » Elle essuie ses larmes d'un revers de main. « J'ai entendu un bruit… une porte qui se fermait quelque part... Je me suis réveillée, et mon lit était en feu!»

Mon estomac se contracte au souvenir de la menace qu'elle a reçue la semaine dernière. Il ne s'est rien passé depuis, mais maintenant...

«C'était un mauvais rêve, l'apaise Vi en allumant une bougie. Rien d'étonnant, après une journée comme celle-ci.

— Non! proteste Tess, véhémente. Ce n'était pas un rêve, c'était vrai. Enfin, vrai comme une illusion. Il y avait la chaleur, il y avait la fumée. Quelqu'un a voulu me jouer un sale tour.

— Qui ferait une chose pareille?» demande Rilla. Une demi-douzaine de filles se tiennent sur le seuil de la chambre derrière elle. Elle a remis sa robe jaune mais n'a pas pris la peine de la boutonner jusqu'en haut.

«Vous êtes la sibylle, ajoute Vi. Qui voudrait vous nuire? Vous êtes trop importante pour nous toutes.»

Je me tourne vers les filles qui s'agitent à la porte: Rebekah, Lucy et Grace, dont la chambre est à gauche, Parvati et Livvy, qui occupent celle de droite.

«L'une de vous était-elle encore debout? Avez-vous vu quelqu'un quitter la chambre de Tess?

— Vous et Rilla, vous n'avez pas l'air de sortir du lit», fait observer Parvati.

Je me rends compte, embarrassée, que je suis en jupon et corset. Je venais juste d'ôter ma robe et ma combinaison quand Tess a hurlé.

«On peut difficilement nous accuser de cet acte.

— Oh, ne me dites pas que vous prenez cette affaire

au sérieux, dit Parvati. Ce n'était qu'un cauchemar de gamine !

— Je ne suis pas une gamine », réplique Tess, croisant les bras sur sa poitrine.

Du menton, Parvati désigne Cyclope.

« Votre ours en peluche serait sans doute d'un autre avis.

— Je sais ce que j'ai vu », insiste Tess, mais elle rougit. « C'était une illusion. Exprès pour me faire peur. Et quelqu'un a essayé de… d'entrer dans mon esprit.

— Eh bien, on dirait que ça commence. Les autres sibylles sont toutes devenues folles, pas vrai ? »

Tess se met à pleurer et je me tourne, en rage, vers Parvati.

« C'est la deuxième fois que quelqu'un s'amuse à lui faire peur, et je ne vous laisserai pas, ni vous ni personne d'autre, prendre la chose à la légère. Une menace contre elle, c'est une menace contre l'ordre des Sœurs tout entier. »

Parvati hausse ses maigres épaules.

« Franchement, je doute que quelqu'un ici lui en veuille. La journée a été rude. Il paraît qu'elle a eu une vision tout à l'heure. Peut-être qu'elle est en train de craquer parce que c'est trop de pression pour elle. »

Cette fois, Tess sanglote, et je dois faire un énorme effort pour m'interdire de propulser Parvati dans le couloir. Elle aussi a beaucoup souffert, c'est ce que j'essaie de garder présent à l'esprit.

« Maintenant ouste, tout le monde dehors ! » décrète Vi, qui a dû sentir que j'étais à deux doigts de verser dans la violence. « Tess a besoin de repos et moi aussi. » Elle gagne son lit, sort de sous son oreiller un lapin en peluche dépenaillé et le brandit aux yeux de toutes. «Et pour votre gouverne, sachez qu'il n'y a pas de honte à avoir une peluche. Il se trouve que j'ai seize ans, et je vous présente mon Bunny.»

Rilla et les autres éclatent de rire, puis repartent vers leur chambre en bon ordre. Vi se tient droite comme un i, les joues un peu plus roses que d'ordinaire – et je l'admire. À mon arrivée ici, il y a deux mois, elle faisait partie de la petite cour d'Alice, toujours à essayer de s'attirer ses bonnes grâces, et vaguement honteuse de son cocher de père. Jamais ou presque elle ne prenait la parole sans y avoir été invitée. Elle a énormément mûri depuis.

Parvati est restée sur le seuil.

«Et c'est cette mouflette que vous voulez voir diriger l'ordre des Sœurs? Vous voudriez lui donner une voix au conseil de guerre? Vraiment, Cate?

— Absolument.» Et je lui ferme la porte au nez.

Tess relève vers moi son visage ruisselant et renifle.

«Non, je ne suis pas en train de devenir folle. Quelqu'un essaie de m'effrayer, ou de me faire passer pour une demeurée, ou les deux à la fois. Je suis désolée d'avoir réveillé tout le monde. J'aurais dû comprendre immédiatement que c'était une illusion, mais ça semblait tellement réel, le feu craquait au-dessus de mon lit, et...

— Vous n'avez pas à vous excuser.» Vi s'assied sur le couvre-lit de Tess et lui masse le dos en douceur, tandis que j'arpente la chambre rageusement. «N'importe qui aurait crié. Ce devait être terrifiant.

— C'était peut-être Parvati, dis-je. À l'entendre...

— Je ne sais pas.» Vi renvoie sa grosse natte derrière son

épaule. «Pour les sortilèges d'illusion, elle n'est pas encore très douée. Je doute qu'elle ait pu monter quelque chose d'aussi complexe.

— Qui, alors?» Maura s'abaisserait-elle à tourmenter Tess ainsi? Je refuse de le croire, mais sans pouvoir totalement écarter cette possibilité. «Tess, veux-tu venir dormir dans ma chambre?

— Je ne suis pas un bébé, Cate. Ça va aller.

— Je veillerai sur elle», promet Vi. Elle se lève et ouvre les rideaux. Le clair de lune se coule dans la pièce. «Vous devriez peut-être faire la grasse matinée, demain, Tess. Je pourrais vous apporter votre petit déjeuner. Je suis sûre que personne ne protestera si vous manquez la classe pour une fois.

— Non, s'il vous plaît, ne me maternez pas, supplie Tess. C'est précisément le but recherché – quelle que soit la personne qui est derrière tout ceci.»

Je me laisse tomber à côté d'elle.

«Mais il faut que tu fasses attention à toi, d'accord? Je sais que tes visions te donnent la migraine, et maintenant cette…

— Ça va aller», répete-t-elle très vite, et je vois que ma sollicitude l'importune. «Retourne te coucher.»

Je me mordille la lèvre.

«Entendu. Bonne nuit, alors.»

Je lui jette un dernier coup d'œil avant de fermer la porte derrière moi. Elle s'est glissée sous son couvre-lit bleu et tournée vers le mur. Mais ses épaules tressautent, et je devine qu'elle pleure et tente de me le cacher.

Que me cache-t-elle d'autre?

Chapitre 10

Le lendemain, Mei, Addie, Pearl et moi allons à l'hôpital Richmond après les cours. Nous portons des sacoches remplies de bandages, de bibles et d'herbes médicinales. Des hommes de la garde sont postés à tous les coins de rue. Avec Noël dans quelques jours seulement, les boutiques devraient déborder d'activité, mais une chape de silence s'est abattue sur New London. La potence trône toujours au milieu de Richmond Square ; des employés de la ville nettoient le sang sur les pavés de la rue voisine. Une bonne partie de la population n'ose même plus mettre un pied dehors – mais qu'est-ce qui l'effraie le plus, les sorcières en liberté ou la garde des Frères, trop zélée ?

Dès l'entrée de l'hôpital, une odeur pestilentielle nous assaille. Je respire par la bouche et cherche un mouchoir dans mon sac. Addie a un haut-le-cœur.

La confusion la plus totale règne dans le hall d'accueil. Des files de malades attendent le long des murs, le visage luisant et rougi par la fièvre. Ceux qui sont trop faibles pour tenir debout sont assis ou allongés sur le carrelage froid. Une infirmière se démène pour orienter une douzaine de personnes à la fois, constamment sollicitée par de nouveaux arrivants. Trois petits garçons jouent à se poursuivre d'un bout à l'autre du couloir, des bébés somnolent, anormalement inertes dans les bras de leur mère.

« Tout ce monde, chuchote Mei. J'avais entendu dire que l'épidémie progressait, mais là…

— C'est terrifiant. » Je scrute la foule. À en juger par leurs vêtements – pauvres robes élimées, recousues, rapiécées pour les femmes, blue jeans et chemises grossières pour les hommes , la plupart des patients viennent des quartiers déshérités qui bordent le fleuve. C'est d'une logique implacable. Ils ne peuvent faire appel à des médecins de ville et vivent les uns sur les autres, des familles entières entassées dans des deux-pièces exigus. Dans de telles conditions, inévitablement, la maladie se propage plus vite. Et ce n'est pas comme si ceux qui peinent à nourrir leur famille pouvaient prendre un congé pour se reposer. Ils continuent sans doute à aller au travail jusqu'à ce qu'ils s'écroulent – et contaminent les autres chaque fois qu'ils sortent de chez eux.

Merriweather est-il au courant ? Je me suis fait un devoir de lire les journaux ces derniers temps, mais ni *The Sentinel* ni la *Gazette* ne faisaient mention d'un risque d'épidémie. Il faut prévenir la population. Avec Noël qui arrive, tout le monde va bien finir par se ruer dans les magasins et les églises. Le nombre de malades atteindra vite un seuil critique. Je me souviens avec effroi de l'épidémie de grippe de 1887. Je n'avais que sept ans, mais je revois les cercueils s'empiler dans le cimetière, et je me souviens que les Frères avaient supprimé l'office pendant un certain temps, nous recommandant de prier chez nous pour l'éradication de la maladie. La sœur de Mrs O'Hare était morte. Ainsi qu'un des petits frères de Rose et Matthew Collier et des douzaines d'autres villageois. Tous ces décès, rien que dans notre bourgade. Qu'en avait-il été dans une grande ville comme New London ?

Une infirmière s'affaire dans le hall. Du plus loin qu'elle nous aperçoit, elle accourt vers nous.

« Oh, mes Sœurs, Dieu soit loué, vous voilà enfin ! Depuis hier, nous n'avons plus de lits disponibles et maintenant des gens à l'agonie se couchent devant nos portes. La moitié d'entre eux ne viennent ici que lorsqu'il est déjà trop tard. On leur donne de la valériane pour les apaiser et de la salicine contre la fièvre, mais sans pouvoir faire grand-chose de plus. Nous sommes épuisées. J'ai dû renvoyer chez elles trois de mes infirmières à bout de forces.

— Je suis navrée que nous ne soyons pas venues plus tôt, dis-je. Nous ne pensions pas que c'était si grave. »

Elle m'adresse un regard surpris.

« Sœur Inez a pourtant vu de ses propres yeux ce qui se passe ? Depuis une semaine, je l'informe que nous avons besoin d'aide. » Tout en parlant, elle s'élance dans l'escalier, et le gravit d'un pas si rapide que nous devons presque courir pour la suivre. « Mon Dieu, dit-elle soudain, je ne me suis même pas présentée. Je suis Mrs Jarrell.

— Je m'appelle Cate. » Je fais une pause sur le palier, le temps de reprendre mon souffle et de laisser les autres se présenter, puis je demande : « Sœur Inez est venue ici ?

— Elle vient tous les jours. » Mrs Jarrell passe une main dans ses cheveux bruns coupés au carré. « Elle est terriblement pieuse. Je suppose que vous désirez la voir avant de commencer ?

— Non, nous… », commence Addie, mais je la fais taire d'un coup de coude.

« Oui, s'il vous plaît. »

Maintenant que j'y repense, Inez s'est en effet absentée du prieuré une bonne partie de l'après-midi, ces jours derniers. Son cours terminé, elle disparaît pour le restant de la journée. Pour quoi faire ? Elle n'est pas du genre à soigner les malades. Pas si elle ne voit aucun avantage à en tirer.

Nous suivons Mrs Jarrell à travers deux des salles communes réservées aux malades contagieux. Nous sommes dans la section des hommes, et les trente lits sont occupés. Des infirmières vont et viennent, distribuent des fortifiants et des breuvages non identifiés. Les quintes de toux se font écho d'un bout à l'autre de la salle. Une aide-soignante transporte deux sacs de draps propres.

Mrs Jarrell nous conduit dans un couloir bordé de chambres plus petites.

« Elle lui fait la lecture chaque jour, des heures durant. Je doute qu'il comprenne le moindre mot, mais c'est gentil de sa part. Ils ne reçoivent pas beaucoup de visiteurs. Quelle tristesse tout de même », conclut-elle en s'arrêtant devant une porte close.

Je jette un coup d'œil par la lucarne vitrée. La salle contient une douzaine de lits. Quatre fenêtres percent le mur du fond, mais les rideaux blancs tirés ne laissent entrer qu'un demi-jour. Neuf hommes sommeillent. Le dixième paraît fasciné par sa propre main, dont il plie et déplie les doigts comme un bébé. Une Bible ouverte sur les genoux, Inez remue les lèvres, assise au chevet du onzième lit.

Le malade qui gît dans ce lit n'est autre que William Covington, ancien chef de l'ordre des Frères.

Je colle l'oreille contre la vitre. La voix d'Inez monte et descend comme un murmure, mais je ne parviens pas à saisir ses paroles. Je reprends mon observation : elle a les yeux rivés sur le visage de Covington, pas sur les Écritures, même si ses lèvres semblent continuer leur lecture.

Un frisson me parcourt. Quelque chose de mauvais est à l'œuvre ici. Quelque chose de profondément mauvais.

J'esquisse le geste d'ouvrir la porte ; Mei m'arrête. « Ne la dérangeons pas. Elle a l'air tellement absorbée par ses prières. »

Mrs Jarrell reprend le couloir en sens inverse et nous lui emboîtons le pas.

« Nous ne manquons pas d'ouvrage pour vous, mes Sœurs. Le linge vient de revenir de la laverie. Si vous voulez bien donner un coup de main aux aides-soignantes pour changer les draps, je pourrai aller rejoindre l'infirmière en chef et tâcher de trouver où installer les nouveaux patients. »

Pearl et Addie la suivent, dociles. Mei et moi nous laissons un peu distancer pour échanger quelques mots.

« Il faut absolument découvrir ce qu'Inez est en train de faire, dis-je très bas. Pourquoi diable rend-elle visite à Covington et aux autres ?

— C'est peut-être sa manière d'expier ce qu'elle a fait ? » suggère Mei. Mais elle-même paraît sceptique.

« Ne me dites pas qu'Inez prie pour leur guérison, alors que c'est elle qui les a mis dans cet état !

— Non, bien sûr, mais ce n'est pas d'elle qu'il faut espérer obtenir la réponse. Si elle a en tête Dieu sait quel plan diabolique, elle ne va certainement pas vous le dévoiler si vous lui posez la question. »

Nous arrivons dans l'aile des femmes. Mrs Jarrell s'arrête dans la première des salles communes pour s'entretenir avec une collègue. Un Frère corpulent guide une vieille dame vers les infirmières. Sèche comme un sarment et toute voûtée, elle porte une élégante cape mauve bordée de fourrure blanche aux poignets.

« N'empêche, dis-je à Mei, je découvrirai ce qu'Inez manigance. Elle a déjà fait bien assez de mal comme ça ! »

Mei approuve d'un air absent ; toute son attention s'est portée sur les nouveaux venus. La vieille dame pomponnée est prise d'une quinte de toux si violente que sa coiffure impeccable s'en retrouve tout de travers. Le Frère tape sur l'épaule de l'infirmière en chef et interrompt sa conversation avec Mrs Jarrell, qui s'éloigne de quelques pas. Il parle à voix basse, mais des bribes de phrase me parviennent : « Ma mère… fièvre des estuaires… veillez à ce qu'elle obtienne… ». L'infirmière acquiesce avec zèle et s'empresse de prendre en charge la vieille dame.

« Vous avez vu ? sussure Mei à mon oreille. La petite dame riche a droit à ce qu'on s'occupe d'elle sans délai, et à une chambre privée, sans doute ! Pendant ce temps, les pauvres font la queue pour mourir. »

Le Frère s'avise que nous le regardons et soulève son chapeau.

« Bonjour, mes Sœurs, dit-il, venant à nous. Ici pour prodiguer quelques soins ? »

Mei baisse la tête et me laisse réciter la formule. «C'est notre privilège d'aider les moins fortunés.»

Il plisse son nez bulbeux, tire un mouchoir de sa poche et l'applique sur son visage. Une forte odeur de pin s'en dégage.

«J'ignore comment vous pouvez supporter cette pestilence, confesse-t-il. Je n'aurais jamais posé un pied ici, n'était que ma mère vient d'attraper cette saleté de fièvre.»

Mei le regarde à travers ses longs cils.

«Je suis un peu surprise. Pourquoi ne vous adressez-vous pas à un médecin en ville? Vous semblez avoir les moyens.

— Oh! je les ai.» Il sourit, très fier. «Mais ici, il y a Frère Kenneally, voyez-vous? Et je veux absolument qu'elle passe entre ses mains.» Il nous adresse un clin d'œil complice. «On ne va pas laisser les gens comme nous attraper ce genre de saleté parce que la racaille du fleuve ne sait pas rester à sa place! Moi, ce que je dis, c'est qu'il faudrait mettre en quarantaine tous ces bas-quartiers jusqu'à la fin de l'épidémie. Boucler ces gens sur les berges, et qu'ils n'en sortent pas.»

Il n'est pas particulièrement discret. Les femmes de tous âges qui nous entourent, torturées par la fièvre et la toux, sont malades mais pas sourdes. Une maigrichonne aux cheveux filasse nous fixe du regard; si ses yeux pouvaient tuer, nous serions déjà morts tous les trois.

«Quelle excellente idée, ironise Mei entre ses dents.

— N'est-ce pas?» Avec un large sourire à la vue de sa vieille mère qui réapparaît à l'autre bout de la salle, le

Frère soulève de nouveau son chapeau. «Bon, je dois y aller. Prenez soin de vous, mes Sœurs!»

Après son départ, je me tourne vers Mei.

«Je ne… Quel horrible bonhomme!

— Ça ne m'étonne même plus», lance-t-elle, empoignant un sac de linge propre.

Des heures plus tard, nous titubons de fatigue le long des rues assombries pour regagner le prieuré. Nous aurons manqué coup sur coup le thé et le dîner. Mei me demande soudain : «Vous êtes encore en train de penser à Inez?» J'avoue que oui et elle poursuit : «Comment faites-vous, après cette journée, pour songer à autre chose qu'à manger ou aller au lit? Moi, je suis à moitié morte de faim.»

À vrai dire, moi aussi, j'ai l'estomac qui crie famine et je rêve de mon lit, mais ce que nous avons vu me hante. Tout le temps que Mei et moi nous sommes affairées à nos tâches – changer des draps, distribuer des repas, préparer des patients pour la nuit –, je n'ai eu que cette image en tête : Inez au chevet de Covington.

De mon mieux, j'ai calmé les malades agités, fait retomber leur température, facilité leur respiration, mais je ne pouvais pas aller plus loin, et cela pour deux raisons. D'abord, cette fièvre est retorse, elle se dérobe à la magie, si bien que je peux seulement espérer avoir mis les malades sur la voie de la guérison. Mais surtout, mieux vaut ne pas en faire trop, de peur qu'une infirmière perspicace relève que notre visite a entraîné des améliorations suspectes. Utiliser nos pouvoirs à l'hôpital est plus risqué qu'à

Harwood, où les infirmières prêtaient peu d'attention à leurs patientes.

Quel gâchis! Si nous étions libres d'user de nos dons, nous pourrions venir en aide à tant de gens – et en particulier à ceux qui n'ont pas les moyens.

«J'ai hâte d'être au chaud, nous confie soudain Pearl qui claque des dents. Vous savez de quoi je rêve, là, maintenant? D'une tourte à la tomate et au fromage.»

Et rien de bien étonnant, car une délicieuse odeur de fournée chaude flotte jusqu'à nous, échappée d'une boulangerie.

Mei pousse un gémissement affamé, et Addie colle son nez retroussé contre la vitrine, comme un gamin des rues. Son haleine embue la vitre froide. «Oh! et celle-ci, elle est au bœuf, non? Elle a l'air délicieuse. Voilà de quoi je rêve, moi.

— Offrons-nous ce luxe, alors, dis-je en piochant quelques pièces dans mon porte-monnaie. C'est moi qui paie. Quatre tourtes?

— Que Dieu vous le rende», souffle Mei avec ferveur.

Nous nous précipitons dans la douce tiédeur de la boulangerie. Toutes les boutiques du quartier commerçant restent ouvertes plus tard cette semaine, à l'approche de Noël. Les vitrines s'ornent de rameaux de sapin, et dans les rues, les odeurs d'épices se mêlent à celles de viande rôtie, de sauce à l'oignon et de pain frais.

Père nous a raconté que, du temps où il était petit, Grand-père et lui allaient couper un sapin dans les bois pour le rapporter chez eux. Ils y accrochaient des décorations maison et des guirlandes de pop-corn. Ils plaçaient au sommet un ange fait de plumes blanches et empilaient les cadeaux à son pied. Mais l'année de ses dix ans, les arbres de Noël furent interdits. Coutume païenne, avaient décrété les Frères, tout comme celle d'aller de maison en maison chanter des cantiques et offrir du cidre chaud. Le jour de Noël, selon eux, devait être exclusivement consacré à commémorer la naissance du Seigneur – avec l'office du matin suivi du jeûne et du recueillement. Telle est toujours la règle, mais au moins les Frères n'interdisent pas de faire une petite fête la veille de Noël, avec un bon dîner et un échange de cadeaux.

Nous allons vivre un étrange Noël cette année, loin de chez nous, et avec Maura qui nous bat froid, Tess et moi.

Il est très tard lorsque nous arrivons au prieuré. Nous nous lavons le visage et les mains, en frottant si fort que notre peau en devient toute rouge. Mei se propose pour mettre nos robes à bouillir. Je fais un saut au salon, dans l'espoir d'y trouver Tess, mais Vi m'informe qu'elle est allée se coucher et ne veut pas être dérangée, pas même par moi. Je suis tentée de monter prendre de ses nouvelles quand même, mais elle a besoin de repos. Et moi aussi, de toute façon. Et cependant…

Sur la causeuse fuchsia, Maura discute avec Parvati, Genie et quelques autres. Il semblerait qu'Alice soit irrémédiablement tombée en disgrâce. Maura a de nouveau procédé à un échange de chambres – avec Livvy cette fois – pour partager celle de Parvati. Mais Alice a l'air plutôt heureuse de s'être réconciliée avec Vi. Tassées à deux dans un fauteuil bleu, elles feuillettent un magazine de mode mexicain. Livvy joue – joliment – une sonate au piano. Assise sur une ottomane, Sachi contemple le feu, Rory à ses pieds, à plat ventre sur le tapis. Prue, le nez dans un roman, occupe l'ottomane voisine. Pearl tricote une nouvelle écharpe pour les convalescents de l'hôpital – cette fille est un amour –, et Mei pulvérise Addie aux échecs.

Un sentiment de bien-être me gagne. Malgré mes soucis avec Finn ; malgré les projets d'Inez ; malgré la cruauté des Frères et l'incertitude de notre avenir, au moins je ne suis pas malheureuse ici. Je n'aurais jamais imaginé avoir des amies comme celles-ci. Il y a trois mois, je croyais ne pouvoir faire confiance à personne. Sauf à mes sœurs.

Je me trompais. Sur le premier point comme sur le second.

J'aimerais me blottir dans un fauteuil et regarder Mei déplacer sa reine sur l'échiquier, ou encore m'écrouler sur le tapis rouge à côté de Rory et oublier mes soucis en riant avec elle. Au lieu de quoi, je traverse la pièce et me plante devant Maura.

« Je peux te parler un instant ?

— Tu peux dire tout ce que tu voudras devant mes amies.

— Non, justement, je ne le peux pas. » Je m'efforce de garder un ton aimable. « Il y en a pour une minute.

— Bon, je viens, si tu y tiens. » Elle fait mine de rechigner, mais sa curiosité perce. Elle se redresse, lance les bras derrière son dos, étire ses épaules. « Excusez-moi, les filles. Je suis citée à comparaître. »

Ses amies gloussent comme les perruches de l'oisellerie

du centre-ville ; je me retiens de lever les yeux au ciel. J'entraîne Maura dans la classe d'anatomie et veille à laisser la porte largement entrebâillée, afin de nous empêcher de nous emporter l'une contre l'autre. Maura se perche sur le bureau de Sœur Sophia.

« C'est à quel propos, Cate ? Je n'apprécie pas trop que tu me harponnes quand je suis avec mes amies. »

Je m'adosse à l'armoire dans laquelle est rangé notre squelette Sac d'Os. « Il est arrivé quelque chose de très bizarre à Tess, cette nuit.

— Je suis au courant. Ce n'est pas elle qui me l'a dit. Mais Parvati. Que Dieu garde mes sœurs de m'informer de quoi que ce soit !

— Qu'as-tu entendu dire au juste ? »

Elle réajuste l'un des peignes dorés qui maintiennent ses cheveux.

« Qu'elle a fait un cauchemar et que ça l'a rendue hystérique. Et que tu n'as pas arrangé les choses en accusant tout le monde de vouloir s'en prendre à elle.

— Ce n'était pas un cauchemar. Quelqu'un a créé l'illusion que son lit était en feu. C'est la deuxième fois qu'on tente de l'effrayer de cette façon. La fois d'avant, c'était en plein jour. Nous revenions de faire des courses et, en entrant dans sa chambre, elle a trouvé Cyclope pendu aux rideaux, avec une note épinglée sur lui : "Aujourd'hui, c'est moi ; demain ce sera toi."

— Pourquoi n'es-tu pas venue m'en parler plus tôt ? C'est aussi ma sœur, tu sais.

— Je viens t'en parler maintenant. Selon toi, qui pourrait faire une chose pareille ? »

Je résiste à la tentation de souligner l'évidence : si elle-même n'avait pas renseigné Inez, nul ne saurait que Tess est la sibylle, et il n'y aurait aucune raison de la harceler.

«Je n'en ai pas la moindre idée, finit-elle par répondre, pensive.

— Tess est d'avis que quelqu'un cherche à la discréditer. À la faire passer pour trop jeune et trop nigaude pour gouverner.

— Elle *est* trop jeune, Cate. Si nous étions de retour à Chatham, elle ne pourrait même pas encore participer aux réceptions ni aux dîners mondains. Quand viendra la chute de l'ordre des Frères – et note que cette chute est pour bientôt –, on ne pourra pas confier la Nouvelle-Angleterre à une gamine de douze ans.

— Je ne suis pas opposée à l'éventualité que Tess soit sous régence, ou sous intérim, comme tu voudras, jusqu'à sa majorité. Simplement…

— Simplement, tu es d'avis que c'est toi qui devrais assurer cet intérim, et pas Inez», complète Maura. De la pointe de ses ballerines dorées, elle cogne dans la paroi du bureau – *bom*, *bom*, *bom*, petit bruit agacé, agaçant.

«En fait, je pense que ce devrait être Elena.» L'idée me trotte dans la tête depuis plusieurs jours, et je l'énonce à voix haute sans avoir décidé s'il était sage de la partager.

«Quoi?! s'exclame Maura.

— Je ne suis pas la candidate idéale. Je le sais. Alors qu'Elena est brillante. Diplomate et stratège. Manipulatrice au besoin, mais avec un grand cœur malgré tout.

Après Inez, c'est la sorcière la plus accomplie que nous ayons. Ses pouvoirs n'ont probablement pas la force des nôtres, mais elle a plus d'expérience.

— Tu voudrais qu'Elena gouverne jusqu'à ce que Tess soit prête, résume Maura d'une voix lente.

— Oui. » Je retourne un pupitre pour m'asseoir face à elle. « Je ne veux pas de ce rôle pour moi. Il n'a jamais été question de moi dans cette affaire. Simplement, je veux voir à ce poste quelqu'un qui se soucie des autres, de tous les autres. C'est ce qu'il faudrait pour gouverner. Quelqu'un qui ne prenne pas en compte seulement les hommes, comme le font les Frères, et pas seulement non plus les sorcières, et pas seulement les gens fortunés. Quelqu'un qui croie à l'égalité, à l'équité. »

Maura me considère comme si j'étais une parfaite inconnue.

« Eh bien, dis donc, Cate, tu t'es mise à lire des ouvrages politiques ? »

J'éclate de rire. Je ne suis pas prête à faire la paix, il s'en faut de beaucoup, mais peut-être pouvons-nous établir une trêve provisoire ?

« Oh non, dis-je, seulement la *Gazette*.

— Je pense qu'Elena ferait un chef formidable. » Elle rougit. « Mais… et Inez ? Elle a été si bonne pour moi. Je ne peux pas la trahir. »

Je serre les dents. Ces mots me font mal. Elle ne peut pas trahir Inez, qu'elle connaît depuis si peu ? Elle n'a eu aucun état d'âme pour me trahir, moi, que je sache.

J'ironise, amère : « Qu'a-t-elle donc fait de si généreux, à part te flatter et te laisser pratiquer l'intrusion mentale à ta guise ? » Je revois ces hommes à l'hôpital, réduits à l'état de légumes. « À part te rendre complice d'un meurtre ?

— Nous n'avons tué personne, se défend-elle, sautant à bas de son perchoir.

— Non, mais c'est tout comme. Sais-tu au moins ce qu'elle est en train de manigancer ?

— Si tu fais allusion aux ridicules accusations d'Alice…

— Pas du tout. Mais pourquoi passe-t-elle tous ses après-midi au chevet de Frère Covington à l'hôpital ?

— J'ignore de quoi tu parles. » Le ton est assuré, mais le regard fuyant.

« Je l'ai vue là-bas, de mes propres yeux, aujourd'hui même. Il est donc inutile de nier. Et l'infirmière m'a dit qu'elle était venue toute la semaine. » Un affreux doute m'assaille. « Sur Covington, votre opération n'a pas entièrement réussi, c'est ça ? Il reste un risque qu'il se remette et raconte ce qui est arrivé ?

— Tu serais contente, hein, de te dire que j'ai échoué ? » Ses poings se crispent sur sa jupe. « Navrée de te décevoir, mais ce n'est pas le cas.

— Bien, mais quelle qu'en soit la raison, Inez trame quelque chose. C'est peut-être même elle qui harcèle Tess.

— Non. Elle ne ferait pas ça. » Maura lève le menton, sûre d'elle. « Elle me l'a promis.

— Et c'est cette femme que tu voudrais voir gouverner la Nouvelle-Angleterre ? Quelqu'un à qui tu as été obligée de demander de ne pas faire de mal à ta petite sœur ? Tu n'aurais jamais dû lui dire que Tess était la sibylle. »

Maura gagne la fenêtre d'un pas raide. Un long moment elle garde le silence, le regard perdu dans le jardin hivernal.

«Non, répète-t-elle, ce n'est pas Inez.

— Tu me pardonneras d'en être moins sûre que toi.»

Elle se retourne vivement.

«Elle m'a donné sa parole, Cate. Elle m'a juré sur la tombe de son époux que jamais elle ne toucherait à Tess.

— Elle… comment? Inez a été mariée?

— Oui. Une histoire trop longue à raconter, mais, en gros, un garde des Frères les a surpris, elle et son mari, alors qu'ils essayaient de passer une frontière. Le garde a tiré, sous ses yeux, dans la tête de son mari. Alors Inez l'a contraint à retourner son arme contre lui.» Maura réprime un frisson. «Tu sais, cette broche qu'elle a toujours sur elle? Dedans, il y a une mèche de cheveux de son mari.»

Intéressant. Ainsi, ce n'est pas uniquement de pouvoir qu'Inez rêve depuis des années. Mais de vengeance aussi.

Je me concentre de nouveau sur l'affaire en cours.

«Qui d'autre pourrait vouloir discréditer Tess? C'est forcément quelqu'un qui soutient Inez. Quelqu'un comme…»

Je refuse de soupçonner Maura. Elle a eu l'air sincèrement surprise que l'incident de cette nuit ne soit pas le premier. Mais Alice vient de se ranger de notre côté, Parvati n'est pas assez puissante, et franchement, je ne vois aucune des autres filles prendre l'initiative d'organiser une machination comme celle-ci.

«Tu te demandes si ce ne serait pas moi, n'est-ce-pas?», dit Maura, me voyant réfléchir. «Tu m'as donc en si haute estime? Tu crois que je ferais du mal à Tess?

— Tu m'en as bien fait, à moi.» Les mots m'ont échappé.

«Ça n'a rien à…» Elle se tait net, mais nous savons

toutes deux ce qu'elle s'apprêtait à dire. Ça n'a rien à voir.

En quoi est-ce si différent? Qu'est-ce qui, dans notre relation, s'est brisé au point qu'elle puisse penser ainsi? Quel mal ai-je bien pu lui faire, moi?

Je gagne la porte.

«Il est tard, Maura. Je te laisse retourner auprès de tes amies.»

Le lendemain matin, Tess m'attend dans le hall entre mon cours d'illusions et celui de mathématiques avancées.

«Cate!» s'écrie-t-elle, m'arrachant à la cohue des élèves pour m'entraîner vers la bibliothèque. «J'ai une merveilleuse nouvelle à t'annoncer! Père vient de confirmer qu'il va venir pour Noël!

— Ici? À New London?

— Non, à Mexico... Hé oui, ici, maligne!» Elle agite une lettre sous mon nez. «Je lui avais écrit la semaine dernière, et il répond qu'il...»

J'interromps son babillage exalté.

«Tu es sûre que c'est une bonne idée?

— Cate.» Elle fronce les sourcils, raffermit le paquet de livres sous son bras. «On était d'accord pour lui dire la vérité à Noël, tu te souviens? Comment veux-tu le faire si nous ne le voyons pas? Tu m'avais promis.

— Je sais.»

Tess est d'avis qu'il est plus que temps d'avouer à Père que nous sommes sorcières, et je veux bien convenir qu'il est en droit d'apprendre la vérité. Mais nous sommes en ce moment dans une situation tellement délicate! Maura et moi nous parlons à peine. Comment pourrons-nous faire semblant d'être une famille heureuse devant Père ? Et Tess a-t-elle l'intention de tout lui révéler ?

« Il séjournera dans son appartement, au-dessus des bureaux de sa compagnie. » Elle sautille d'un pied sur l'autre, folle de bonheur, et je n'ai pas le cœur de jouer les rabat-joie. Voilà des semaines qu'elle n'a paru si heureuse. « Il a prévu d'arriver vendredi et nous irons chez lui pour le dîner du 24. Il a dit qu'il venait avec des cadeaux et une grande surprise !

— C'est merveilleux, tout ça. » En vérité, je suis morte d'inquiétude. Et si Père n'avait pas la réaction qu'elle espère ? « À propos de cadeaux, je vais faire des courses cet après-midi, avant d'aller à l'hôpital. Tu veux venir avec moi ?

— Non, merci. » Elle pose ses livres sur la console, le temps de rajuster sa ceinture fuchsia. « J'irai demain avec Vi.

— Ah bon. » Je ravale ma déconvenue. « Cela dit, je ne suis pas obligée d'y aller aujourd'hui. On pourrait peut-être jouer aux dames. Ou préparer ensemble des scones pour le thé. Ce que tu voudras.

— J'ai déjà promis à Lucy de l'aider pour son latin. » Elle reprend ses livres et se dirige vers la porte.

« D'accord, très bien. Alors, je pourrais peut-être…

— Tu pourrais peut-être me tenir au bout d'une chaîne, aussi ? »

Je la dévisage, interloquée. « Tess, je n'ai…

— Pardon, se reprend-elle, rosissant à vue d'œil. Je ne voulais pas être méchante. Mais pour qu'on me prenne au sérieux, je ne peux pas rester pendue à tes jupes, tu comprends ? Dis-moi que tu le comprends.

– Oui… bien sûr. » Mes ongles s'enfoncent dans la reliure en cuir de mon manuel de maths. « Je demanderai à Rilla si elle veut m'accompagner.

— Parfait. »

Elle me lance un sourire radieux, mais j'ai un pincement au cœur en la regardant partir.

Il est tout à fait normal qu'elle veuille affirmer son indépendance. Indéniablement. Elle aura treize ans dans l'année qui vient, après tout.

Mais malgré moi, d'une certaine manière, j'ai l'impression d'avoir perdu mes deux sœurs.

Chapitre 11

Très tard ce jeudi soir, Rilla, Prue et moi nous mettons en route pour la papeterie O'Neill. Prue brûle d'impatience de retrouver son frère, et Rilla a tenu à venir parce qu'elle n'a pas l'intention de laisser ce «dandy arrogant de Merriweather» traiter par-dessus la jambe les suggestions qu'elle lui a faites pour la *Gazette*. Le long du chemin dans les rues glaciales, toutes les deux échangent des idées sur les questions à poser aux anciennes détenues de Harwood. Je souris, confiante en leur capacité de forcer Merriweather à publier des articles pro-sorcières, mais au fond de moi, je suis terriblement inquiète à la pensée de revoir Finn.

De temps à autre, un phaéton nous dépasse, ramenant chez eux de jeunes messieurs au sortir de quelque agape ou de n'importe quelle autre activité à laquelle les jeunes messieurs ont le droit de se livrer le soir. Dans le quartier commerçant, deux gardes nous arrêtent, mais nous leur racontons que nous allons à l'hôpital prier pour les malades et ils n'insistent pas. Personne n'a envie de traîner dans les rues cette nuit. Le vent qui s'insinue sous mes épaisseurs hivernales m'engourdit les membres et, malgré ma capuche, joue à hérisser mes nattes si soigneusement refaites. Au moins, il ne neige pas. Plus un seul flocon n'est tombé depuis l'expédition à Harwood. Deux semaines déjà…

Je n'ai pas vu passer ces deux derniers jours, entre les cours le matin – illusions, mathématiques avancées et animations d'objets – et les visites à l'hôpital l'après-midi. Inez s'est montrée impitoyable en cours d'illusions, et m'a reprise devant toute la classe chaque fois que mes sortilèges ne tenaient pas ; mais hors cela, elle est restée discrète. Trop, peut-être. Ce matin, je l'ai surprise à sourire d'une manière qui m'a glacé les sangs.

Sachi, Rory et moi avons occupé nos soirées à tenter de décider que faire des nouvelles venues. Elles ne peuvent pas rester au prieuré indéfiniment, mais la plupart n'ont nulle part où aller.

Tess et Maura ont gardé l'une et l'autre leurs distances avec moi. Ce qui me meurtrit plus que je ne veux l'admettre.

Les Frères ont inauguré une nouvelle tactique : mettre l'épidémie sur le compte des sorcières. Aujourd'hui même, *The Sentinel* a publié un article très clair en ce sens : oui, ce sont bien les sorcières qui ont déchaîné ce fléau sur la ville. Hier, en rentrant de l'hôpital, j'ai fait un saut chez le fleuriste pour acheter de ces tulipes jaunes que Rilla aime tant, et j'ai entendu deux élégantes s'indigner de ces « sorts » que jettent les sorcières pour rendre les gens malades. Elles portaient toutes les deux leur foulard de soie sur la bouche et le nez, parce que quelques cas de fièvre viennent de se déclarer dans le quartier commerçant, mais c'est une protection dérisoire. Je les soupçonne de penser que la maladie ne peut arriver qu'aux autres – plus pauvres ou moins chanceux.

La ruelle à l'arrière de chez O'Neill est déserte. Des nuages poussés par le vent masquent la lune, et je scrute la nuit, tendant l'oreille, pour m'assurer que nous sommes seules avant de sortir ma clé. Sitôt entrée, je retire ma cape. J'ai troqué ma tenue de Sœur contre une robe gris tourterelle à ceinture bleue dont je sais qu'elle me va bien. Je me recoiffe de mon mieux en l'absence de miroir.

« J'ai l'air d'un épouvantail, non ? » Je m'en veux de poser cette question. Si Merriweather m'entendait, il me classerait dans la catégorie « frivole ».

Rilla remet une de mes mèches en place.

« Non. Vous avez l'air adorable. »

Au bas de l'escalier, j'embrasse du regard la tablée réunie là : Merriweather, O'Neill, Mr Moore aux généreux favoris, un inconnu à carrure de docker mais habillé en dandy, et deux autres déjà présents la dernière fois. Pas de Finn. Déception.

Merriweather manque de renverser sa chaise. Déjà il enserre Prue de ses longs bras.

« Prudencia ! » Sa voix est tout enrouée d'émotion.

Laissant le frère et la sœur à leurs retrouvailles, je présente Rilla aux autres membres de la Résistance. Lorsque Prue s'extrait enfin de l'étreinte fraternelle, O'Neill l'accueille à son tour : « Content de vous revoir, mon petit.

— Bienvenue, Prue, dit le dandy docker. Rappelez-nous : combien de temps êtes-vous restée dans ce trou à rats ?

— Au nom du ciel, John ! le reprend Merriweather. Un peu de tact ! »

Mais Prue sourit.

« Trois ans. Ça ne me gêne pas d'en parler, vous savez. En fait, je veux en parler. Il est temps que les gens sachent par quoi nous sommes passées.

— Vous voyez ?» s'écrie Rilla, prête au combat.

Alistair soupire et se tourne vers moi.

«Pourquoi nous avoir amené celle-ci ? L'autre était gentille. Réservée.»

C'est Prue qui riposte la première : «Si tu dis que les femmes sont faites pour être regardées plutôt qu'écoutées, je t'étrangle de mes mains. Je trouve l'idée de Rilla brillante. Quiconque lit tes articles sait où j'étais, Alistair. Et tout le monde sait aussi que ce n'était pas parce que je suis sorcière, mais parce que je refusais de dévoiler ta cachette aux Frères. Certaines de mes anciennes codétenues aimeraient mieux rester anonymes, mais tu pourrais citer mon nom sans problème.

— Riche idée ! tonne Alistair. Pour faire de toi une cible ?»

Elle lève les yeux au ciel.

«Ah ? tu peux risquer ta vie, mais moi pas ? Ridicule.»

Les hommes autour de la table suivent l'affrontement fraternel, comme un match de tennis.

«Un point pour ces dames», déclare une voix – Finn, sur la dernière marche de l'escalier, en veste brun chocolat sur une chemise blanche froissée. Ses yeux croisent les miens, et il s'illumine d'un tel sourire que j'en suis éblouie. «Vous n'étiez pas à la kermesse, Merriweather, mais O'Shea a fait témoigner une infirmière de Harwood, qui nous a décrit avec minutie quel paradis était l'asile pour ses pensionnaires – oui, pensionnaires. Il faut que le public connaisse la vérité.

— Et comment suis-je censé mettre la main sur toutes ces filles pour les interviewer ? demande Alistair.

— C'est là que nous intervenons », glisse Rilla. Elle aussi a revêtu une de ses robes préférées – en brocart jaune avec des manches gigot et un nœud de taffetas orange sur la poitrine. « Je pourrais les interviewer à votre place.

— Quoi ? s'étouffe Merriweather. Pour le coup, c'est vraiment ridicule.

— Absolument pas. Il est grand temps qu'*une* journaliste intègre votre équipe, annonce Rilla résolument. J'utiliserai un nom de plume, bien sûr. Tous les magazines de Paris et de Dubaï ont des femmes reporters. Pourquoi pas ici ? »

Alistair recoiffe d'une main machinale ses cheveux qui ne sont en rien décoiffés.

« Tous les magazines de mode, vous voulez dire. Je dirige un journal sérieux, Miss Stephenson. Je ne tiens pas à ce qu'il devienne objet de risée.

— Je pense au contraire que c'est une très bonne idée, intervient Prue.

— On s'en doute bien, que tu le penses. » Alistair croise les bras. « Mais comment puis-je être seulement sûr qu'elle est capable d'écrire ?

— En me laissant écrire, rétorque Rilla. Et quand je vous montrerai ma première interview. »

Rilla semble penser que l'affaire est dans le sac, mais ce pauvre Merriweather m'a tout l'air d'avoir le cerveau près d'exploser.

« Loin de moi l'idée de vous apprendre comment diriger un journal, Mr Merriweather, dis-je prudemment, mais…

— Alors n'essayez même pas, me coupe Alistair d'un ton las. Par pitié, gardez pour vous ce que vous alliez dire. J'ai eu mon content de conseillères en jupons pour la soirée. »

Il jette un regard sombre à Prue et à Rilla, puis écarte un fauteuil de la longue table et s'effondre dedans.

« Malheureusement, ma conscience a trop à dire pour se taire. » Je tire une chaise et m'assieds. Prue et Rilla m'imitent. « Ces quatre derniers jours, j'ai soigné des malades à l'hôpital Richmond. Savez-vous que cette fièvre des estuaires est en train de tourner à l'épidémie ?

— Une épidémie ? Non, j'ai entendu dire que cela s'aggravait, mais pas…

— La maladie se propage comme un feu de lande à tout le quartier du fleuve. Inévitablement, le quartier commerçant va être touché à son tour, et ensuite ? Noël est dans trois jours, tout le monde court les boutiques. »

Les sept hommes me considèrent en silence, et je suis terriblement consciente du genou de Finn à deux doigts du mien.

Le dandy docker redresse sa cravate violette, sourcils froncés.

« Je croyais que *The Sentinel* jouait les alarmistes.

— Mon cousin habite dans les faubourgs, déclare Mr Moore. Il m'a envoyé un mot hier pour me prévenir que ses enfants n'étaient pas bien et qu'ils ne viendraient sans doute pas pour Noël.

— Vous comprenez, maintenant ? » Je mets dans mes paroles toute la conviction possible. « Les gens devraient prendre des précautions, et ils ne le font pas, parce que *The Sentinel* rejette tout sur les sorcières. À l'hôpital, c'est la folie. On refuse des malades par manque de lits. Interrogez n'importe quelle infirmière ! » J'observe ces hommes qui m'écoutent : des gentlemen ou des négociants, à en juger par leurs vêtements. «À quand remonte la dernière fois que l'un de vous a mis les pieds du côté du fleuve? Avec tous vos beaux discours sur l'égalité et le droit de vote pour tous, vous arrive-t-il seulement de parler avec des pauvres?»

Un long silence gêné s'ensuit.

«Nous n'avons pas beaucoup de clients qui viennent de ces quartiers, reconnaît O'Neill. L'encre et le beau papier sont un luxe.

— Bon, intervient Merriweather, mais si c'en est à ce point, pourquoi les Frères n'instaurent-ils pas une quarantaine? Ou pourquoi ne signalent-ils pas au moins les maisons où la maladie s'est déclarée?

— Pour ne pas provoquer de panique, répond Finn. C'est la dernière chose que veut O'Shea. Il ne va plus nulle part sans une demi-douzaine de gardes du corps. Il craint de se faire assassiner ou attaquer, tant par des sorcières que par un membre du Conseil. À l'heure actuelle, l'ordre des Frères est profondément divisé.»

Les autres hommes digèrent l'information.

«Divisé; dans quelle mesure? s'enquiert John.

— Le dernier décret est passé d'extrême justesse. Ils ont rattrapé dix des soixante évadées de dimanche, mais aucune nouvelle exécution n'est au programme. Certains assurent que c'est parce que O'Shea redoute un nouveau coup de force des sorcières.» La main de Finn repose sur sa cuisse droite, tout près de la mienne, et je dois m'interdire de frôler ses doigts. Être si proche de lui et ne pas le toucher me paraît… contre nature. «D'autres affirment que c'est parce que l'opinion publique s'y opposerait.

Certains voudraient élire O'Shea sans attendre – il n'assure encore que l'intérim. Mais d'autres aimeraient retrouver Brennan et lui laisser au moins une chance de s'expliquer.»

Merriweather se redresse dans son fauteuil.

«Et selon vous, ils sont nombreux à pencher du côté de Brennan?

— Difficile à dire. Avant l'incident de Harwood, il aurait remporté l'élection, je pense. À présent… je ne sais pas. Bon sang, je me sens vraiment coupable dans toute cette affaire.

— Coupable? dis-je. Et pourquoi?» Il n'est tout de même pas en train d'amener la conversation sur le terrain que je redoute?

«Parce que c'est moi qui étais à Harwood, pas Brennan. Parce que c'est mon mouchoir qu'ils ont… hé!» Je viens de lui lancer un coup de pied dans la cheville. «J'ai déjà tout raconté à Merriweather, Cate, et je suis sûr qu'il l'a raconté aux autres.

— Êtes-vous fou?» Je me retourne vers Alistair. «Vous ne pouvez pas le dénoncer! Même s'il disait tout, les Frères croiraient qu'il essaie seulement de blanchir le nom de Brennan et ils les pendraient tous les deux!

— Nous le savons, me répond tranquillement Merriweather. Nous n'avons pas l'intention de le dénoncer. Mais, à la réflexion, Belastra, peut-être est-ce vous que je devrais interviewer sur les événements de Harwood. Sous couvert d'anonymat, bien entendu.»

Je jette un coup d'œil gêné à Finn et j'explique: «Il nous a aidées à mystifier le garde au portail et la surveillante

générale. Nous étions déguisées en Frères, . [...]
vrai.

— Je vois. » Les yeux d'Alistair luisent de c[...]
ensuite ?

— Nous avons fait sonner l'alarme incendie po[...]
infirmières se rassemblent, et nous les avons en[...]
dans le quartier des cas difficiles. Mais l'une d'elles [...]
qui a parlé à la kermesse – n'avait pas rejoint ses coll[...]
et s'était cachée. Elle a tiré sur une détenue. Finn [...]
aidée à la maîtriser et…

— J'apprécie votre franchise, m'interrompt Merriweathe[...]
mais pourquoi ne pas laisser parler ce garçon ? »

J'ai un choc. Il sait. Finn a dû lui dire quelque chose,
l'autre soir, qui lui a fait comprendre qu'il souffrait d'amnésie. Maintenant Alistair va forcément poser des questions, il va insister, et…

« Pourquoi tenez-vous tant à savoir ce qu'a fait Mr Belastra
cette nuit-là ? intervient Rilla. Pour l'essentiel, cette expédition reposait sur nous, vous savez. Nous autres sorcières.
Et femmes. Pourquoi ne pas nous en reconnaître le
mérite ?

— Oh, je vous reconnais tout le mérite que vous voudrez, répond Merriweather. Et j'ai déjà remercié Cate, du
fond du cœur, pour avoir délivré ma sœur. Mais ne pensez-
vous pas que Belastra aussi mérite qu'on le félicite pour
avoir risqué sa vie ? »

Finn se lève, le front barré, les yeux sur moi.

« Cate, puis-je vous parler un instant ? En privé ?

— Querelle d'amoureux ? » plaisante Mr Moore.

Je me sens devenir plus rouge qu'un panier de fraises.

inn ne dit rien, il est aussi coloré que moi, et le silence devient atroce. Je me lève et le suis vers l'escalier. Quitter la table pour courir derrière lui ne va pas améliorer mon image aux yeux de Merriweather, mais que faire d'autre ?

« Allez-y, m'encourage Rilla. Prue et moi prenons la relève », ajoute-t-elle en désignant la tablée d'hommes.

J'y vais donc.

Finn m'attend en haut, dans l'arrière-boutique, près de la lanterne et de son petit halo de lumière. Il s'adosse à une étagère de livres comptables et je le rejoins. Il plonge une main dans ses cheveux.

« C'est une question sacrément gênante à poser, mais je ne vois pas comment l'éviter. Que sommes-nous, Cate ?

— Je... Pardon ?

— Vous et moi. Que sommes-nous l'un pour l'autre ? » Malgré la pénombre, je vois ses oreilles s'enflammer. « Cet homme disait-il vrai ? Sommes-nous... sommes-nous amants ?

— Nous étions amoureux. Fiancés, brièvement, avant que je rejoigne l'ordre des Sœurs. » Je cherche mes mots. Comment expliquer en quelques phrases seulement ce qui existait entre nous ? Cette confiance et ce respect, nés de dizaines de moments minuscules vécus à deux – moments dont il n'a plus le souvenir. « Après quoi, nous avons dû garder notre relation secrète. »

Il est si près de moi que je perçois la chaleur qu'il dégage dans cette pièce glacée, mais je ne peux pas lire sur ses traits ce qu'il ressent. À quoi pense-t-il ?

« Mais pourquoi avoir rejoint l'ordre des Sœurs ?

— Parce qu'elles vous menaçaient. Vous et mes sœurs,

d'ailleurs. Parce qu'elles voulaient m'obliger à venir au couvent. À cause de la prophétie.

— La prophétie ? Bonté divine ! Serait-ce vous la sibylle ?

— Moi, non. Tess. »

L'aveu m'a échappé. Finn écarquille les yeux.

« Vous devez m'accorder une immense confiance pour me révéler cela.

— Oui. » Plus qu'à n'importe qui d'autre au monde.

Il hoche la tête lentement, comme s'il venait d'entendre les mots que je n'ai pas prononcés.

« Pourquoi n'êtes-vous pas venue me voir sur-le-champ pour tout me raconter ? Dès que vous avez compris que je n'étais plus moi-même ?

— J'aurais dû le faire. Je... Je n'arrivais pas à m'y résoudre. » Je me sens empotée, terriblement consciente de son regard sur mon visage. L'étroit espace qui nous sépare se charge de tension comme à l'approche d'un orage. D'un doigt sous mon menton, il lève mon visage vers le sien, m'obligeant à le regarder en face et à poursuivre. « Finn, vous ne vous rappeliez plus avoir été amoureux de moi. Comment pouvais-je vous le dire ? »

Une larme coule sur ma joue. Il l'efface du bout de son pouce.

« Ce doit être très difficile pour vous.

— Pas autant que ce l'a été pour vous. » Je m'efforce de la retenir, mais une autre larme s'évade du coin de mon œil. « Je suis désolée, je suis tellement désolée.

— Chut. » Il me prend dans ses bras et j'enfouis mon visage au creux de son épaule. Peut-être fait-il cela parce qu'il s'y croit obligé, parce qu'il se sent coupable de ne plus se souvenir de moi, mais, durant un instant, je m'autorise à imaginer autre chose. Nous nous pressons l'un contre l'autre, étroitement enlacés, et il n'y a rien au monde que je désirerais davantage. Il replace une de mes mèches derrière mon oreille. « Tout va s'arranger », murmure-t-il, et son souffle sur mon cou me fait venir un frisson délicieux. « Nous trouverons une solution. Ensemble.

— Vous m'avez manqué. »

Mes lèvres frôlent sa gorge. Il laisse échapper un petit grognement de plaisir, ses mains caressent mon dos, brûlantes à travers la soie de ma robe. Je ne peux m'en empêcher : je dépose un baiser sur la peau douce et chaude de son cou. Elle a le goût du sel et du savon, le goût de Finn. Ses doigts se crispent, j'incline la tête et j'ignore lequel de nous deux se décide le premier, mais nous nous embrassons, nous nous embrassons, et…

Je deviens folle. J'oublie toute retenue, j'oublie que c'est – pour lui – notre premier baiser, j'oublie prudence ou réputation. Ma main se faufile sous son gilet, je presse ma paume contre ses reins pour l'ancrer à moi. Ses lèvres s'affolent sur les miennes, descendent le long de mon cou, le long de ma gorge et y déposent un chapelet de baisers jusqu'à ce que j'agrippe les cheveux de sa nuque pour replacer son visage face au mien…

Cela ressemble à ce que nous avons connu *avant*. Dans le réduit clandestin, dans la gloriette, dans la serre. Si je ferme les yeux, je me retrouve à Chatham en automne dans la roseraie, entourée de haies et emplie du parfum des roses de ma mère.

Je peux m'imaginer qu'il m'aime toujours.

Il s'immobilise, le souffle court. Il presse son front contre le mien.

« Cate, nous devrions… » commence-t-il, mais sa voix s'éteint et ses yeux se fixent sur quelque chose derrière moi.

« Qu'y a-t-il ? »

Sur ma taille, ses mains se relâchent, mais il ne me libère pas entièrement.

Le parquet est couvert de pétales de roses. Il y en a partout : sur les étagères et les livres comptables, dans les boîtes de crayons, autour des flacons d'encre. Je passe une main sur ma tête et en trouve un coincé dans ma natte. Je le saisis entre deux doigts et le dépose au creux de ma main. Rouge sang, pareil à certaines des roses du jardin de Mère, et aussi doux que de la soie. L'odeur est enivrante.

Je sais d'où ils viennent. Comme les plumes, naguère.

Mais cette fois, Finn sait ce que je suis.

« Je perds la tête à votre contact, dis-je. Toujours.

— J'ai bien peur que ce soit réciproque. »

Il m'effleure le cou, je frissonne, et ses bras se resserrent sur moi, ses lèvres retrouvent les miennes.

Nous n'entendons rien venir, mais brusquement la porte du dehors s'ouvre en grand… sur une silhouette vêtue de la cape des Frères. Nous nous séparons d'un bond, mais le regard de l'arrivant nous parcourt de la tête aux pieds, notant ma robe froissée, le gilet ouvert de Finn et ses cheveux hirsutes.

« C'est donc ici que vous disparaissez en douce, Belastra ? » Frère Ishida affiche un rictus méprisant. « Et vous, Miss Cahill, qu'en est-il de vos vœux envers l'ordre des

Sœurs ? N'êtes-vous pas supposée passer votre vie dans la chasteté au service de Dieu ?

— Vous m'avez suivi ? demande Finn.

— Oui, je vous ai suivi. Et j'ai bien fait ! Vous vous conduisiez de manière bien étrange. Je me disais que vous étiez de mèche avec ceux qui cherchent à réhabiliter Sean Brennan. » Ishida fait un pas vers moi, je recule contre l'étagère. « J'ai attendu près d'une heure dans la calèche, je suis à moitié gelé. Et vous, pendant ce temps, vous étiez en train de batifoler avec cette traînée !

— Je vous prierai de rester poli, gronde Finn.

— Ça se voit comme le nez au milieu de la figure, ce que vous faisiez. J'ai été jeune moi aussi, vous savez, assure Ishida avec un petit sourire lubrique. Mais une novice de l'ordre des Sœurs ! On ne peut pas fermer les yeux là-dessus, Belastra. Il va falloir faire un exemple de son cas.

— Du diable si je vous laisse la toucher ! »

Finn vient se placer devant moi. J'appelle ma magie, déjà prête à agir.

« Tout va bien », dis-je en contournant Finn pour aller ouvrir la porte. Je me concentre sur le visage ridé d'Ishida et condense mon pouvoir, l'affûte comme un scalpel. *Retournez à votre hôtel. Vous n'étiez pas en état de suivre Frère Belastra ce soir. Vous n'avez aucune idée de l'endroit où il s'est rendu. En fait, vous comprenez qu'il était idiot de le soupçonner de quoi que ce soit. C'est l'un des membres les plus loyaux de tout l'ordre des Frères.*

Ishida opine du chef et franchit la porte à reculons. Une calèche frappée de l'emblème doré de l'ordre des Frères l'attend au coin de la ruelle. Je referme la porte derrière lui et pousse un soupir.

« Qu'avez-vous fait ? » m'interroge Finn d'une voix blanche. Je m'avance vers lui pour lui prendre la main, mais il recule et repose sa question : « Cate, qu'avez-vous fait ? » Je me mords la lèvre.

« Je l'ai contraint à oublier... » Il jure tout bas et ce regard qu'il m'adresse... Je précise, affolée : « Finn, non... Ce n'est pas du tout comme pour vous. J'ai seulement effacé cette dernière heure – ses soupçons, son attente dans le carrosse et le fait qu'il nous a vus ensemble. C'est tout. Rien de plus. »

Mais le doute bourdonne en moi comme un essaim d'abeilles. C'est la deuxième fois que j'use d'intrusion mentale contre Ishida, et Tess l'a contraint une fois, elle aussi. Combien d'interventions un cerveau peut-il subir avant d'être endommagé ?

Malgré mon sentiment de culpabilité, j'insiste : « Ishida est un homme cruel. Voir sa fille pendue ne lui aurait fait ni chaud ni froid. Il m'aurait arrêtée !

— Je ne l'aurais pas laissé faire. » De nouveau, il me considère comme une parfaite étrangère. « Ce n'est pas la première fois que vous usez d'intrusion mentale, n'est-ce pas ?

— N... non. » Mon père. Finn lui-même. Le garde et les infirmières de Harwood. Ishida, deux fois à présent. « Mais toujours uniquement pour me protéger. Jamais je n'en userai contre vous. Je vous le jure.

— Et si un jour nous nous querellons ? Comment pourrais-je avoir confiance ? » Ses yeux se rivent sur moi, brûlants de méfiance et de colère. «Vous savez, avouez-le, qui a effacé ma mémoire. Forcément. Vous savez tout ce qui m'est arrivé ce jour-là, jusqu'à ce que je me retrouve hagard au bas des marches du prieuré.»

J'en fais l'aveu d'un signe de tête. Il saisit sa cape suspendue à une étagère et la jette sur ses épaules. Des larmes coulent sur mes joues, mais il ne vient pas les essuyer. Il me dit d'un ton dur : «Que m'avez-vous caché d'autre ? J'ignore comment l'ancien Finn aurait réagi face à cela, mais le nouveau n'apprécie pas du tout la dissimulation, Cate.»

Sur quoi, rouvrant la porte, il s'enfonce dans la nuit glacée.

Je me laisse glisser à terre et me recroqueville, le front contre les genoux. Et c'est ainsi que Rilla me retrouve un peu plus tard : en larmes au milieu de pétales de roses.

Chapitre 12

Je promène distraitement un bout de panais au fond de mon assiette tout en pensant à Finn lorsqu'on sonne à la porte de devant.

Nous levons toutes le nez de notre souper, atterrées. Les visites sont rares au prieuré, et la venue de gens de l'extérieur est plus dangereuse que jamais, avec vingt-deux fugitives entre nos murs. Inez va voir ce qu'il en est, tandis que Sœur Gretchen se hâte de renvoyer à l'étage, par l'escalier de derrière, toutes les filles de Harwood. Je les suis des yeux et croise le regard soucieux de Tess. Grace quitte la table en tremblant et Lucy l'imite, laissant intact son poulet rôti.

Inez revient au bout d'une minute, lèvres pincées, mine sévère.

« Miss Zhang, c'est votre père. »

Mei se lève, elle écarte sa frange de son front et murmure pour Rilla et moi, de l'autre côté de la table : « Il a dû arriver quelque chose. Baba est si occupé. Pour qu'il vienne ici… »

Elle se mord la lèvre et je m'interroge : son frère a-t-il été arrêté, cette fois ? Surpris en train d'acheter le journal de Merriweather, peut-être ?

« N'appelez donc pas les ennuis sur vous, allez vite voir

ce qu'il en est, lui conseille Rilla, reprenant sa fourchette. Ce sont peut-être de bonnes nouvelles. Une lettre de vos sœurs, par exemple ? »

Mei redresse les épaules et s'en va d'un pas vif. Avec sa natte si brune dans son dos, qui contraste avec sa robe mandarine, elle me fait penser aux fleurs de rudbeckia que j'avais à la maison. La nostalgie me prend. Mon jardin me manque. Les odeurs de sève, mes doigts dans la terre. Ces temps-ci, entre les heures de cours, les soins à l'hôpital et les réunions de résistants, je n'ai même pas pu aller voir ce que deviennent les orchidées de la serre.

Puis je repense à Finn qui m'a quittée en rage, hier soir, et je me tasse sur ma chaise. Sachi et Rilla ont raison. J'aurais dû lui dire la vérité plus tôt. Il est en droit de m'en vouloir pour la lui avoir dissimulée. D'un autre côté, jamais il ne m'avait fait grief d'être sorcière. Au contraire. Dès l'instant où je l'avais mis au courant, il avait été impressionné, et même fier. Mieux : il me savait capable d'intrusion mentale, et jamais il n'avait redouté que j'use de ce pouvoir sur lui. Il me faisait confiance totalement.

Comment regagner cette confiance ?

Pourra-t-il jamais se fier de nouveau à une sorcière, après ce que lui a fait Maura ?

Maura. Je l'entends rire, justement, de son joli rire de gorge en cascade, et je jette un regard à l'autre bout du réfectoire. Sa chevelure de feu, gracieusement relevée, effleure les cheveux bruns de Genie dans leur conciliabule à mi-voix. De nouveau, elle renverse la tête en arrière pour rire à son aise, comme si elle n'avait pas un souci au monde, et la colère me vient. Comment peut-elle être d'humeur si légère quand j'ai le cœur plus lourd qu'une pierre ? La magie monte en moi ; mes doigts en deviennent blancs sur mon gobelet. Je voudrais lui lancer cette eau à la figure.

« Cate ! » Mei revient vers nous en courant, et s'arrête à notre table. « C'est Yang. Il a attrapé cette fièvre des estuaires. Il va très mal. Baba se disait… Bon, il ne voudrait pas que je l'attrape aussi, mais il pensait que peut-être je voudrais aller le voir quand même, parce que… » Elle reprend souffle ; ses yeux noirs sont inondés de larmes. « Il a peur que ce soit la fin, Cate. »

Je repousse ma chaise.

« Je viens avec vous.

— Et pour quoi faire, Miss Cahill ? » s'enquiert Inez, qui nous a rejointes dans un froufrou de ses jupons noirs.

Je ne me laisse pas impressionner.

« Pour le remettre sur pieds, si je le peux.

— Vous n'allez pas courir la ville comme ça, et user de vos pouvoirs pour guérir les gens sur leur lit de mort. Ce serait un brin suspect, non ? »

Mei n'a pas mon menton pointu, mais elle peut être aussi pugnace que moi. « Ce sera ce que ça voudra ! Yang est mon frère. »

Inez pince ses lèvres minces.

« Miss Zhang, depuis combien de temps vous savez-vous sorcière ?

— Je l'ai su à douze ans. » Mei tire de sa poche son mala de perles d'ivoire et les égrène.

« Et en cinq ans, vous n'avez jamais cru bon d'en informer les vôtres, n'est-ce pas ? Vous ne leur faisiez pas confiance ou je me trompe ? »

Mei étouffe un soupir.

« J'avais peur que Baba désapprouve. Il est très à cheval sur les traditions pour certaines choses. Mais là, s'il me renie, tant pis. Si ça peut sauver Yang… Et je n'ai pas le temps de discuter, conclut-elle, tournant les talons. Baba m'attend. »

Inez la rattrape par un coude et la fait pivoter sans ménagement.

« Et s'il désapprouve, hein ? De quoi est-il capable ? Êtes-vous certaine qu'il ne va pas mettre votre sécurité en danger ? Et, partant, la nôtre ? Celle de notre ordre entier ? »

Mei se dégage d'un coup sec.

« Oui, parfaitement, j'en suis certaine. Jamais Baba ne me ferait du mal.

— Un peu de jugeote, insiste Inez. Si vous guérissez quelqu'un, où vous arrêterez-vous ensuite ? Et si votre mère tombe malade à son tour ? Votre tante ? Vos amis ? La guérison miraculeuse de votre frère ne passera pas inaperçue, Miss Zhang. La nouvelle se répandra. Or il est dangereux que quiconque soupçonne vos dons. Je sais, vous vous dites que je suis un monstre. Mais j'essaie de vous protéger, bien sincèrement. Avec la situation tendue que nous vivons…

— À qui la faute ? dis-je malgré moi.

— Je ne vais pas laisser mon frère mourir, s'entête Mei, remettant à plat le tapis que ses pieds ont froissé. Cate, vous venez avec moi ou vous restez, à vous de voir. Mais moi, j'y vais.

— Je viens, bien sûr. » D'un pas rapide, je passe devant Inez, mais elle me rattrape par la manche.

«Guérissez-le s'il le faut, me susurre-t-elle à l'oreille. Mais ensuite, effacez leurs souvenirs.»

Je m'arrache à son emprise et m'éloigne sans répondre.

Rilla nous rattrape en trois bonds.

«Et où croyez-vous donc aller, Miss Stephenson? l'apostrophe Inez. Vous êtes guérisseuse comme je suis le roi d'Espagne.

Rilla répond d'un sourire effronté, lissant le velours chocolat de sa robe : «En parlant de frères, tout ça vient de me rappeler que j'ai oublié un des miens. J'ai des cadeaux de Noël pour tout le monde, sauf pour Jamie. Impardonnable. Quelle linotte je suis!»

Inez pose les yeux sur l'assiette de Rilla, à moitié pleine.

«Et vous allez y remédier maintenant? Au milieu de votre souper?»

Rilla indique l'horloge.

«Les boutiques vont fermer, et demain je prends le train aux aurores. Il faut que j'y aille tout de suite, absolument. Sinon, demain soir à la maison, je vous laisse imaginer le cirque.»

Inez renonce. Mei file devant nous pour aller chercher ses affaires, Rilla et moi l'attendons à l'autre bout du hall. À voix basse, je rappelle à Rilla : «Mais vous avez acheté pour Jamie ce livre de botanique, souvenez-vous.

— Je sais.» Elle me présente sa paume ouverte. «Donnez-moi votre pendentif. Je vais voir si Merriweather est à la boutique. Qu'il vienne constater de ses yeux comment agissent les sorcières – et la fièvre des estuaires.»

Un fiacre attend devant le prieuré. Mei annonce à son

père que je suis infirmière et qu'elle aimerait que j'examine Yang. Il m'inspecte par-dessus ses besicles en demilune et je me demande ce qu'il voit. Une grande fille trop mince au chignon blond un peu défait, avec de petites mèches folles autour d'un visage buté, et des yeux d'un bleu triste ? Je dois faire piètre impression. Mais il hausse les épaules et déclare que cela ne peut pas faire de mal à Yang, après quoi nous effectuons tout le trajet en silence.

Le véhicule s'arrête en lisière du quartier commerçant. Mr Zhang en descend et, d'une main tendue, nous aide à le rejoindre sur l'étroit trottoir de briques. Des boutiques s'alignent là, une épicerie-bazar à l'angle, une échoppe de modiste, celle d'un cordonnier, et un petit magasin fermé, surmonté d'une enseigne rouge : « Chez Zhang – Chemiserie » À l'étage, une chandelle brûle à chacune des fenêtres.

Mei ouvre la porte qui mène à l'appartement et gravit l'escalier quatre à quatre. Sur le palier, elle accroche son manteau et retire ses bottines, puis les pose à côté des souliers rangés sous la console. Je l'imite. Elle appelle « Mama ? » et se faufile à travers un salon encombré d'un mobilier disparate : deux sofas pelucheux et un canapé fatigué, plusieurs ottomanes, un fauteuil de bois aux bras sculptés, tout cela de couleurs variées qui jurent un peu entre elles. Il y a aussi une foule de petites tables basses couvertes de tasses à thé vides. Une pile de vêtements bien pliés côtoie un panier à ouvrage sous une lampe sans abatjour. Une poupée de chiffon et divers animaux en bois traînent sur les tapis crochetés.

« Mei ? » Une petite dame rondelette surgit de la pièce

voisine, resserrant sur ses épaules un châle orange vif. À ma vue, elle s'arrête et se tourne vers sa fille. «Qui est-ce?

— Mama, je te présente mon amie Cate.» Je salue Mrs Zhang d'un sourire, tandis que Mei lui prend les mains. «Mama, comment va-t-il?»

Les yeux de Mrs Zhang se remplissent de larmes.

«Pas bien, ma grande, vraiment pas bien. Cette fièvre est terrible, tu sais. J'ai envoyé les petits chez ta tante Yanmei en attendant qu…

— En attendant qu'il se rétablisse, complète Mr Zhang, arrivé derrière nous en chaussettes. Puis-je vous proposer une tasse de thé, Miss Cahill? Jia, Miss Cahill est infirmière.»

Mrs Zhang s'arrache des bras de Mei et se tamponne les yeux de son mouchoir brodé de dentelle.

«Ah? Vous pensez pouvoir quelque chose pour Yang?

— Je vais… faire de mon mieux.»

Et si je ne peux rien pour lui? S'il meurt malgré tout, seront-ils furieux contre moi pour leur avoir donné de faux espoirs?

«Mama, Baba… Il y a une chose qu'il faut que je vous dise d'abord.» Mei retire sa main de sa poche; elle y a enroulé son mala. «Une chose que j'aurais dû vous dire il y a longtemps. Je suis… sorcière.»

Ses parents échangent un regard, un long regard illisible pour moi. De toutes mes forces, j'espère n'avoir pas à les contraindre d'oublier.

«Dites quelque chose, s'il vous plaît, implore Mei.

— Nous savions», répond sa mère enfin. Elle rentre dans son chignon une mèche évadée, noire mêlée d'argent. «Nous le savions depuis des années, Mei.»

Mei s'affale sur le sofa violet.

« Mais comment ? »

Son père pose une main sur son épaule.

« Il s'était passé bien des choses étranges dans cette maison, Mei, avant ton départ pour cette école du couvent.

— Dommage qu'il ait fallu une situation comme celle-ci pour que tu te confies enfin à nous, murmure Mrs Zhang avec une pointe de reproche. Tu te doutais pourtant bien que nous n'allions pas te jeter à la rue.

— Nous nous sommes fait tant de mauvais sang quand tu es partie là-bas ! Nous étions fiers que tu y fasses tes études, bien sûr. Mais nous nous demandions ce qui risquait d'arriver si tu faisais de la magie par accident, devant toutes ces dames si pieuses. » Mr Zhang se tourne vers moi. « Vous avez accepté Mei telle qu'elle est ? »

Mei a un petit rire.

« Cate aussi est sorcière. Il n'y a que des sorcières, là-bas. »

Son père ne comprend plus.

« Mais ta tante Yanmei est allée à l'école du couvent quand elle était jeune. Avant son mariage.

— Et à ton avis qui m'a dit qu'elles étaient toutes sorcières là-bas ? Tante Yanmei m'avait surprise à changer les cheveux de Yang en rose dans son sommeil et elle m'avait suggéré d'apprendre à contrôler mes pouvoirs avant de m'attirer des ennuis !

— Yanmei, sorcière ? » Mr Zhang retire ses lunettes et les essuie sur un pan de son veston gris.

Une violente quinte de toux, rauque, déchirante, se fait entendre dans la chambre voisine, et Mrs Zhang jette un regard anxieux vers la porte, tordant son mouchoir entre ses mains.

«Ce que racontent les Frères est faux, n'est-ce pas? Que ce sont les sorcières qui répandent cette maladie?»

Mei bondit.

«Bien sûr que c'est faux! Jamais nous ne ferions une chose pareille. En revanche, le don de guérir fait partie des pouvoirs de certaines d'entre nous, et Cate et moi le possédons. Cate est la plus douée de tout le couvent. Si quelqu'un peut guérir Yang, c'est elle.»

Je me mordille la lèvre.

«Il se pourrait quand même que je n'arrive pas à le guérir, pas complètement. Cette fièvre... c'est une fièvre maligne, en partie résistante à la magie.

— Tout ce que vous pourrez faire sera bienvenu», dit Mr Zhang. Une nouvelle quinte en provenance de la pièce voisine le fait grimacer. «Nous vous en serons très reconnaissants.»

Mrs Zhang nous mène dans la petite chambre. Le jeune malade gît là, sur un étroit lit de bois. Il a rejeté toutes ses couvertures. La fenêtre est entrouverte pour laisser entrer l'air frais et j'ai tôt fait de frissonner, mais Yang est rouge de fièvre, son front ruisselle, sa chemise de nuit est trempée.

Sa mère porte un verre d'eau à ses lèvres et il la boit d'un trait, puis se remet à tousser. Sa respiration laborieuse siffle abominablement. Mrs Zhang écarte de son front ses cheveux noirs, collés de sueur.

«Nous lui avons fait prendre des bains d'eau glacée, mais il n'y a rien à faire, il reste brûlant.

— Permettez que je l'examine. » Je gagne le chevet avec une assurance que je n'ai pas. « Bonjour, Yang. Vous souvenez-vous de moi ? Je suis une amie de Mei, Cate. » Il lève vers moi de grands yeux luisants mais vides. Il a les lèvres craquelées. « C'est bon, n'essayez pas de parler. Laissez-moi seulement prendre votre pouls. »

Je saisis sa main moite, serre son poignet entre mes doigts. Son pouls est beaucoup trop rapide. À peine l'ai-je effleuré que je sens sa maladie. Elle flambe dans ses poumons, incendie ses voies respiratoires. J'essaie de la repousser ; elle résiste et repart à l'assaut.

Qu'elle essaie. Je suis têtue. Je m'assieds sur le bord du lit, prête à livrer une longue bataille. Yang n'a pas eu la vie facile, contraint d'aller travailler au lieu de poursuivre ses études, de renoncer à ses ambitions pour permettre aux siens de joindre les deux bouts. Et Mei a déjà perdu deux sœurs, qui purgent une peine sur un navire-prison. Je ne permettrai pas qu'elle perde aussi son frère.

Ma magie s'écoule de moi avec force pour pénétrer dans le corps de Yang. Ses bronches se dégagent en premier, puis ses poumons ; sa respiration se fait moins sifflante. Mais sa peau est toujours en feu. Je refoule son mal avec plus de véhémence encore, je sens mes muscles s'affaiblir.

« C'est presque… Mei, pouvez-vous m'aider ? » dis-je dans un souffle, juste comme la sonnette retentit au rez-de-chaussée.

Mei glisse sa main dans la mienne, et ce nouvel afflux de pouvoir me revigore. Violemment, jusqu'à en trembler, je repousse cette fièvre ; elle tente de résister, mais peu à peu elle bat en retraite. De toute mon énergie, je tire sur les dernières fibres de magie encore vaillantes en moi, partout à travers mon être, mais c'est comme de tirer sur un lacet effiloché. D'un instant à l'autre, je vais lâcher. Mes doigts resserrent leur prise sur le poignet de Yang, je vois des formes noires danser devant mes yeux tandis que j'expulse littéralement toute la magie de mon corps pour la propulser dans le sien. Son pouls ralentit enfin. Il se raffermit, devient plus régulier. C'est alors que je m'écroule sur le côté.

« Cate ! » Mei me rattrape juste à temps ; ma tempe allait heurter le bois du lit. Elle me prend par les aisselles, m'assied dans le fauteuil à dossier raide, contre le chevet. Je me plie en deux, la tête sur les genoux, jusqu'à ce que mon vertige s'apaise.

« Hé, ça ne va pas ? Qu'est-ce qu'elle a ? » s'informe une voix.

Cette voix. Je la connais. Confusément, j'entends Mei faire des présentations. Ses parents ; Finn ; Merriweather ; Rilla. Puis Finn répète sa question, pressant.

« C'est le prix à payer pour une guérison par magie, explique Mei.

— La fièvre est retombée », annonce Mrs Zhang de l'autre côté du lit, et dans sa voix je perçois la joie retenue.

« Si je comprends bien, elle l'a guéri, mais ça l'a rendue malade, elle ? dit Finn, qui n'a pas l'air d'apprécier.

— C'est normal, répond Mei. Il ne faut pas s'inquiéter. Dans quelques instants, elle sera remise. Tenez, Cate. Baba vous a préparé un thé vert. »

Mais la nausée me submerge. Je me couvre la bouche, cherche des yeux la bassine. Rilla me la place entre les mains, et je me retourne juste à temps pour vomir dedans. Vomir devant tout le monde, j'en suis mortifiée. J'en pleurerais, si j'en avais la force.

« Maintenant, dehors ! s'écrie Mrs Zhang, chassant les visiteurs. C'est une chambre de malade, ici, pas un cirque ! »

Mei me tend un mouchoir et je m'essuie la bouche. Mais Finn s'obstine : « Je ne sortirai pas d'ici tant que je ne l'aurai pas vue rétablie. »

Je me tourne vers lui, tente un sourire qui est sûrement une grimace.

« Ça va aller, Finn.

— En êtes-vous sûre ? Vous m'avez l'air… toute secouée. »

Derrière ses lunettes, son regard brun est inquiet. Je ne me fais pas d'illusions, il n'éprouve rien de particulier pour moi. Mais il se soucie de ma personne, au moins un peu.

Depuis la porte, Merriweather revient à la charge, ses cheveux sombres en bataille, son caban boutonné de travers.

« Vous avez réussi à le guérir ? Complètement ? Pouvez-vous me dire quel effet ça fait ? » Il se caresse le menton. « Oui mais l'ennui, c'est que les gens pourraient y voir une preuve.

— Une preuve de quoi ? » s'enquiert Rilla, le regard dur.

Il hausse les épaules en signe d'impuissance.

« La confirmation de ce que raconte O'Shea : que cette fièvre vient des sorcières, qu'elle est un effet de leur magie noire.

— N'importe quoi ! » Mei bondit en avant et enfonce un doigt dans le large torse de Merriweather. « Nous soignons les gens, nous ne leur faisons pas de mal. On ne peut pas en dire autant des Frères. Eux ne sont prêts à secourir que ceux qui ont les moyens de se payer l'hôpital.

— Ça, c'est vrai, approuve Mrs Zhang, s'écartant un instant du chevet de son fils. Baba est allé voir s'il y avait de la place là-bas. L'infirmière lui a répondu que tous les lits étaient occupés. Et juste après, sous ses yeux, un Frère a apporté une petite malade toute pomponnée, et ils l'ont emmenée directement à l'étage. Voir Frère Kenneally, à ce qu'il a entendu.

— Vous voyez ? insiste Mei. Voilà ce que vous devriez dénoncer dans votre journal ! »

Merriweather lève un sourcil.

« Dénoncer quoi ? Que les Frères et leurs familles font l'objet de traitements de faveur ? Il me semble l'avoir déjà écrit noir sur blanc, et plus d'une fois.

— Mais pourquoi Kenneally ? dis-je d'une voix éraillée, m'efforçant de rassembler mes esprits.

— C'est lui qui dirige l'hôpital Richmond. Le connaître personnellement change la donne, n'est-ce pas ? » Le beau timbre de baryton de Merriweather laisse percer l'écœurement.

Mais je fais non de la tête, je me suis mal exprimée.

« Ce n'est pas ce qu'elle veut dire, intervient Finn. Ce qu'elle se demande, c'est pourquoi venir à l'hôpital et chercher à voir Kenneally, alors que, de toute manière, on ne connaît pas de remède à cette maladie ? » Il me regarde et je lui fais signe que oui, c'est bien là le sens de ma question. Au moins, quelqu'un me comprend. « Autrement dit, que peut Kenneally de plus que leur médecin de ville ? Pour ces gens qui ont les moyens d'en voir un ?

— Ah. » Merriweather joint ses longs doigts effilés en une sorte de toit pointu. « Excellente question, Belastra. Qui mérite enquête. »

Rilla lui tapote le bras.

« Elle est de Cate, l'excellente question ! »

Je m'adosse contre le mur, et Finn m'adresse son sourire à dents du bonheur. Je crois voir de l'admiration dans son regard. Pour mon succès de sorcière ? Pour ma lucidité ? Je n'en sais rien, mais j'en ai l'estomac qui palpite de façon toute nouvelle.

Chapitre 13

Tess a tenu à organiser une réunion familiale.
En toute franchise, je m'en serais bien passée, mais bon,
Noël, c'est Noël.

«Je crois que ce serait mieux d'arriver en avance», dit-
elle, plantée au milieu de sa chambre, un peu gauche.
C'est la première fois depuis des semaines que nous nous
retrouvons seules toutes les trois, elle, Maura et moi.
«Pour pouvoir parler avec Père avant le repas.

— Eh bien, bonne chance», commente Maura, restée
sur le pas de la porte. «Parler avec nous, il ne sait pas faire.
Il n'a jamais su.»

Elle n'a pas tout à fait tort. Voilà seulement un mois,
j'aurais dit la même chose, à peu près sur le même ton.

Tess encaisse le coup et rectifie les plis de sa jupe verte.

«L'important, c'est ce que nous avons à lui dire, nous.
Nous allons lui révéler la vérité. Et j'aimerais vraiment
que tu sois avec nous. Je crois qu'il faut qu'on soit présentes toutes les trois.»

Maura se raidit.

«Quelle vérité? Tu ne vas tout de même pas…

— Si», coupe Tess. D'autorité, elle va refermer la porte
dans le dos de Maura, l'obligeant à entrer pour de bon.
Maura me jette un regard méfiant et va s'asseoir sur le lit

de Vi, enfonçant l'édredon blanc rebondi. « Si, et il y a une chose qu'il faut que tu saches. Une chose que Mère ne nous avait pas dite. Dans les débuts de leur mariage, Père savait qu'elle était sorcière. Plus tard, elle a effacé l'information de sa mémoire. C'est Zara qui nous l'a appris. »

Maura se durcit. Je doute que ce soit la réaction qu'espérait Tess.

« Minute, dit-elle, explique-toi un peu mieux. S'il l'avait acceptée comme sorcière, pourquoi effacer ça de ses souvenirs ? »

Tess s'assied sur son lit à côté de moi.

« Après l'arrestation de Zara, Mère redoutait d'être la suivante. Et elle craignait que Père fasse quelque chose de grave, sur une impulsion, afin d'être arrêté avec elle.

— Père ? raille Maura. Dans le genre impulsif, on fait mieux. Que craignait-elle ? Qu'il tire sur Frère Ishida ? »

Je revois le regard brun et doux de Marianne Belastra, le jour où elle a compris que nous nous aimions, Finn et moi. Je l'entends encore : *Qu'il n'ait pas prononcé les mots, c'est possible, mais je connais mon fils. J'ai vu sa façon de vous regarder... Comme s'il était prêt à tout pour vous défendre.*

Prêt à tout.

« Et pourquoi pas ? dis-je froidement. La vérité est que nous ne le connaissons pas si bien que ça.

— Si, nous le connaissons, soutient Maura. Son comportement de ces dernières années nous en dit bien assez long. Pour lui, il n'y a que deux choses qui comptent : ses bouquins et la bonne marche de ses affaires.

— Et Mère, tu crois qu'elle ne comptait pas ? » Je la regarde droit dans les yeux. « Ils s'aimaient, Maura, et tu le sais. Cela dit, je n'ai jamais compris qu'elle ait pu lui cacher une chose pareille. Quand on aime quelqu'un aussi fort» – comme j'aime Finn, comme il m'aimait, lui –, «comment ne pas souhaiter être connu de lui sans réserve?»

Maura baisse les yeux vers le tapis pourpre.

«N'empêche. S'il était resté un peu à la maison, s'il avait ouvert les yeux sur nous deux minutes, il le saurait, ce que nous sommes. Mrs O'Hare le savait. Même la bonne s'en doutait! Si père ne nous connaît pas, c'est qu'il ne tient pas à nous connaître.

— Je crois que tu te trompes, la contredit Tess. Mère ne lui a pas accordé sa chance sur ce point, et je ne… Je sais qu'elle a agi de cette façon parce qu'elle nous aimait, parce qu'elle ne voulait pas que nous soyons élevées par les Sœurs, peut-être même séparées. Mais je crois que Père mérite la vérité. Je compte la lui révéler.

— Tu es folle.»

Folle. Maura ne l'entend pas au sens littéral, bien sûr, mais je vois bien que Tess est choquée.

Je prends sa défense: «Je suis d'accord avec Tess.

— Évidemment. Comme toujours. Moi, je n'ai même pas droit à la parole.

— Si, mais là, tu es en minorité», fais-je observer avec un sourire que j'espère conciliant.

Tess rectifie un pli de sa jupe.

«C'est important pour moi, Maura. J'aimerais tant que tu sois d'accord.»

Mais Maura se referme; son beau visage se fait de pierre.

«Oh, toi, de toute manière, tu as toujours été en

adoration devant Père. Tu trahirais tout l'ordre des Sœurs pour essayer de te faire aimer de lui.

— Il n'y a pas à essayer, réplique Tess. Puisque de toute manière il nous aime. Il ne sait peut-être pas trop comment nous le montrer, mais il…»

Je pose ma main sur la sienne.

«Laisse, va. Ne discute pas. Elle ne pense qu'à l'ordre des Sœurs, comme toujours.

— Et toi, riposte Maura, tu n'y penses pas assez.

— Pas assez?» Je manque de m'étrangler. «Qui a mené la mutinerie de Harwood? Qui a sauvé de la pendaison toutes ces filles?»

Sa bouche se tord.

«Qui a envoyé à la mort Zara et Brenna, avec ses plans à la noix?»

Je bondis, brûlant de la gifler, mais Tess coupe mes élans vengeurs.

«C'est ce qu'elle cherche», me souffle-t-elle, me saisissant le poignet. Et je capitule, parce qu'elle a raison. «Ça, Maura, c'est un coup bas, poursuit-elle d'un ton plat. Ce genre de propos te rabaisse à mes yeux, au lieu d'atteindre Cate.

— Tu parles d'une nouveauté, commente Maura avec un haussement d'épaules.

— Oh! Maura, supplie Tess excédée, tu voudrais bien arrêter, un peu? Ce serait tellement mieux si nous pouvions redevenir comme avant – du temps où nous nous entendions si bien, toutes les trois!

— Ne compte pas là-dessus», assène Maura, amère, et pour une fois je suis d'accord avec elle. Jamais nous ne redeviendrons celles que nous avons été, celles que nous étions encore pas plus tard que l'été dernier. Elle-même y a veillé. «Tout révéler à Père ne fera pas de nous la famille heureuse de tes rêves. Il te brisera le cœur, voilà ce que tu y gagneras. Et l'une de nous n'aura plus qu'à gommer ton erreur.

— Tu ne feras pas ça», déclare Tess très bas, et il y a dans sa voix une force inquiétante. «Quelle que soit la réaction de Père, je ne te laisserai pas tout défaire. Tu as déjà perdu une de tes sœurs. Ça te serait égal d'en perdre deux?»

Maura fléchit.

«Non, souffle-t-elle, puis elle saute sur ses pieds. Bien. Je vous souhaite à tous une joyeuse soirée, alors. À demain.»

Tess est prise de court.

«Tu ne vas quand même pas... Viens pour le repas, au moins.

— Non merci. Tu as fait savoir clairement en quelle haute estime tu me tenais, et de toute manière ça va être une fête ratée.

— C'est Noël, Maura. La fête de la famille. Il faut que nous soyons ensemble.» Tess me jette un regard désespéré. «Dis-le-lui, Cate.»

Je devrais le lui dire. Je le devrais pour Tess. Au lieu de quoi, j'ai un geste évasif. «Si elle ne veut pas venir, autant qu'elle ne vienne pas.

— Or il se trouve que je ne veux pas venir. Je fêterai Noël ici, avec Inez et avec toutes celles qui n'ont nulle part où aller.» Dans sa voix, quelque chose se casse, mais c'est presque imperceptible. Et ses yeux bleus sont froids comme du verre tandis qu'elle se détourne de nous.

«Pas d'accord, Maura!» s'écrie Tess, et sa voix se fait mordante soudain. «J'en ai assez de t'entendre jouer les martyres. Tu peux passer Noël en famille ou pas, c'est ton affaire. Mais si c'est non, ce n'est pas parce que nous te rejetons. C'est parce que tu es têtue, et que tu ne penses qu'à toi, et que tu as fait ce choix.

— Fort bien, cingle Maura. C'est mon choix, donc. L'ordre des Sœurs est ma famille. Je vais fêter Noël ici et ce sera très bien ainsi.»

Le quartier cossu du prieuré est plongé dans un silence serein. Alors que Tess et moi pressons le pas, en chemin pour notre Noël avec Père, il arrive qu'une voiture fermée passe au trot, et l'haleine des chevaux nimbe leurs naseaux d'un petit panache clair. Devant nous, une famille entière descend de calèche en face d'une grande demeure de briques, dont chaque fenêtre est éclairée de chandelles. Le père soulève ses enfants pour leur faire franchir le mar-chepied, et aussitôt ils sautent et courent sur le trottoir, le petit garçon clamant qu'ils vont voir leur grand-mère, tralala! et la petite fille serrant contre elle une poupée de porcelaine. La main du père s'attarde autour de la taille de sa femme et il lui sourit. Elle a les bras chargés de paquets ornés de jolis nœuds de velours rouge.

Si les choses avaient tourné différemment, qu'aurais-je offert à Finn pour Noël? Un livre rare? Un beau stylo-plume? Je l'imagine défaisant un petit paquet, je vois ce sourire que j'aime tant, avec ce petit écart entre les inci-sives... et puis je sens ses bras qui m'enserrent pour un long baiser.

C'est ce Noël-là que je voudrais. Je le voudrais à en avoir mal.

Tess saisit ma main et la serre.

«Noël prochain sera meilleur», chuchote-t-elle.

Je n'imagine pas comment il pourrait être pire.

Nous traversons le quartier commerçant, grouillant de chalands en pleine frénésie d'achats de dernière minute. Je m'arrête devant chez O'Neill.

«Pourrions-nous… Je veux dire, cela t'ennuierait-il… J'aimerais entrer ici une minute.»

Tess ne pose pas de question, merci à elle. «Bien sûr», dit-elle, malgré son impatience d'aller retrouver Père. À l'intérieur, elle se plante devant un tourniquet de cartes de vœux tandis que je commence à tourner en rond, incertaine.

«Vous désirez?» s'enquiert O'Neill. Je tire ma capuche en arrière et il me reconnaît. «Oh! Miss Cahill. Quelle heureuse surprise!

— J'étais à la recherche d'un stylo-plume. Pour un cadeau. De dernière minute, je l'avoue.»

Il me guide vers la vitrine des stylos.

«C'est pour une dame ou pour un monsieur, si je peux me permettre?»

Je me penche sur les articles alignés sous verre. Tous me semblent beaux, certains plaqués d'or et d'autres, d'argent, d'autres encore en bois poli. Les plus abordables sont en une sorte de caoutchouc durci. Les plus beaux reposent dans des étuis pareils à de petits cercueils garnis de satin.

«Pour un monsieur, dis-je. Pour mon père.» Et le mensonge met le feu à mes joues.

C'est un geste idiot, et sentimental. Finn ne me fait pas confiance, et m'aime encore moins. Il n'attend pas de cadeau de ma part, n'en désire probablement pas. En l'état actuel des choses, lui en offrir un serait déplacé.

«Que diriez-vous de celui-ci? C'est notre modèle le plus vendu.» Il déverrouille l'arrière de la vitrine et en tire un stylo doré. Ni lui ni son étui d'ivoire ne me semblent convenir pour Finn. Trop chic, trop fantaisie pour un usage quotidien – ses traductions et ses lettres à sa mère.

Je le prends poliment, le soupèse, et fais non de la tête. Mon attention est attirée par un autre stylo, en acajou brillant, un peu plus loin. Je tapote du doigt la vitrine.

«Et celui-ci?

— Ah! très bel article.» Il me le tend. Je retire mon gant droit, fais tourner le stylo entre mes doigts, pour voir; je caresse de l'index l'agrafe dorée. «L'un de mes préférés», ajoute-t-il.

Je vois Finn écrire avec. C'est un bel objet, mais suffisamment sobre et rustique pour lui convenir.

Inutile de faire comme s'il n'était pas dans mes pensées, dans mon cœur, à chaque instant. Je ne peux tout simplement pas laisser passer Noël sans acheter quelque chose pour lui.

«Je le prends», dis-je, tirant ma bourse de ma poche.

O'Neill hoche la tête, me donne le prix.

«Excellent choix», approuve-t-il, et il emporte l'article derrière le comptoir.

Un sourire stupide traîne sur mes lèvres.

L'appartement de Père est à quelques rues seulement

de chez O'Neill, directement au-dessus des bureaux de la Compagnie de Négoce Cahill. Tess respire un grand coup et soulève le heurtoir.

Un pas lourd mais résolu descend un escalier derrière la porte, et c'est Père lui-même qui nous ouvre, avec un immense sourire.

« Mes filles ! » s'écrie-t-il, puis il se fige. « Mais où est Maura ?

— Elle n'a pas pu venir, répond Tess d'une petite voix.

— Elle n'est pas malade, au moins ? » Il est à New London depuis suffisamment longtemps, j'imagine, pour avoir entendu parler de l'épidémie. Ou aurait-elle déjà gagné Chatham ?

« Non. Nous vous expliquerons ça tout à l'heure. » Tess se jette dans ses bras. « Quel bonheur de vous voir, Père !

— Quel bonheur pour moi aussi ! » Il est toujours le même – cheveux d'argent où s'attarde un peu de blond, veste à carreaux d'un motif vert, rouge et noir complètement passé de mode –, mais son regard est plus joyeux que d'ordinaire. Lui aurions-nous manqué ?

« Cate », s'exclame-t-il. Je comptais ne l'étreindre que pour la forme, mais ses bras se referment sur moi, m'enfouissant d'autorité le nez dans son cou, et son odeur familière de vieux papier et de fumée de pipe me rappelle si fort la maison que j'en ai la gorge nouée.

« Joyeux Noël, Père », dis-je, me dégageant de lui.

Il referme la porte d'entrée et ouvre la voie dans l'escalier jusqu'à son appartement au deuxième étage. L'endroit est accueillant, il fait délicieusement bon et…

« Mmm, quelle odeur exquise ! C'est ici que nous dînons ?

Je pensais que nous irions au restaurant», s'écrie Tess, et je hume avec délectation des effluves d'oie rôtie, que je soupçonne farcie à la sauge et à l'oignon. «Vous vous êtes trouvé une gouvernante?

— J'en ai une, mais je lui ai accordé sa journée de congé», répond Père, et ses yeux rient.

Il nous introduit au salon. La pièce me paraît petite, comparée à ce que nous avions à la maison et bien sûr aux salles du prieuré, mais elle a du charme avec ses deux sofas de velours vieil or, ses deux grands fauteuils de cuir et son tapis d'Orient à fond rouge. Une baie vitrée donne sur la ville, encadrée de rideaux à embrasses tressées, et des bougies sont allumées aux autres fenêtres. C'est ici qu'il séjourne chaque fois qu'il est à New London pour affaires.

«J'ai une surprise pour vous, les filles. Des invités vont se joindre à nous…»

Les portes coulissantes donnant sur la salle à manger s'ouvrent en grand.

«Joyeux Noël!» nous lance Clara Belastra. Manifestement, elle est en train de mettre le couvert, et je reconnais au premier coup d'œil les assiettes de porcelaine bleue de notre grand-mère, que Père a dû faire venir de la maison. Clara est toujours grandelette pour son âge et un peu dégingandée, mais il me semble qu'elle s'est un peu arrondie depuis la dernière fois que je l'ai vue, voilà deux mois.

«Clara!» s'écrie Tess, ivre de joie. Elles ont le même âge, et sont devenues excellentes amies peu avant que je quitte Chatham.

Des invités, a annoncé Père. Machinalement, je compte les assiettes. Sept, pour sept convives, et une chaise supplémentaire a été placée en bout de table. Mes yeux volent à la porte, au fond. Si Clara est ici, alors…

Marianne Belastra sort de la cuisine et vient à nous, s'essuyant les mains sur son tablier à fleurs. Le sourire qu'elle m'adresse ne va pas jusqu'à ses yeux. «Joyeux Noël, Tess, Cate.

— Finn va nous rejoindre un peu plus tard, pour le repas», nous informe Père, et ma main se crispe sur le petit sac en papier contenant le stylo.

«Quelle bonne surprise», dit Tess qui n'en revient pas. Elle se tourne vers Marianne. «Vous êtes arrivées en ville hier, avec Père? Avez-vous… avez-vous déjà vu Finn?

— Nous avons dîné avec lui hier soir. Repas intéressant.» Le ton est un peu sec et, derrière les fines lunettes, un éclair de défiance passe dans les yeux bruns, si semblables à ceux de Finn. Elle est au courant. Mon cœur chavire. «Cate, pourriez-vous m'aider à la cuisine? J'aimerais tant savoir où en sont les choses pour vous.

— Euh, je…»

C'est tout ce que je parviens à articuler. Marianne aurait dû devenir ma belle-mère. C'est une femme de cœur, à la tête solide, elle a élevé un fils merveilleux et j'ai le plus grand respect pour elle, mais oh! combien j'aimerais pouvoir échapper à cette conversation.

Tess vient à mon secours.

«Il y a une chose ou deux dont nous aimerions d'abord parler avec Père, si vous le voulez bien, dit-elle gentiment, prenant ma main et la serrant fort.

— Voyons! proteste Père, vous n'allez pas laisser Mrs Belastra tout faire seule!

— Bien sûr que non! se récrie Tess en riant. Moi? laisser toute la cuisine à quelqu'un d'autre? Tu penses bien que nous allons donner un coup de main. Mais c'est important, Père. Et urgent aussi.»

Il s'assombrit.

«Est-ce en rapport avec l'absence de Maura?

— D'une certaine façon, oui», reconnaît Tess.

Marianne acquiesce, mais il est clair qu'elle ne m'accorde qu'un sursis.

«Laissons-les un peu ensemble, dit-elle à Clara. Tu viens m'aider à la cuisine, en attendant que Cate soit prête?»

En attendant que Cate soit prête. Je doute d'être jamais prête à expliquer ce qu'a fait Maura, mais je ne pourrai pas me dérober.

Je me tourne vers Tess, aussi détendue pour sa part que si elle s'apprêtait à affronter un peloton d'exécution. C'est le jour des grandes mises au point, on dirait. Je m'assieds à côté d'elle sur l'un des sofas vieil or. Au fond de la pièce, une flambée ronfle. Les portes de la salle à manger refermées, l'odeur des rameaux de pin sur le rebord des fenêtres l'emporte sur les fumets de cuisine.

«Maura n'est pas malade, au moins? s'inquiète Père. Vous avez dit que ce n'était pas cette fièvre.» Il hésite. «Votre sœur a toujours été impétueuse, mais… elle n'est pas partie avec un matelot, dites-moi?»

Tess se force à rire.

«Non, non, rien de tel.» Elle triture un volant de sa robe. «À présent que nous voici ensemble, je ne sais pas trop par où commencer.»

Père se penche en avant dans son fauteuil.

«Peut-être en disant les choses bien franchement, sans tourner autour du pot? Vous l'ignorez peut-être, mais je sais écouter, votre mère le disait toujours.» Une ombre passe sur ses traits. «Je reconnais n'avoir pas toujours été le meilleur des pères. Ce mois-ci, avec vous trois parties, vous n'imaginez pas combien la maison m'a paru vide. Je sais bien, il est dans l'ordre des choses que les filles grandissent et se marient et quittent la maison, mais… j'avais espéré qu'il me resterait encore un peu de temps, au moins avec Maura et toi, Tess.»

Tiens donc. C'est la première fois depuis des années que je l'entends prononcer des mots qui lui viennent du cœur. Nous lui avons manqué. Je pose les yeux sur Tess; son menton tremble.

À ce stade, c'est son cœur à elle que Père tient entre ses mains. S'il la rejette – et plus que jamais après ces derniers mots, qui expriment la promesse d'une relation plus riche –, elle en sera brisée.

Je donnerais cher pour contrôler la situation, pour orienter Père vers la réaction qu'elle attend de lui, mais je sais que la mise en garde de Tess envers Maura vaut doublement pour moi : magie interdite.

Elle respire un grand coup.

«Il y a une chose qu'il faut que vous sachiez – ou plus exactement que nous voulons que vous sachiez.» Son petit visage ovale se fait pâle. «Nous sommes sorcières, Père. Cate et Maura et moi. Toutes les trois.»

Père se fige. «Impossible.

— C'est pourtant vrai, dis-je.

— Mais… Je sais qu'assurément il existe encore des

sorcières. Simplement, si vous trois aviez fait des tours de magie à travers la maison, je m'en serais aperçu, tout de même. » Il hésite. « Non ?

— Ce n'est pas votre faute, papa, dit Tess qui s'interdit de se trémousser. Nous vous l'avons caché.

— Je ne sais pas si c'est mieux ou pire. » Il saisit la pipe posée sur la table et la fait tourner entre ses mains. « Depuis combien de temps cela dure-t-il ? »

Tess me lance un appel à l'aide et c'est moi qui réponds : « Mes dons se sont manifestés quand j'avais onze ans. » Je meurs d'envie de baisser les yeux, mais je résiste et croise son regard – d'un bleu aussi pâle que le mien. Je n'ai pas honte d'être sorcière, plus maintenant, et je ne vais pas faire comme si j'avais honte. « Mère m'a appris à contrôler mon pouvoir et à le tenir secret. Quand leur tour est venu, j'ai aidé Maura et Tess.

— Votre mère était au courant ? » Père gagne la desserte près de la baie vitrée. Il se sert un verre d'un liquide ambré, mais ne le porte pas à ses lèvres. « La magie est héréditaire, n'est-ce pas ? Dans ma famille, absolument personne… Et Anna a été élevée par sa grand-mère – elle ne s'entendait pas avec sa mère –, mais elle n'a jamais dit…

— Mère était sorcière. Comme sa grand-mère. » Tess avale sa salive. « C'est pour ça qu'elle et sa mère ne s'entendaient pas. Les dons ont sauté une génération.

— Impossible », répète Père. Il repose le verre sur la desserte et considère Tess comme s'il venait de lui pousser des cornes.

« Impossible, non, le contredis-je. Regardez. » Mon pouvoir frémit en moi. Tout doucement, je fais léviter son verre plein à travers la pièce et le redépose sur la table basse sans en renverser une goutte. « Vous voyez ?

— Seigneur. » Il a les yeux rivés sur ce verre. « Cate, tu es…

— … sorcière. Tout ce que dit Tess est exact. »

Il prend appui sur la desserte, lourdement. Il respire fort, et durant près d'une minute je redoute qu'il fasse une crise d'apoplexie. Mais il ne se tient pas la poitrine à deux mains, il se contente de garder le dos tourné, immobile comme un roc. Pour finir, il marmonne : « Je ne vois vraiment pas pourquoi Anna m'aurait caché tout cela.

— Elle ne vous l'a pas toujours caché, murmure Tess.

— Nous avons été mariés quatorze ans, Teresa. Si ma propre femme avait été sorcière, il me semble que je m'en souviendrais. » Père se retourne, s'avance vers nous, puis à nouveau se fige et nous regarde fixement, comme frappé de stupeur. « À moins que… ? »

Tess bondit sur ses pieds et lui prend le bras, mais il se dégage. Ce que je lis sur ses traits me glace. C'est trop proche de la façon dont Finn m'a regardée l'autre soir. On dirait qu'il ne nous connaît plus, un peu comme si des chatons qu'il aimait s'étaient changés en tigres sous ses yeux.

« L'une de vous a-t-elle effacé mes souvenirs ? Comme les Frères n'arrêtent pas de nous dire que font les sorcières ?

— Non ! » nie Tess.

Hélas, moi, je l'ai fait. Et Maura aussi. Il est parfaitement en droit de me regarder de cette façon.

« Ce n'est pas nous, papa, poursuit ma sœur. Je sais que pour vous c'est dur à entendre, mais…

— Elle ? Jamais ! » l'interrompt Père, sûr de lui – et combien j'envie cette certitude. Il se rassied, s'enfonce dans son fauteuil. « Je ne suis pas parfait, mais j'aimais votre mère. Si Anna avait été sorcière… si je l'avais su… je ne l'aurais pas quittée pour autant. Elle n'aurait pas eu à me le cacher. Je… Seigneur Dieu ! Quoi que vous imaginiez de moi, au moins vous devez savoir cela. Jamais je ne l'aurais dénoncée aux Frères ! »

Tess le rejoint et s'agenouille sur le tapis.

« Nous le savons. »

Il baisse les yeux vers elle.

« J'aurais donné ma vie plutôt que de la dénoncer. »

À mon tour, je vais m'agenouiller près de son fauteuil, de l'autre côté. « Nous le savons, Père. Mère le savait aussi. C'est bien pourquoi elle l'a fait. »

Nous ne lui disons pas tout. Tess m'avait prévenue ; elle ne voulait pas lui asséner en plus la prophétie ni ses visions. Quoi qu'il en soit, il accepte nos révélations beaucoup mieux que je ne m'y attendais.

« Et Maura, alors ? Pourquoi n'est-elle pas ici ? » Père incline son verre vide entre ses doigts et observe les reflets des bougies dans le cristal. Pelotonnée dans le fauteuil voisin, Tess contemple le tapis. « Ah ! dit-il alors, je crois que je vois : Maura ne voulait pas que vous me mettiez au courant.

— Nous avons pris tant de précautions pendant si long-temps, explique Tess.

— Je suis navré qu'elle ait cru ne pas pouvoir me faire confiance. Vous le pouvez, pourtant, vous savez. » Il repose son verre. Son regard bleu embué croise le mien, puis cherche celui de Tess. «J'aurais dû vous le dire plus souvent depuis la mort de votre mère, mais je vous aime, toutes les trois, et je suis extrêmement fier de vous. Vous avez été bien courageuses de prendre tout cela sur vous.»

Une douce chaleur m'envahit, qui n'est pas seulement due au feu.

«Merci, Père», dis-je, et le grand sourire de Tess a de quoi éclairer toute la pièce. «Mais nous n'étions pas absolument seules. Marianne nous a beaucoup soutenues.

— Marianne? Elle est sorcière aussi?»

Son incrédulité est comique à voir.

«Elle, non. Mais elle était l'une des meilleures amies de Mère.

— Marianne a toujours été très libérale. L'esprit ouvert. Et joliment brillant, pour une femme.»

Pour une femme. Je ris sous cape de l'indignation qui se lit sur le visage de Tess, puis je me lève du sofa et rechausse mes ballerines rouges. Sachi a tenu à ce que j'emprunte à Rory une robe de fête – en tissu écossais, dans les tons rouges, au lieu de mes habituels bleus et gris. J'ai cédé, parce que je la sentais vaguement triste en ce Noël. Même avec une mère un peu éteinte et un père tyran domestique, on peut regretter de n'être pas auprès des siens pour cette fête, j'imagine. Et à présent, sachant que Finn va venir, je suis heureuse de m'être un peu habillée. Si j'en crois le miroir, cette robe me ravive le teint et rehausse le bleu trop clair de mes yeux.

«Bien, dis-je. Maintenant, il faut que j'aille aider Marianne, je pense.» Tess fait mine de se lever, mais je l'en dissuade. Les révélations que j'ai à faire sont de ma responsabilité. «Merci, mais tiens plutôt compagnie à Père; vous avez sûrement des tas de choses à vous dire, tous les deux.»

Elle cède sans trop se faire prier. Je gagne la cuisine, guidée par les odeurs, et j'y trouve Marianne qui épluche des pommes de terre, tandis que Clara entreprend d'étaler une pâte à tarte.

«Ça sent délicieusement bon ici, dis-je en entrant.

— Merci, Cate.» Marianne écarte une mèche de son visage rougi. Avec la dinde au four, la petite cuisine s'est changée en étuve. «Clara, tu voudrais bien finir de mettre le couvert, s'il te plaît? Je m'occupe de la tarte.»

Clara s'éclipse, docile, et je propose timidement: «La tarte est au-dessus de mes compétences, mais éplucher les pommes de terre, je dois pouvoir m'en charger.

— Tout va bien du côté de votre père?» s'enquiert Marianne.

Je prends le couteau en main et me mets au travail.

«Oui. Nous lui avons dit la vérité. Que nous sommes sorcières.

— Ça s'est bien passé? Vous n'avez pas eu… à user de méthodes particulières?» Elle manie le rouleau à pâtisserie avec plus de véhémence que nécessaire.

«Ça s'est très bien passé. Et même si cela n'avait pas été le cas, nous n'aurions pas…» Je pose le couteau, me tourne vers elle. «Je vais être très franche avec vous. Tess m'interdisait absolument toute intervention par intrusion mentale. Mais j'aurais agi sans hésiter s'il avait fallu la protéger, elle.

— Est-ce ce qui s'est passé pour Finn ?

— Non ! Jamais je n'aurais… Ce n'est pas moi. Je le jure.

— Mais vous étiez impliquée d'une manière ou d'une autre, n'est-ce pas ? » Le regard brun de Marianne se fait dur. « Je vous l'ai dit un jour, je crois : nous ne pouvons pas choisir qui nous aimons. Et je vous aime bien, Cate, vous le savez. Mais c'est de mon fils qu'il s'agit, et à présent… à présent, je l'avoue, je regrette vivement son choix. Rien de tout cela ne serait arrivé s'il n'était pas allé vous courir après à New London. »

J'encaisse le coup, me concentre sur mes pommes de terre. Un long silence tombe sur ses mots, interrompu seulement par les petits bruits de nos gestes. Des paroles et des larmes s'accumulent dans ma gorge, jusqu'à ce que je me sente étouffer. Alors, je lâche dans un souffle : « C'est Maura qui a fait ça… »

Marianne achève posément de saupoudrer sa tarte aux pommes d'un mélange sableux de farine, beurre émietté, cannelle et sucre. C'est seulement après l'avoir enfournée qu'elle se retourne vers moi, et je mesure alors quelle fureur maternelle couvait sous ses gestes tranquilles.

« Et pourquoi ?

— Je ne suis pas sûre de bien comprendre. Elle jure que c'est pour nous protéger, parce que nous ne pouvons pas faire confiance aux Frères. Pas à un seul d'entre eux. Pas à un homme, en fait. Elle a refusé de venir, aujourd'hui, parce qu'elle ne voulait pas que nous disions la vérité à Père. Mais en toute franchise je la soupçonne aussi d'avoir voulu me punir, en s'en prenant à Finn. Entre elle et moi, les choses ont toujours été… compliquées. Certains jours, c'est comme si mille et une petites rivalités nous séparaient. Mais ce qu'elle a fait là… je ne crois pas que je le lui pardonnerai un jour. » Je la regarde dans les yeux, l'implore de me comprendre. « Je veux réparer les choses pour lui, Marianne. »

Elle passe une main sur son visage, laissant sur sa joue une petite traînée de farine.

« Alors il faut tout lui dire. » Elle pince les lèvres. « Vous savez qu'il ne la dénoncera pas. Il serait en droit de souhaiter qu'elle reçoive un châtiment ; mais, même furieux contre elle, il ne voudra pas sa mort.

— J'ai l'intention de le lui dire, seulement… j'aurais l'impression de la trahir. C'est stupide, je le sais. » Un pauvre rire m'échappe. « Elle, elle m'a trahie sans hésiter. Le forcer à m'oublier, elle ne pouvait rien me faire de pire. Pourtant, j'éprouve toujours ce besoin ridicule de la protéger, elle. » Sans réfléchir, je passe le pouce sur la lame acérée du couteau ; je manque de me couper.

« Cette promesse à votre mère pèse toujours sur vous, n'est-ce pas ? » Le regard de Marianne s'est adouci. « Mais Anna vous voudrait heureuse aussi, vous savez. »

Sa générosité me fait monter les larmes aux yeux. Décidément, ces temps derniers, je suis comme un robinet qui fuit.

« Je l'espère. Souvent… toujours, je me désespère à l'idée que je la déçois sans doute. J'ai fait tout ce que j'ai pu, mais Maura… Elle est devenue… Je ne la reconnais plus. Et je ne peux pas m'empêcher de me demander si c'est quelque chose que j'ai fait ou quelque chose que je n'ai pas fait. Je ne pouvais pas remplacer Mère, ça, je le sais. Simplement…

— Non, Cate. » Marianne vient à moi, elle m'attire à elle, m'entoure de ses bras et me laisse sangloter sur son épaule. « Non, vous avez fait de votre mieux. En tant que mère, je peux vous le dire. Vous ne pouviez pas faire plus. Anna serait fière de vous. »

Dans la salle à manger, le tintement de l'argenterie et de la porcelaine s'est tu. Des pas se dirigent vers nous. Marianne et moi nous écartons l'une de l'autre, j'essuie mes larmes d'un revers de main.

« Merci, dis-je, un peu gênée.

— Maman ! appelle Clara. Finn est arrivé ! »

Chapitre 14

Finn entre dans la cuisine d'un pas décidé, les bras chargés de cadeaux. À sa vue, mon cœur fait un bond.

«Joyeux Noël, Mère!» dit-il, l'étreignant d'un bras.

Je me tiens en retrait, j'attends qu'il me remarque. C'est étrange de me sentir aussi hésitante en sa présence. Je mesure mieux à quel point je m'étais habituée à prendre l'initiative, auparavant.

«Bonjour, Cate.» Il m'observe, note les traces de larmes sur mes joues, et se retourne vivement vers Marianne. «Mère, que lui avez-vous dit?»

Je la défends.

«Rien du tout! Tout va très bien.

— Pas si bien que ça, si elle vous a fait pleurer. Je ne suis plus un petit garçon, je n'ai pas besoin que ma mère mène mes propres batailles.» Son costume anthracite, qui contraste avec sa chemise blanche, lui va remarquablement bien. Il a même réussi à dompter ses cheveux.

«Il n'y a pas eu de bataille, dis-je avec un sourire pour Marianne. Au contraire; elle est bien plus gentille que je ne le mérite.

— Tst! tst! fait Marianne. Cate, cessez d'être aussi dure avec vous-même. Et maintenant, si vous alliez aider Finn à transporter tous ces paquets au salon? Dites à Tess et à

Clara de venir m'aider. Vous n'êtes d'aucune utilité ici ni l'un ni l'autre, si?»

J'envoie les filles à la cuisine et empile les paquets sous la fenêtre de devant, tandis que Père sert à Finn un verre de scotch. Tous deux s'installent dans les fauteuils de cuir, et moi, assise sur le canapé vieil or face à eux, je joue vaguement avec les pompons d'un coussin en m'efforçant de ne pas trop laisser voir que je dévore Finn des yeux. Ils parlent de l'épidémie, et je tends l'oreille.

«J'ai découvert la chose ce matin en lisant la *Gazette*, dit Père. Chatham n'a pas encore été touché, Dieu merci. En avez-vous perçu les effets ici?

— Du côté du Conseil, non, rien. Mais Cate en a vu les conséquences à l'hôpital», répond Finn, prenant une petite gorgée de son whisky.

J'explique à Père: «J'y fais un peu de bénévolat. Comme infirmière. L'hôpital croule sous l'afflux de malades en provenance du quartier du fleuve – et hier il en est arrivé depuis le quartier commerçant. Il va falloir être prudent, Père. Si vous ressentez le moindre malaise, il faudra me faire appeler auprès de vous.

— Toi, infirmière?»

Il rit, et je me remémore le jour où Finn est tombé d'une échelle en travaillant à notre gloriette. Ce jour-là, c'est moi qui lui ai bandé la cheville, pour que Mrs O'Hare ne voie pas le pistolet dissimulé contre son mollet.

Il ne doit même pas s'en souvenir.

«J'ai des dons de guérison», dis-je à Père. Il jette un coup d'œil anxieux vers Finn et je souris. «Pas d'inquiétude. Il sait. En tout cas, je suis heureuse que Merriweather ait fini par prévenir ses lecteurs et leur ait indiqué les précautions à prendre.»

Père a l'air abasourdi. «Tu lis la *Gazette*?

— Je ne suis pas complètement analphabète.» Ma réplique est un peu sèche, mais quel besoin a-t-il de me faire passer pour une illettrée devant Finn?

«Non, bien sûr. Ce n'est pas ce que…» Il choisit ses mots avec soin. «Tu es une enfant très intelligente, pleine de ressources. Plus encore que je ne l'imaginais, semble-t-il. Mais la politique n'a jamais eu l'air de te passionner. Je suis enchanté que tu t'y intéresses. Davantage de femmes devraient être informées.»

Finn m'adresse son sourire malicieux.

«Oh, Cate est bien informée, c'est certain. C'est elle qui m'a introduit auprès de Merriweather et de la Résistance. Avez-vous lu cet article, aujourd'hui, dans lequel il est question d'un jeune garçon malade, refusé à l'hôpital, et guéri par une sorcière?

— Oui.» Père se caresse le menton et pose les yeux sur moi. «Êtes-vous en train de me dire que la sorcière était Cate?»

Je confirme d'un hochement de tête, et la gratitude m'envahit. Finn a beau m'en vouloir, il vole à mon secours. Et, pour ce qui est des femmes, il est bien plus progressiste que Père ou que Merriweather. Avoir eu Marianne pour mère l'a influencé sans doute. Encore une raison de lui être reconnaissante.

Père fronce les sourcils.

«Merriweather est un homme recherché. Je ne voudrais pas que tu te mettes en danger pour…

— Père, lui dis-je, d'une voix douce cette fois. Je suis sorcière. Ce qui fait déjà de moi une femme recherchée.

— Tu n'en es pas moins ma fille. Je suis loin de soutenir l'ordre des Frères, mais pour moi ta sécurité passe avant tout. » Il observe fixement les bougies sur le rebord de la fenêtre. « Je regrette le bon vieux temps, pourtant. » Il soupire, et je me demande si ce verre de scotch n'est pas en train de le rendre sentimental. « Le temps où les sapins de Noël étaient encore autorisés – sûrement, je t'en ai parlé ? Nous allions dans les bois, mon père et moi, couper le nôtre. Ma sœur passait la semaine à fabriquer de jolis petits cornets de papier qu'elle remplissait ensuite de dattes fourrées et d'amandes au sucre, et notre mère confectionnait des flocons de neige en dentelle.

— Mon père trouvait ces traditions très belles », se souvient Finn, et il s'assombrit.

En un jour comme aujourd'hui, son père doit lui manquer autant que ma mère me manque.

« Fermez les yeux, tous les deux, dis-je, prise d'une inspiration.

— Pourquoi ? Pour quoi faire ? demande Père, clignant des paupières comme un hibou.

— Vous verrez bien. C'est une surprise. »

Ils s'exécutent, et je laisse la magie monter en moi. Une illusion, c'est toujours facile. J'ignore si celle-ci tiendra jusqu'à la fin du dîner mais, après l'année que nous venons de vivre, il me semble que nous avons droit à un petit extra.

« Voilà. Rouvrez les yeux. »

Père en reste bouche bée.

«Même l'odeur y est!» s'émerveille-t-il, et il se lève pour aller examiner notre sapin sous tous les angles. Je l'ai fait aussi grand que lui, dense et branchu, tout orné de guirlandes de popcorn, de flocons de neige en dentelle et de petits cornets de papier remplis des sucreries.

«Oh, et flûte! J'ai oublié une chose.» Je saisis le verre vide de Père sur la table basse et le transforme en un ange de plumes étincelant. «Père, à vous l'honneur.»

Il prend l'ange et, avec mille précautions, le perche au sommet de l'arbre. Puis il recule, impressionné. «Superbe.

— Absolument», approuve Finn avec un grand sourire.

Et je souris aussi, parce que ce n'est pas l'arbre que Finn regarde.

Notre repas de Noël est un festin: oie rôtie farcie d'oignons et de sauge, purée de pommes de terre au jus de viande, sauce aux airelles, choux de Bruxelles, oignons au four, châtaignes grillées. Quand vient le dessert, je n'en peux plus – quoique pas au point de refuser une lichette du gâteau au gingembre tout orné de fioritures en glaçage, ni même un tout petit bout de tarte. Autour de la table, on mêle joyeusement les citations littéraires et les commérages sur Chatham. Père est scandalisé d'apprendre de Tess que Sachi et Rory sont du même père. Et cela me fait tout drôle de voir Finn surpris par cette information.

Après le repas, Tess renforce mon œuvre d'illusion afin de nous permettre d'ouvrir nos présents sous l'arbre. Elle et moi nous sommes associées pour acheter à Père une très jolie loupe à manche d'acajou. Il paraît ravi; dans ses livres, les notes en bas de page sont parfois imprimées en très petits caractères. J'offre à Tess son papier à lettres, et elle a choisi pour moi un ouvrage sur l'anatomie humaine qui scandalise Père une fois de plus. Il nous donne de quoi nous acheter des robes neuves, et se fait sentimental en offrant à Tess un livre de poésie ayant appartenu à Mère. Marianne reçoit de Finn du parfum, et de Clara un porte-aiguilles en forme de fraise. De son côté, Clara reçoit des crayons à dessin et un nécessaire à aquarelle ; et Finn des livres, bien entendu.

Je relègue derrière le canapé le sac contenant le stylo-plume. Le lui offrir devant tout le monde serait trop gênant.

Après l'échange de cadeaux, Tess et Père se lancent dans une partie d'échecs, tandis que Clara montre à Finn quelques-uns de ses croquis. Je feuillette mon manuel d'anatomie et Marianne fait la vaisselle ; elle a refusé toute aide. Il fait nuit noire dehors lorsque, à mon regret, je déclare qu'il est temps que nous repartions.

«Je vous raccompagne», propose Finn.

Nous nous emmitouflons de nos capes et disons au revoir à Clara et Marianne. Père descend avec nous jusqu'à l'entrée de l'immeuble et nous étreint chaleureusement avant de nous laisser ressortir dans le froid et le silence de la rue.

Sur le seuil en brique de la Compagnie de Négoce Cahill, je me tourne vers Finn.

«C'est gentil à vous de nous le proposer, mais vous ne pouvez pas nous raccompagner au prieuré.»

Il sourit derrière son col remonté.

«Je m'en doutais un peu. Je voulais seulement avoir un petit moment seul avec vous. »

Avec son tact habituel, Tess est déjà partie devant, sous couleur de contempler la vitrine d'un confiseur, plus bas dans la rue.

«Ah bon, dis-je sottement – et mon cœur bat la chamade.

— J'ai pris un verre avec Merriweather, hier soir, en sortant de chez Zhang», poursuit Finn, et ma déception de l'entendre parler de la Résistance au lieu de nous deux se double d'inquiétude. Il ne devrait pas se montrer en public avec Merriweather, c'est trop dangereux. Je me mords la langue pour m'interdire de le lui reprocher. Je n'ai plus ce droit-là avec lui. «Il projette une surprise pour les Frères à l'office de demain.

— L'office de Noël à la cathédrale?» Il confirme et je frissonne intérieurement. La cathédrale Richmond peut accueillir plus d'un millier de fidèles, parmi lesquels figureront une foule de Frères et de résidents des quartiers huppés de New London. En d'autres termes, l'auditoire le moins réceptif possible pour les idées de Merriweather. «Il est fou? Quel genre de surprise? S'ils le prennent…

— Ils ne le prendront pas. » Finn rit sous cape. «Il est bien trop fin matois. Le risque est minime, et la chose devrait faire son effet, je dois dire. Je regrette bien de ne pas pouvoir y assister. Mère n'apprécie pas trop les offices, comme vous le savez. Il faudra que vous me racontiez. »

Alistair est un fin matois, c'est indéniable. Mais également un rien trop sûr de lui. Et s'il présumait de ses forces cette fois-ci? Il y laissera sa peau et nous perdrons un allié précieux.

« C'est quelqu'un de bien, Alistair. Merci de nous avoir présentés l'un à l'autre, reprend Finn en soufflant sur ses mains gantées pour les réchauffer. Vous devriez lire cet article qu'il a écrit sur Yang. Son réquisitoire contre les Frères pour leur incapacité à procurer de meilleurs soins aux déshérités – pour leur favoritisme, leur discrimination – est remarquablement cinglant. Et là-dessus il les brocarde pour leurs accusations ridicules contre les sorcières, quand ils feraient mieux de mettre en place les mesures de prévention élémentaires pour enrayer l'épidémie. Il fait de Mei et de vous de véritables héroïnes. » Il m'observe dans la pénombre. « Vous avez été extraordinaires, vous savez.

— Merci. » Je me sens rayonner. Il commence à descendre les marches et, rassemblant tout mon courage, je sors du sac le stylo-plume dans son écrin. « Attendez. Ceci est pour vous. Ce n'est pas empaqueté – j'ignorais que vous viendriez –, mais…

— Oh. Je… » Il ouvre l'écrin, en sort le stylo. Passe un doigt le long du corps en acajou brillant. « Il est magnifique. Vraiment. Mais moi, je n'ai rien pour vous.

— Ce n'est pas grave. » Je m'éclaircis la voix. « Je n'attendais rien. »

Il pose sa main gantée de cuir noir sur mon bras, et je ne peux m'empêcher de me rappeler la douceur de ce cuir me caressant la joue tandis qu'il m'embrassait, dans le jardin du prieuré. « C'est un étrange Noël, n'est-ce pas ? murmure-t-il. Ce doit l'être pour vous aussi. Ici, au lieu d'être à Chatham, et avec moi tout nébuleux, votre sœur absente…

— Vous n'êtes pas tout nébuleux, dis-je avec force. Vous êtes quand même vous.

— Ce n'est pas l'impression que j'ai. » D'une main hésitante, il glisse le stylo dans sa sacoche. « Et pourquoi Maura n'est-elle pas ici ? Elle n'est pas malade, au moins ?

— Non. » Je me mords la lèvre, songe à ce qu'a dit Marianne. « Franchement, sa présence n'était pas souhaitée.

— Mais c'est Noël ! Vous avez dû vous brouiller gravement pour que… » Il plonge une main dans ses cheveux, ouvre de grands yeux. « C'était à quel propos ? »

Je l'observe attentivement.

« À propos de vous. »

Il empoigne vivement la rampe de fer forgé. Il comprend.

« C'est Maura qui a trafiqué ma mémoire ? »

J'essaie de souffler « oui » ; c'est trop dur. « J'aurais dû vous le dire plus tôt. Simplement, elle est ma sœur, et je crois que je… Je me sentais responsable, d'une certaine façon. Vous ne m'aimez pas, je sais que vous ne m'aimez pas, mais je me disais que peut-être vous pourriez m'aimer de nouveau un jour. Et puis, surtout, vous êtes en danger chaque fois que vous m'approchez. Vous avez le droit de le savoir et de… de prendre vos décisions en connaissance de cause. J'ai des adversaires au sein de l'ordre des Sœurs, des adversaires qui n'hésiteraient pas à s'en prendre à vous pour m'atteindre, moi. »

Quelque part au loin, une cloche sonne l'heure, et Finn marque une pause. *Un.* Il décide que le jeu n'en vaut pas la chandelle. *Deux.* Que moi je n'en vaux pas la chandelle. *Trois.* Pourquoi me ferait-il confiance alors que, moi aussi, je suis capable d'intrusion mentale ? *Quatre.* Alors que je lui ai déjà menti, ne fût-ce que par omission ? *Cinq.* Alors que ma propre sœur est celle qui a endommagé sa mémoire ? *Six.* M'embrasser était une erreur de sa part. *Sept.* Il va me le dire d'une seconde à l'autre.

Je respire un grand coup et prends la parole avant lui. «Je suis désolée, j'aurais dû vous le dire voilà des jours et des jours. Vous devriez vraiment… Finn, vous devriez trouver une fille gentille et ordinaire, et l'épouser. En gros, c'est ce que disait votre mère tout à l'heure.»

Il hésite, ses yeux marron impénétrables derrière ses lunettes.

«Est-ce votre souhait à vous ?»

Je laisse échapper un pauvre petit rire.

«Bien sûr que non. Mais ce devrait être le vôtre. Pour votre salut.

— Sauf que je ne crois pas que ce soit mon souhait non plus.» Sans prévenir, il me prend la main. Là, sur les marches, face à la rue, où n'importe qui pourrait nous voir. «Je crois que j'aimerais autant une fille un peu moins ordinaire. Une fille prête à risquer sa vie pour aider les autres et redresser les torts. Une fille scandaleusement douée pour faire de la magie, pour dispenser des soins – pour embrasser.»

Sur «embrasser», sa voix faiblit et se fait un peu rauque ; je sens que je rougis.

«Ne m'idéalisez pas trop», dis-je, prête à décliner mes défauts, mais il me fait taire d'un doigt de cuir posé sur mes lèvres.

«Chuut, Cate ! Il y a tant de choses dont je n'ai aucun souvenir. Je ne peux pas éprouver ce que vous éprouvez, pas encore, mais si… si vous me donniez le temps de rattraper les choses ?

— Tout le temps que vous voudrez. » Mon cœur s'envole, comme un ballon gonflé de bonheur au point d'éclater. « Je vous dirai tout ce que vous voudrez savoir. Fini, les secrets.

— Je vous prendrai au mot, croyez-moi. Quoique pas ce soir. On gèle, ici. » Il me caresse la joue d'un doigt, et sourit malicieusement, comme s'il savait que ce n'est pas le froid qui me fait frémir. « Cela dit, savez-vous ? j'ai tout de même des souvenirs. Noël dernier, par exemple.

— Noël dernier ? » Je n'y comprends plus rien. Nous nous connaissions à peine.

« Vous étiez venue à la librairie, en quête d'un livre pour Tess. Je vous avais conseillé le *Ramayana*. C'était la première fois que je vous remarquais. La première fois que je pensais à vous embrasser. » Ses yeux se posent sur ma bouche. « Je sais que notre baiser de l'autre soir n'était pas le premier, mais je dois dire… Il a surpassé mes attentes. » D'un bref regard, il inspecte la rue silencieuse, puis se penche et, brièvement, ses lèvres effleurent les miennes, plus furtives qu'un papillon. « Joyeux Noël, Cate. »

C'est le plus beau de tous les présents, celui que je n'espérais pas.

« Joyeux Noël, Finn. »

Au prieuré, surprise : il y a de la lumière et du bruit à foison dans le petit salon de devant ! D'ordinaire, c'est dans le grand salon privé que se réunissent les filles ; il est beaucoup plus confortable.

«Cate! crie Rory depuis la porte. Venez nous rejoindre!

— Punch au rhum?» propose Prue derrière elle, apparemment un peu instable sur ses jambes.

J'accroche ma cape au portemanteau.

«Mais que faites-vous ici? Je vous croyais avec votre frère?»

Prue se rembrunit et avale une gorgée de son breuvage.

«Alistair a refusé de me laisser passer Noël avec lui. Trop risqué, à son avis. Il s'en veut encore pour mon passage à Harwood. Comme s'il avait à me protéger!»

Un chaton blanc minuscule sort de la pièce sur ses petites pattes branlantes, dérape sur le parquet ciré et va s'effondrer contre le mur. Là, il secoue ses fines moustaches et reste planté, l'air perplexe. Vi surgit et le cueille d'une main.

«Cate, Tess, regardez ce que Papa m'a offert!» Elle soulève le chaton dans les airs, puis le serre contre son cœur, radieuse. «Il y en a deux. Celle-ci – je crois que c'est une demoiselle –, je l'appelle Noelle, et son frère, c'est Nicholas. Pas mal pour des chatons de Noël, non? Venez voir!»

Nous la suivons dans le petit salon, où Grace tricote au coin du feu, ses aiguilles lançant des éclairs. Lucy et Bekah jouent avec le deuxième chaton, qu'elles taquinent en lui chatouillant le museau avec un ruban rose. Un saladier en étain trône sur la table basse, à moitié plein d'un liquide au parfum sucré. Rory me tend un verre.

«Mais pourquoi êtes-vous ici? dis-je, rejoignant Sachi sur le canapé.

— Je ne pouvais pas supporter une minute de plus le spectacle de votre sœur traitant tout le monde de haut.

Cela dit, elle est d'excellente humeur, je me demande bien pourquoi.

— Je n'en sais rien non plus. » À vrai dire, j'ai beau penser que c'est Noël et que je ne souhaite pas à Maura d'avoir le cœur lourd, j'espérais vaguement qu'elle regretterait de n'être pas venue avec nous. Je porte le punch à mes lèvres, il fleure bon l'orange et le sucre, et bien sûr un peu le rhum aussi.

« Elena et deux ou trois autres gouvernantes sont à la bibliothèque, en train de boire du vin chaud et de chanter Noël, alors nous sommes venues ici », résume Prue. Ce disant, elle tente un geste théâtral, et le tapis a droit à quelques gouttes de punch. « Livvy joue du piano joliment, mais une fausse note de plus dans ces pauvres cantiques de Noël et je hurle. Je n'ai pas trop l'humeur à la fête.

— Elle est un peu à cran, ça oui, commente Rory trop fort En rogne contre son frère qui la traite comme un bébé.

— On ne changera pas Alistair », fais-je observer, conciliante. À l'évidence, ce n'est pas le moment d'annoncer à Prue que son frère trame quelque chose pour demain.

« Oh, et Alice a envoyé un message. Son père vient de tomber malade, elle reste avec lui ce soir. » D'un doigt machinal, Sachi retrace les fleurs gravées dans son verre. « Cette fièvre gagne du terrain drôlement vite si même les quartiers chic comme Cardiff sont touchés.

— Le prieuré semblait tellement désert ce matin », dis-je, un peu pour moi-même.

La plupart des filles qui le pouvaient sont retournées dans leur famille. Mei passe la journée chez sa tante à l'autre bout de la ville, avec ses petites sœurs. Pearl et Addie ont pris le train pour la Pennsylvanie, où les parents d'Addie ont une ferme, et Rilla est partie ce matin pour le Vermont. Avant son départ, elle a interviewé Livvy et Caroline sur leur séjour à Harwood – et m'a expressément chargée d'observer les réactions de Merriweather à la lecture de son premier article.

Je regarde Tess caresser le deuxième chaton, qui se tortille comme un ver. Non loin d'elle, Prue s'est allongée sur le tapis. Je me demande où est son frère ce soir. Elle doit lui manquer. Si condescendant et imbu de lui-même soit-il, Merriweather a du cœur. Il aime sa sœur ; il veut la protéger. C'est une chose que je comprends.

« Jennie Sauter et une autre des nouvelles ont fugué », annonce Rory. L'un des chatons part en flèche dans l'entrée, Tess et Lucy s'élancent derrière lui.

« Pourquoi ? dis-je, avalant une petite gorgée de punch. Jennie n'avait pas l'air si malheureuse ici. »

Rory hausse les épaules.

« Le mal du pays, peut-être. Envie de retourner chez elles. Après tout, c'est Noël. Si vous avez quelque part où aller… Vous ne souhaiteriez pas être à Chatham, vous ? » Ses yeux bruns sont tristes. Pense-t-elle à sa mère alcoolique ? À son beau-père décédé, qui semble avoir été un brave homme ? Elle regarde le plateau vide sur la table basse. « Je vais chercher un peu plus de gâteau. »

Je me tourne vers Sachi. Ses parents lui manquent-ils, à elle aussi ?

« Ça va ? me demande-t-elle, rajustant sa robe – rose fuchsia vif à pois turquoise. Finn doit vous manquer.

— En vérité… » Je me lance dans le récit de notre réconciliation. J'en arrive à la demande qu'il m'a faite de lui accorder du temps lorsque Lucy fait irruption dans la pièce.

« Cate ! Vite ! C'est Tess ! »

Je me précipite, toutes les filles à ma suite. Tess est effondrée sur le premier palier, petit tas de brocart vert et de boucles blondes.

« Qu'est-ce qu'il y a ? Que s'est-il passé ? »

Au moins, cette fois, elle ne pleure pas ; mais elle est livide et tremble comme une feuille.

« Le… le chaton », balbutie-t-elle, désignant la petite boule blanche au pied de l'escalier.

Vi s'agenouille et ramasse le chaton tout doucement. Mais il ne gigote pas, ne miaule pas, ne lui lèche pas la main de sa minuscule langue râpeuse. Il ne fait rien. Mon cœur tombe comme une pierre.

« Il était mort, pleure Tess. Je l'ai pris dans mes mains et il était tout.. tout brisé, couvert de sang. » Elle est secouée de frissons.

Les grands yeux à reflets violine de Vi sont noyés de larmes qu'elle refoule vaillamment.

« Il est bien mort, dit-elle, mais… » Ses mains explorent la fourrure blanche, immaculée. Il n'y a pas de sang, pas de blessure. Rien que cette évidence : sa petite tête qui pend, inerte.

« Elle l'a laissé tomber ! » assure Lucy. Elle essuie ses larmes d'un revers de bras et respire un grand coup. « Elle l'a pris dans ses mains, comme ça, et puis… elle l'a laissé tomber du haut de l'escalier.

— Il était déjà mort ! » proteste Tess. Elle se redresse,

s'agrippe à la balustrade de bois. «J'ai cru… Il avait l'air mort. Et j'avais du sang plein les mains.»

Pour prouver ses dires, elle lève ses mains. Immaculées.

«Lucy, dis-je, vous avez vu l'illusion?

— Non, répond Lucy, secouant ses tresses en signe de dénégation.

— Rien du tout? Il n'y avait personne d'autre avec vous?

— Je ne crois pas.» Lucy tord ses mains potelées. «J'ai levé la tête quand j'ai entendu Tess crier, mais à ce moment-là elle l'a lâché, et il était trop tard. Ensuite, j'ai couru en bas.

— J'ai vu le sang! insiste Tess, descendant vers nous sur des jambes tremblantes. Je jure que je l'ai vu! Je ne l'invente pas, et je ne suis pas folle!

— Bien sûr que non! s'indigne Bekah.

— Vi! implore Tess. Je suis… je suis désolée.

— Je sais», souffle Vi, les yeux sur le chaton mort entre ses mains. Elle évite de croiser le regard de Tess.

Bekah enlace Tess par l'épaule et l'entraîne. «Venez, retournons au salon.»

Sachi s'approche de Vi et lui dit doucement: «Donnez-le-moi, voulez-vous?» Vi caresse une dernière fois la petite tête plate du chaton et le lui remet à contrecœur, les joues trempées de larmes. «Prenez Noelle, lui souffle Sachi, et emmenez-la dans votre chambre. Je m'occupe de lui.»

Vi et Sachi s'en vont, chacune de son côté, mais Lucy s'attarde sur la dernière marche. Je l'interroge: «Il y a autre chose?»

Elle triture l'une de ses nattes.

«Je ne voudrais pas être une rapporteuse.

— S'il s'agit de Tess, il faut que je sache. Pour veiller sur elle.

— Elle m'inquiète un peu, murmure Lucy, les yeux baissés. Mardi, nous montions dans ma chambre pour qu'elle m'aide à faire ma version latine, et elle m'a juré qu'elle entendait de la musique. » Je m'appuie contre la rampe. Je redoute le pire. « Une marche funèbre. Sauf que je n'entendais rien. Je suis même redescendue, voir si Livvy était au piano, mais non, rien, personne. Et puis, hier matin, elle m'a demandé de venir l'aider à arranger les plis à l'arrière de sa robe. Elle se regardait dans le miroir quand elle s'est mise à crier. Elle disait… elle disait que le devant de sa robe était couvert de sang. Elle l'a arrachée et jetée au feu. J'ai voulu l'en empêcher, mais… »

Ma main vole sur ma bouche.

« Il n'y avait que vous deux ? Personne d'autre n'a rien vu ?

— Non. Mais tous ces… épisodes ont quelque chose en commun, vous ne trouvez pas ? chuchote Lucy, l'air effaré. C'est comme si elle avait une idée fixe, comme si elle pensait sans arrêt à… »

Elle se tait. Je complète : « À la mort. » Intérieurement, je tremble. Est-ce ainsi que débute la folie ? Est-ce ainsi que tout a commencé pour les autres sibylles ? « Il ne faut rien dire à personne, Lucy, vous m'entendez ? Je m'en occupe. Promettez-le-moi. »

Lucy se fait plus grave encore.

« Promis. »

Chapitre 15

Peu avant l'aube, je frappe doucement à la porte de Maura.

Elle vient l'entrouvrir.

« Qu'est-ce qu'il y a ? Parvati dort encore. »

D'un doigt, je lui fais signe de sortir. « J'ai à te parler. »

Elle sort sur la pointe des pieds, referme sans bruit la porte derrière elle. Sa chevelure rousse tombe en cascade jusqu'à sa taille. Elle est déjà habillée – d'une robe de laine noire à col de fourrure, avec de gracieuses manches gigot.

« Je croyais que Tess et toi ne vouliez plus avoir affaire à moi. »

Je ne sais que répondre. Nous sommes sœurs. J'ai beau lui en vouloir, cela n'y change rien. Je suis restée éveillée une bonne partie de la nuit, à me rendre malade au sujet de Tess. Et si ses pires craintes se réalisaient, si elle était bel et bien sur la pente de la folie ? Dans le cas de Brenna, c'était Alice, pour une large part, qui avait délabré ses facultés, en pratiquant une intrusion mentale désastreuse. Mais Brenna n'était pas la seule sibylle à avoir perdu la raison. Et Tess – Tess à l'esprit si vif, si brillant, si curieux –, peut-elle supporter seulement cette hantise ?

Tess a vu quelque chose, ce quelque chose dont Brenna redoutait qu'il la briserait. Quelque chose dont Tess m'a confié qu'elle ne pourrait pas en garder le secret éternellement. Aurait-elle entraperçu sa future descente aux enfers?

«C'est à propos de Tess, dis-je enfin. Es-tu absolument certaine qu'Inez ne la terrorise pas?»

Maura pousse un soupir appuyé.

«Je te l'ai dit: ce n'est pas elle. Qu'est-ce qui s'est passé encore? Quelque chose de grave, pour que tu te tournes vers moi.

— Tu m'as demandé toi-même de venir vers toi. Mais d'abord tu dois me promettre… Maura, avant que je te dise quoi que ce soit, jure-moi que tu n'en diras rien à Inez. Que tu n'en diras rien à personne. Jure-le sur la tombe de Mère.

—Seigneur», souffle Maura. Elle sait que l'affaire est grave, pour que j'invoque notre mère. «Bon, entendu. Je jure sur la tombe de Mère que je ne révélerai à personne ce que tu vas me raconter là. Ça te va?

— Merci.» Frénétiquement, je fais tourner autour de mon doigt la bague de Mère, évitant le regard de Maura. «Il y a eu de nouveaux épisodes. Plusieurs, maintenant. Et je commence à craindre que tout se passe dans sa tête.

— Autrement dit, qu'elle soit en train de perdre les pédales», formule Maura, choisissant les mots que je m'interdis.

Je m'adosse contre le papier peint à fleurs vertes.

«Je ne sais plus que faire. Elle doit être terrorisée.

— Je le serais à sa place, murmure Maura – et ses épaules s'affaissent.

— Moi aussi. » En réalité, je suis si bouleversée que je n'ose même pas l'imaginer. « Nous devons veiller sur elle, sans le laisser voir. Elle a besoin de nous.

— De nous ? Tu veux que nous unissions nos forces ? Entends-tu par là que tu es prête à passer l'éponge ? »

Je serre les dents.

« Je suis prête à essayer d'œuvrer avec toi. Pour Tess. »

Elle rit, de son petit rire nouveau, haché, cassant.

« Que c'est grand de ta part ! Cate, est-ce que tu t'entends, seulement ? Combien tu es condescendante ?

— Qu'espères-tu ? Tu m'as effacée ! » Je sens ma magie bouillir en moi, mes mains en tremblent. Je les noue derrière mon dos. « Peut-être que si tu me présentais tes excuses... »

Son regard bleu croise le mien.

« Non. »

J'en suis suffoquée. Non ? Je lui offre un rameau d'olivier et elle le piétine ?

Je fais tout ce que je peux, pourtant. J'essaie, et j'essaie encore, et même après avoir juré que c'était fini, que je n'essaierais plus, je recommence.

Elle ne me dira pas qu'elle regrette parce qu'elle ne regrette pas. Le mensonge par politesse n'est pas son genre. Elle n'a jamais eu mes scrupules concernant l'intrusion mentale, n'y a jamais vu un tort ni un mal. Elle en a usé sans hésiter sur Père et sur les O'Hare. Ses amies, Finn, les Frères du Conseil suprême : tous ont pâti de son absence totale d'empathie. Elle n'hésiterait pas à...

Une nouvelle pièce du puzzle se met en place.

« Maura, qu'as-tu fait à Jennie Sauter ? »

Elle croise les bras sur sa poitrine et ironise : « Elle a fugué. Avec Elsie. Tu n'es pas au courant ?

— Fugué, vraiment ? Ne me mens pas. » Je lisse ma jupe de mes mains tremblantes.

Elle a un brusque mouvement de tête et ses boucles dansent.

« Elles ne sont pas sorcières, Cate. Les avoir ici nous mettait toutes en danger. Je n'ai fait que corriger ton erreur. »

La fureur bouillonne en moi, mais je la contiens comme je peux.

« Si quelqu'un les reconnaît, si elles se font arrêter, elles seront exécutées sans procès. Y as-tu pensé ?

— Nous n'avons effacé leurs souvenirs que pour ces dernières semaines, à partir de leur évasion de Harwood. Elles ne sauront pas comment elles en sont sorties, mais elles se souviendront de là-bas suffisamment pour être très prudentes », explique Maura, d'un ton qui laisse entendre qu'à son avis elle a agi avec une grande générosité.

« Et qui donc est nous ?

— Parvati et moi. D'ailleurs, elle avait besoin de s'exercer. » Elle lève le menton haut, devance mon explosion. « Je ne renie rien de ce que j'ai fait. Ni à ces filles, ni aux Frères. Ni à Finn. Je ne regrette rien, alors tu n'as pas besoin de prendre tes grands airs ni de me juger.

— Mais je te juge ! » Cela m'a échappé. « Si Mère te voyait, elle aurait honte de toi ; autant que j'ai honte de toi. »

Elle a un sursaut de recul comme si je l'avais frappée.

« Comment oses-tu parler à sa place ? Crois-tu qu'elle serait fière de toi, qui me laisses tomber pour un homme ? Un homme qui ne se souvient même pas de toi, en plus ?

Quel grand amour, vraiment, pour qu'il t'ait oubliée si facilement!»

Je me jette sur elle. Dans mon aveuglement, j'oublie toute magie et me contente de la plaquer contre le mur comme je l'aurais fait, enfant. Et tant pis si nous réveillons tout le couvent.

«Qu'est-ce qui vous prend, vous deux?» chuchote Elena avec force, comme surgie de nulle part. Elle empoigne Maura par un bras et la fait virevolter d'un coup sec. Ses yeux lancent des éclairs, tout son corps délicat vibre, sous tension. Je ne l'ai jamais vue dans cet état. Pas même lorsque je lui ai menti à propos de mes dons d'intrusion mentale. Pas même lorsque je l'ai congédiée et mise à la porte de chez nous.

Elle dévisage Maura d'un air féroce.

«J'ai entendu ce que vous avez dit, Maura. Il ne vous suffit pas de lui avoir fait cela, il faut encore que vous vous en vantiez?»

Qu'elle prenne ma défense fait redoubler ma fureur. Des souvenirs me reviennent, que j'aimerais mieux oublier.

«Vous pouvez parler!» dis-je, et ma voix se brise. «Vous avez été la première, un jour, à envisager de manipuler Finn. Peut-être même est-ce de là que Maura tient l'idée.»

Elle me jette à peine un coup d'œil.

«Je ne l'aurais jamais fait, Cate. C'était une menace en l'air.»

Je voudrais l'empoigner, la secouer à faire s'entrechoquer ces jolies petites dents de nacre. En matière de menace, c'était joliment convaincant. Assez pour me pousser à annoncer le lendemain, devant tout Chatham, que je rejoignais l'ordre des Sœurs – au lieu d'épouser Finn.

Dieu du ciel, où serais-je si elle n'avait pas menacé de s'en prendre à Finn? Mariée. Heureuse. Tout cela est sa faute, autant que celle de Maura. Sa faute, et celle de Cora, et je..

Je respire profondément, sentant mes pouvoirs monter comme l'orage. Il ne faut pas que je perde le contrôle, sans quoi j'ignore jusqu'où j'irai. Ce ne sera pas anodin, rien à voir avec une pluie de plumes. Si je perds le contrôle maintenant, il y aura du sang.

Je les vois trop bien, elle et Maura, comme soulevées par une tornade, emportées à travers le vitrage coloré de la fenêtre pour retomber sur le dallage, deux étages plus bas. Je les vois heurter le sol comme des sacs de farine, la chevelure de Maura et la robe corail d'Elena éclatantes sur le tapis de neige tombé dans la nuit. Je vois leurs corps reposer dans d'étranges positions, leurs membres formant des angles inattendus.

Un bref instant, la violence de cette vision m'aveugle. Puis je bats des paupières et refoule ma magie vers les profondeurs de mon être.

Non, ce n'est pas ce que je veux…

Était-ce à cela que songeait Brenna lorsqu'elle m'a dit, voilà des semaines, qu'un jour je donnerais la mort – moi qui pourtant, du fond du cœur, étais prête à jurer que jamais, jamais je ne pourrais faire mal à l'une de mes sœurs?

À l'instant même, je le pourrais.

« Il faut que ça cesse, Maura, siffle Elena. Cora vous aurait mise à la porte pour moins que cela.

— Cora est morte. » La voix de Maura est désinvolte, son regard ne l'est pas. « Une chance pour moi, j'imagine.

— Que je vous entende lui manquer de respect… ! » Elena est plus petite que Maura, et cependant elle parvient à la toiser. « Cora m'a recueillie à la mort de mes parents. C'était une femme de cœur.

— Meilleure que moi, marmonne Maura.

— Meilleure que vous et moi réunies. Maura, ne laissez pas Inez vous…

— Inez me fait confiance. » Adossée au mur, Maura se veut indifférente, mais sa respiration s'est accélérée. L'épisode la perturbe plus qu'elle ne veut l'admettre. « Et je sais pourquoi vous la détestez. Vous espériez prendre la succession de Cora. Vous avez toujours été ambitieuse.

— Oui, et pour cette raison j'ai commis des erreurs. J'ai blessé des êtres à qui je tenais. » Elena tend le bras, referme doucement la main sur la manche noire de Maura. « Je suis désolée, Maura. Je n'aurais jamais dû vous mentir, jamais dû prétendre que ce baiser ne signifiait rien, alors que si, pour moi, il signifiait quelque chose. »

Maura hésite. Elle dévisage Elena.

« Pourquoi faites-vous cela ? » Son regard brûle de méfiance. Elena est si jolie, avec sa peau mate mise en valeur par la soie corail de sa robe et ses anglaises brunes parfaites. « Pourquoi maintenant ? Vous ne m'avez pas parlé de cette façon depuis une éternité.

— Parce que vous m'aviez amplement fait comprendre que vous n'aviez plus rien à faire avec moi, répond Elena. Je me disais qu'il vous fallait du temps. Mais ce n'est plus possible. Effacer les mémoires des membres du Conseil ;

vous en prendre à Finn ; jeter Jennie dans les rues : ce n'est pas là la fille que j'aimais. Je tiens trop à vous, Maura, pour vous laisser continuer dans cette voie. »

Je recule dans l'embrasure de la porte voisine. C'est exactement ce qu'il ne fallait pas dire. Maura va dédaigner « la fille que j'aimais » et n'entendre que…

« Me laisser ? raille Maura. Ce n'est pas comme si j'avais besoin de votre permission ! Vous avez choisi Cate et non pas moi, vous l'oubliez ? Vous avez renoncé à tout droit d'influer sur mes décisions. »

Elena me jette un coup d'œil furtif. Ma présence ne facilite les choses ni pour l'une ni pour l'autre.

« La relation que j'ai avec Cate n'a rien à voir avec celle que j'ai avec vous. Et si vous n'étiez pas si absorbée par cette rivalité perpétuelle qui vous oppose, vous le verriez fort bien. Pour l'amour de Perséphone, Maura, pourquoi croyez-vous que je suis ici, en ce moment même, comme une idiote ? C'est pour vous, Maura. Vous seule comptez à mes yeux. Et vous êtes la seule à être trop bête pour ne pas vous en apercevoir. »

Sur ce, Elena glisse sa main derrière la nuque de Maura, elle attire son visage vers le sien et l'embrasse. Maura semble éberluée, ses yeux se font immenses. Éberluée, mais comme affamée. Ses paupières se ferment, ses lèvres se tendent…

La fureur me reprend. Tout un pan de moi voudrait hurler, cogner. C'est trop injuste. Après ce qu'elle m'a enlevé !

Mais peut-être aussi est-ce la seule chose qui puisse la sauver.

Et Elena est devenue une amie.

À pas de loup, je regagne ma chambre et ferme la porte.

Une demi-heure plus tard, je suis de retour dans le couloir et frappe du poing contre une autre porte.

Sachi vient m'ouvrir. Elle aussi est déjà tout habillée, d'une robe en pied-de-poule noir et blanc, festonnée de dentelle noire. «Rory et Prue dorment encore… chuchote-t-elle, puis elle s'alarme en me voyant marcher vers la fenêtre. Qu'est-ce qui se passe?»

J'ouvre les rideaux d'un coup sec. Le pâle soleil de décembre se déverse dans la chambre. Prue s'assied dans son lit et cherche à tâtons ses lunettes.

«Ma sœur est un monstre», leur dis-je.

Rory sort de ses couvertures une tête ébouriffée.

«Vous nous réveillez pour nous annoncer ça? On est déjà un peu au courant, Cate. Allez vous recoucher.

— Impossible. Il faut que j'aille à l'office.» J'arpente leur chambre en long et en large, enjambant allègrement jupons, ballerines, livres et magazines qui traînent par terre. C'est un soulagement d'être ici, après avoir tourné en rond dans ma chambre pendant un long moment, attendant une heure décente pour venir les réveiller. «Mais j'ai autre chose à vous dire. D'après Finn, Alistair mijote je ne sais quoi et j'ai peur qu'il se fasse arrêter. En tout cas, Prue, vous comprendrez qu'on ne peut pas vous laisser ici toute seule. Il faut quelqu'un pour veiller sur vous en permanence, du moins jusqu'à ce qu'on ait des nouvelles de votre frère. Ensuite, il voudra vous avoir auprès de lui, dès l'instant où il découvrira que vous n'êtes pas en sécurité ici.»

Prue pose ses pieds nus sur le plancher.

« Pas en sécurité ici ? »

Mais sa voix est couverte par celle de Sachi, qui met fin à mes déambulations en m'attrapant par un bras.

« Cate ! Je ne comprends rien à ce que vous racontez, et en plus vous me donnez le tournis. Qu'a fait Maura cette fois ? »

Je m'efforce de mettre de l'ordre dans mes pensées. Je suis allée trouver Maura dans l'espoir qu'elle m'aiderait, pour Tess, mais comme à son habitude elle a retourné la situation. Et je m'inquiète de ce qu'elle et Parvati pourraient encore inventer. À qui vont-elles s'en prendre à présent ? Je crains que leur prochaine victime soit assise là, en face de moi, sur son lit d'appoint.

« Jennie et Elsie n'ont pas fugué comme ça, sur un coup de tête », dis-je d'une voix tendue. J'ai honte de faire cette révélation à voix haute. Ma propre sœur. Comment a-t-elle pu ? « Maura et Parvati ont effacé leur mémoire et les ont mises dehors. Elles se méfient de quiconque n'est pas sorcière. Je ne jurerais pas que Maura ne va pas se tourner contre vous ensuite, Prue. Nous venons d'avoir une méchante prise de bec, et si elle veut se venger de moi…

— Elle s'attaquera à n'importe laquelle de vos amies sans se gêner, complète Rory, s'extirpant de son lit. Cate, votre sœur est une peau de vache. »

Je m'effondre sur le tabouret de leur coiffeuse.

« Je sais. »

Prue se lève résolument.

« Bien, j'ai compris. En route pour l'office. » Elle se dépouille de sa robe de nuit, farfouille dans l'armoire. Elle n'a pas beaucoup grossi, depuis sa sortie de Harwood. À travers la mousseline de sa chemise, on pourrait compter ses vertèbres.

«Pour l'office? dis-je. Je ne crois pas que ce soit sage. Si quelqu'un vous reconnaissait? Et malgré mes progrès en sortilèges d'illusion, je ne suis pas sûre de pouvoir vous maintenir déguisée tout le temps d'un office.» Surtout après avoir si peu dormi, et avec le mal que j'ai à me concentrer, furieuse que je suis contre Maura, et anxieuse pour Tess, et soucieuse pour Merriweather. «Non, vous serez mieux ici, avec Sachi et Rory.

— Est-ce si sûr?» demande Sachi, qui a pris la relève de mes déambulations. Dans ses bas de soie noire, ses pieds semblent chuchoter sur le parquet ciré. «Parvati ne peut pas aller à l'église. Et si elle décidait de s'en prendre à Prue? Elle pourrait nous contraindre à ne pas intervenir et je ne vois pas ce que nous pourrions faire.»

Prue a enfilé sa robe noire. Elle présente son dos à Sachi et la prie, d'un signe, de la lui agrafer.

«Mon frère est malin, dit-elle, mais il n'est pas infaillible. Et cette église va pulluler de Frères. Si c'était votre sœur qui courait un risque pareil, vous iriez là-bas, non?»

Elle a frappé juste. Je ravale un soupir.

«Bien. Je vais demander un coup de main à Tess pour vous dissimuler sous une illusion.»

Une fois de plus, Sachi m'attrape par la manche.

«Je sais que Maura est votre sœur, Cate, mais si elle fait du mal à Prue, elle en répondra devant moi.

— Je ne la laisserai pas faire.»

J'espère qu'au moins je dis vrai.

Malgré les mises en garde de la *Gazette* concernant l'épidémie, la cathédrale Richmond est bondée. L'office de Noël est celui où l'on célèbre pieusement la naissance du Seigneur – tout en se faisant voir dans ses plus beaux atours. L'air est lourd de parfums mêlés, eau de rose, lavande, verveine citronnelle… Les filles agitent élégamment leurs mains gantées de satin, les mères rejettent leurs cheveux en arrière pour exhiber leurs riches clous d'oreille, les messieurs tirent de leur poche à chaque instant leurs belles montres de gousset.

«Je ne le vois pas», murmure Prue, anxieuse. Nous avons attendu la dernière minute pour aller nous asseoir, afin qu'elle puisse chercher des yeux son frère à travers la foule.

«Il a peut-être changé d'avis, lui dis-je.

— Lui? Ça m'étonnerait.»

Nous nous engageons dans l'allée centrale, mais une vieille femme en fourrure blanche me bouscule et je trébuche, puis me rattrape au bras de Prue. Un quart de seconde, ma concentration faiblit. Mais c'est assez : sa main que j'avais faite potelée redevient une pauvre main maigre, aux ongles abîmés par la malnutrition.

«Ça va? me demande-t-elle.

— Pas de problème.» Elle n'a rien vu, et je répare le dommage aisément. Ses doigts redeviennent roses et lisses. Je m'interdis de m'alarmer. J'avais espéré l'aide de Tess, mais elle n'est pas venue, pour finir. D'après Vi, elle est restée debout la moitié de la nuit, à pleurer la mort du chaton.

Nous nous dirigeons vers les bancs qu'occupent habituellement les Sœurs. Maura est assise sur le banc de devant avec Inez, mais je ne vois Elena nulle part. Cela ne lui ressemble pas de manquer l'office. Il faut préserver les apparences, dirait-elle elle-même. Nous autres Sœurs sommes censées être dévotes.

J'effleure l'épaule de Sœur Celeste, l'une des gouvernantes. « Avez-vous vu Elena ?

— Elle est partie à l'autre bout de la ville. Sa tante est tombée malade. »

Damnation. Je remercie Celeste et maudis intérieurement la tante d'Elena. L'office va commencer. Il n'est plus question de ressortir. Je fais signe à Prue d'aller s'asseoir sur le dernier banc, à côté de Lucy.

Lucy me jette un regard interrogateur. Qui est cette inconnue ?

« Je vous présente Lydia », dis-je très bas, mais Lucy ne jette qu'un coup d'œil distrait à la jolie blonde aux yeux dorés et aux joues rondes comme des pommes qui vient s'asseoir à côté d'elle – et qui ne ressemble en rien à Prue Merriweather. J'aurais dû opter pour une illusion moins compliquée. Mais je ne pouvais pas savoir que je serais seule à m'efforcer de la maintenir.

Je lève les yeux vers la voûte, prie le ciel de m'en accorder les moyens.

Frère O'Shea monte sur l'estrade, son long visage chevalin plus austère que jamais. Il nous souhaite à tous un joyeux Noël. Sur sa demande, nous prenons les livres de prières rangés dans les casiers à l'arrière de chaque banc. J'ouvre le nôtre, une feuille volante s'en échappe et tombe au sol. Prue la ramasse et je lis avec elle, tandis que nos voisins, qui ont fait la même découverte, se plongent dans la même lecture.

Des documents en provenance de l'hôpital Richmond confirment qu'au cours de la semaine passée la fièvre des estuaires a fait plus de trois cents morts. Notre dernière édition de la Gazette *priait instamment l'ordre des Frères d'annuler tous les offices et rassemblements publics jusqu'à la fin de l'épidémie. Nous avons appris que* The Sentinel *s'apprête à publier un article nous accusant de faire du journalisme de caniveau et de chercher à soulever les foules contre l'ordre des Frères. Soulignons cependant que c'est* The Sentinel *qui a préféré attribuer aux sorcières la responsabilité de l'épidémie plutôt que de diffuser les mesures sanitaires préventives. L'auteur de ces lignes a été témoin d'une guérison de cette fièvre maligne effectuée par des sorcières – celle d'un jeune garçon, fils d'un très modeste tailleur, que l'hôpital avait refusé d'accueillir. L'ordre des Frères a minimisé l'épidémie parce qu'elle est apparue dans les quartiers du fleuve, dont les habitants ne contribuent pas à remplir ses coffres. Le refus des Frères de mettre en place des hôpitaux temporaires, ainsi que de fournir des remèdes et des infirmières destinés aux plus démunis, a favorisé la propagation de cette fièvre, qui sévit à présent jusque dans les quartiers aisés. Si j'imprime ici des mensonges, comment se fait-il que tant d'entre vous, sur les bancs de cette église, soient pris de quintes de toux ?*

Avec tous nos vœux pour un Noël heureux et en bonne santé,
Alistair Merriweather
Éditeur et rédacteur en chef, New London Gazette

Prue et moi échangeons un regard. Elle a la lèvre inférieure qui tremble.

Plus grand monde ne prête attention à Frère O'Shea. Un murmure parcourt l'assistance, pareil à une houle. Le prêche est ponctué de quintes de toux qui éclatent ici et là, une vilaine toux aboyante et saccadée. Chaque fois, les têtes se tournent pour localiser le coupable, et les voisins du tousseur s'écartent du mieux qu'ils peuvent.

Cette idée de glisser des tracts dans les livres de prières me paraît plutôt brillante. Rilla va bien regretter de n'avoir pas été ici.

L'office ne s'en poursuit pas moins, lent, interminable. O'Shea semble totalement inconscient des préoccupations de ses ouailles. Il relate la naissance du Seigneur, puis se lance dans un long sermon sur la nécessité d'accepter de bon cœur les épreuves et les deuils. À sa manière, il critique ceux qui se plaignent de souffrir ou qui rechignent à sacrifier leurs enfants.

Je me relève et me rassieds, docile, chaque fois que cela nous est demandé, je marmotte les chants et les répons. Une heure passe, puis deux, pieusement égrenées par le clocher. Frère Ishida, de Chatham, a beau avoir bien des défauts, lui au moins ne nous a jamais imposé un sermon de Noël aussi filandreux. Devant nous, à deux rangées de distance, je vois la tête chenue de cette pauvre Sœur Evelyn dodeliner comme un pissenlit en graine. Ici et là, des ronflements sonores et des pleurs d'enfants excédés se mêlent aux quintes de toux. Maintenir l'illusion qui déguise Prue en blonde plantureuse devient un exercice d'endurance, et moi aussi je crie grâce.

Enfin, O'Shea entame le rituel qui conclut l'office.

«Purifions nos esprits et ouvrons nos cœurs au Seigneur!

— Nous purifions nos esprits et ouvrons nos cœurs au Seigneur», lui font écho les fidèles, et instantanément ils se lèvent, s'étirent et bâillent à l'envi, bouche close ou non. Dans les familles, on réveille les aïeux et les tout-petits.

«Allez en paix au service de Dieu, achève O'Shea, levant la main en signe d'au revoir.

— Grâces Lui soient rendues.»

Le soulagement se lit sur tous les visages, même ceux des Frères en noir alignés dans le chœur – contraints de passer Noël à New London, loin de leurs familles, à cause de cette interminable réunion du Conseil national.

Et c'est la ruée vers les portes du fond, par où s'effectue la sortie, dans une bousculade sans merci plutôt qu'en bon ordre comme le voudrait l'esprit de charité. Le dallage de marbre est jonché de tracts plus ou moins froissés, mais il semble que le texte ait produit son effet, si l'on en juge par la hâte des fidèles à s'éclipser.

Je me tourne vers Prue – toujours aussi blonde et ronde. «Attendons un instant que le gros de la foule s'écoule.»

Les autres Sœurs se dirigent vers la sortie sans un regard en arrière, pressées de regagner le prieuré et de briser le jeûne. Seuls les plus pieux des fidèles s'attardent sur leur banc, le front baissé, en prière. Sur l'estrade, les Frères ont rompu les rangs. J'attends patiemment, et laisse à présent les plus âgés des fidèles cheminer à petits pas le long de l'allée, s'aidant de leur canne.

À peine me suis-je extraite de notre rangée qu'une voix

me siffle à l'oreille : « Ah ! vous êtes là ! Je vous attendais dehors depuis un siècle. »

Alice. Sa cape entrouverte laisse voir qu'elle porte encore sa tenue de réveillon – une robe améthyste au décolleté carré un peu osé pour une Sœur. De fins cheveux dorés échappés de son chignon retombent en vrilles sur ses tempes, et des cernes sombres lui font un regard tragique.

Je lui demande à mi-voix : « Quelque chose ne va pas ? » Ce doit être grave pour qu'elle se laisse voir dans cet état.

« Mon père. Il est malade. Plus un seul domestique à la maison : ils ont eu trop peur que ce soit cette fièvre, et je ne sais plus que faire. Il n'est pas facile à vivre, je les comprends un peu d'être partis. Mais il est tout ce qui me reste au monde et je suis tout ce qui lui reste à lui. Je ne vais pas l'abandonner.

— Bien sûr que non. » À ma surprise, j'ai de la peine pour elle. « Il est très malade ?

— Il a eu des sueurs froides toute la nuit. Je n'ai pu lui faire avaler qu'une ridicule gorgée de bouillon. C'est cette fièvre des estuaires, j'en suis sûre. Dans notre rue, en allant chez nous, j'ai vu le ruban jaune sur quatre portes. » Elle baisse la voix. « J'ai entendu dire que des gardes passent et les arrachent. Mais pourquoi ? Les Frères ne veulent donc pas enrayer l'épidémie ?

— Ils veulent surtout que les gens ne sachent pas qu'elle atteint les beaux quartiers comme Cardiff. » En pensée, je revois cette riche malade, à l'hôpital. « Tant que le mal ne touchait que les alentours du port, personne ne s'en souciait. Les gens aisés vont se retourner contre O'Shea pour n'avoir pas mis le quartier du fleuve en quarantaine. Et maintenant il est trop tard. »

Dans ma tête défilent des images d'une ville ravagée par la maladie. Des boutiques qui ferment, des gens sans emploi. Des pères de famille cloués au lit durant des semaines et des familles affamées.

« Dans *The Sentinel*, ce matin, chuchote Alice, O'Shea répète que ce sont les sorcières qui répandent ce fléau. Il assure que la *Gazette* ne cherche qu'à ameuter les populations.

— C'est ce que j'ai compris. » Je lui tends le tract de Merriweather.

Mais si les efforts de Merriweather ne suffisent pas ? Les cercueils vont de nouveau s'entasser dans les cimetières. Je ne peux pas sauver tout le monde. Déjà, j'ai cru ne pas parvenir à arracher Yang à ce mal. Je ne pourrai que regarder les gens mourir.

J'ai déjà vu trop de gens mourir.

Mère. Son visage exténué ; son corps boursouflé par l'enfant qu'elle portait ; ses yeux bleus sur moi, tirant de moi des promesses que je ne pouvais tenir. Zara. Je respire encore son haleine à odeur de sang, je retrouve la sensation de sa peau brûlante contre la mienne, je l'entends me supplier de l'aider à mourir. Et cette ancienne détenue de Harwood, celle qui avait perdu son nouveau-né. Cette image me revient, trop forte – ses cheveux blonds poissés de sang tandis que la vie s'écoule d'elle et suinte sur le pavé.

Tout à mes pensées, je m'avise soudain que Frère O'Shea descend l'allée centrale de son pas olympien, entouré de son auguste suite. Ici et là, ils s'arrêtent pour saluer leurs paroissiens aisés, qu'ils bénissent et rebénissent pieusement. L'un de ceux-ci, en costume chic, prononce quelques mots qui les font glousser. O'Shea ne semble certes pas accablé par le poids de sa charge, non plus que par les centaines de malades en train de mourir, dans cette ville, d'un mal contre lequel il ne fait strictement rien. Si ce n'est d'en rejeter la faute sur nous, sorcières.

À notre hauteur, il s'immobilise et nous dédie son sourire de cobra.

«Joyeux Noël, mes Sœurs!»

Prue et Alice s'agenouillent prestement. Je renâcle. M'agenouiller devant cet homme? L'idée me lève le cœur. Je ne veux pas qu'il me touche. Il a condamné sans état d'âme Sachi, Rory et Prue. Il nous ferait toutes exécuter, s'il savait qui nous sommes. Il se délecterait de nous voir pendre au bout d'une corde.

Pour l'heure, il me dévisage de ses yeux pâles.

«Sœur Catherine, n'est-ce pas?»

Je serre les dents et m'agenouille. Il bénit Prue, bénit Alice, puis il pose sur mon front ses doigts boudinés, moites de sueur. Et dès l'instant où il me touche, oh! je perçois son mal de tête. Il souffre d'une méchante céphalée. Peut-être n'est-il pas si indifférent qu'il feint de l'être au tract de Merriweather. Je sens ma magie frémir en moi, prête à entrer dans la danse.

Si quelqu'un mérite de souffrir, c'est bien lui, qui parle avec tant de légèreté de la souffrance des autres.

«Que le Seigneur vous bénisse et vous garde, ce jour et tous les jours de votre vie», marmonne-t-il avec componction – et je lui souhaite exactement l'inverse.

«Grâces Lui soient rendues», dis-je dans un murmure. Et toutes mes fibres de magie se mobilisent. Son mal de tête redouble et irradie. Il recule d'un pas.

Ce n'est pas assez. Je voudrais que son crâne éclate.

Je ne savais pas que je contenais en moi pareille violence.

«Frère O'Shea, dit quelqu'un, vous ne vous sentez pas bien?»

J'éprouve une vive satisfaction – en même temps qu'un vertige soudain. Ma vue se brouille.

«Cate?» chuchote Alice, une main sur mon épaule. Il y a de l'inquiétude dans sa voix.

Au même moment, une femme s'égosille : «Hé, regardez! N'est-ce pas la sœur de ce journaliste? Celle qui devait être pendue?»

Horreur. Je me relève comme je peux. Trop tard. Quelle idiote je suis!

Prue est là, devant mes yeux, sous sa véritable apparence. Il ne reste plus rien de l'illusion que j'avais créée.

«Si fait! C'est elle», confirme un homme, s'avançant vers nous.

Mais les gardes sont plus rapides encore.

Ils sont quatre, ils encerclent Prue. Deux d'entre eux lui saisissent les bras. Elle grimace; ils lui font mal. Mais elle n'émet pas un son.

L'homme en costume chic marche droit vers elle, sa canne dorée cliquetant sur le marbre, le tract d'Alistair froissé dans son poing. Il le lui brandit sous le nez.

«Vous êtes pour quelque chose là-dedans, hein? Vous n'avez donc aucun respect pour la naissance de Notre Seigneur?»

Prue baisse la tête.

Dieu du ciel, qu'ai-je fait ?

Alice m'adresse un regard appuyé, mais il reste encore une centaine de personnes dans cette cathédrale. Trop pour envisager d'intervenir par intrusion mentale.

Prue a déjà été condamnée. À présent, ils vont se servir d'elle pour faire sortir son frère de la clandestinité, et ils les pendront tous deux. Quel trophée je viens d'offrir à O'Shea !

« Tiens donc ! s'écrie-t-il, et la voûte répercute l'écho de son triomphe. Qu'avons-nous ici ? » Il se tourne vers moi, son sourire suffisant entièrement restauré. « Serait-ce une amie à vous ?

— Je... » C'est tout ce que je parviens à dire.

Prue est décomposée, pourtant elle fait non de la tête. Elle me signifie que je dois l'abandonner.

L'abandonner ? Alors que je suis responsable de tout ? De plus, j'ai promis – à elle, à Sachi – de veiller sur elle.

Décidément, j'ai beau faire, je suis la reine des promesses non tenues.

« Alors ? » aboie O'Shea.

Un garde à l'allure de colosse me prend par l'épaule et me fait pivoter. Il me serre la clavicule si fort que j'ai l'impression qu'il va la broyer. Et brusquement, je ne peux plus me contenir. Depuis ce matin que je me retiens... La bonde lâche d'un seul coup. Je hurle : « Ne me touchez pas ! »

Alors mon pouvoir déborde et explose avec une violence que je ne lui ai jamais connue. Frère O'Shea et ses gardes sont projetés en arrière comme des pantins de chiffon, comme des arbres déracinés par une tornade. Leurs moulinets de bras n'y peuvent rien. Ils ne s'immobilisent que lorsque enfin ils retombent, en une série d'odieux bruits de chute.

Au même instant se fait entendre un fracas hallucinant, comme un bris de verre géant, suivi d'un autre, d'un autre encore. Les fidèles encore présents dans la nef hurlent de terreur. Je lève les yeux à temps pour voir le vitrail surmontant l'autel exploser de lui-même, en un brutal envol d'éclats colorés.

Les gens se réfugient derrière les bancs de bois, bras sur la tête pour s'abriter de la grêle de verre.

Je regarde Alice. Un petit éclat lui a égratigné une joue, mais pour le reste elle est comme une statue.

La terreur se lit dans ses yeux bleus.

C'est de moi qu'elle a peur.

Chapitre 16

«**Filez !**» **dis-je à Alice et Prue,** aussi bas que je le peux, mais avec véhémence. J'arrache la clé pendue à mon cou et la lance à Prue. «Prue sait où aller. Je vous y rejoins. Filez !»

Ma seconde injonction agit comme un coup de fouet. Plus vives que des souris, elles s'élancent vers le bas de l'allée. Personne n'essaie de les arrêter. L'un des gardes est affalé au pied d'un pilier ; un autre, sur deux bancs à la fois ; d'autres semblent avoir perdu connaissance – ou pire.

«Gardes !» mugit O'Shea, dont le crâne chauve émerge, plusieurs rangées de bancs plus loin.

Je jette un coup d'œil vers le porche. Prue et Alice sont presque dehors.

Deux gardes surgissent en trombe par une porte latérale. Je lève bien haut le bras, et tous ceux qui me voient ont un mouvement de recul. «Ne bougez plus, dis-je d'une voix forte. Je ne veux faire de mal à personne.»

Prudemment, les gardes se figent.

«Vous ne nous échapperez pas, me promet O'Shea, qui achève de se relever. Nous vous rattraperons. Vous paierez de votre vie ce sacrilège.»

À mon tour, je m'élance vers le bas de l'allée. Des éclats de verre transpercent mes bottines. Trois gardes encore, embusqués derrière des piliers, tentent de m'arrêter au passage. Les neutraliser est un jeu d'enfant. Je sens ma magie au bout de mes doigts, elle bat au rythme de mon pouls. En cet instant, bouillonnante de rage, de terreur, de puissance, je me sens vivante comme jamais.

Du parvis accourent d'autres gardes.

«Ma Sœur, que s'est-il passé? Vous n'êtes pas blessée?» L'arme au clair, ils cherchent des yeux, aux abois, l'origine du danger. Qu'ont-ils en tête? Un attentat contre Frère O'Shea?

«Il y a eu une explosion», leur dis-je, tout en me faufilant entre eux.

«Sorcellerie! hurle O'Shea, loin dans mon dos. Arrêtez-la!»

Mais déjà je me fonds dans la cohue du parvis. Des gardes tentent d'empêcher un groupe de Frères de regagner l'intérieur de l'édifice. Je me glisse derrière ceux-ci, je penche la tête une fraction de seconde et, lorsque je la relève, je suis un homme au teint café, aux cheveux noirs frisottés, tout de noir vêtu. Frère Sutton, de Chatham

Par bonheur, l'office a été si long que la plupart des fidèles sont rentrés tout droit chez eux. Des gardes s'efforcent de diriger les derniers vers le square, de l'autre côté de la rue. Je passe devant une femme assise sur les marches du parvis. Indifférente au remue-ménage, elle presse un doigt sur le front de son enfant pour l'empêcher de saigner.

Le devant de la cathédrale est jonché d'éclats de vitrail, que le soleil transforme en arcs-en-ciel sur le dallage – et je mesure soudain combien les choses auraient pu être pires.

Je me précipite en bas de la rue. Sitôt passé le coin, je change de déguisement. Rose, me dis-je, et instantanément je deviens Rose Collier, une de nos voisines de Chatham, vêtue de son manteau vieux rose. Au coin de rue suivant, je suis Lily, la petite bonne craintive qui nous a dénoncées à Frère Ishida, à Chatham toujours. Je poursuis ainsi de rue en rue, en direction de la Cinquième, procédant à des détours et changeant d'aspect cinq ou six fois, toujours sans ralentir le pas.

Je sens ma magie dévorer mes forces, me couper les jambes. J'ai la tête qui tourne, mon champ de vision se rétrécit de façon alarmante, et pourtant il n'est pas question de m'arrêter. Pas avant d'être en lieu sûr. Enfin, en trébuchant, je m'engage dans la ruelle à l'arrière de la boutique O'Neill, suppliant ma magie de tenir encore un peu, le temps d'une dernière transformation.

«Joyeux Noël, Hugh!» me lance d'un ton jovial un homme qui transporte des caisses à l'intérieur d'une boutique, cinq ou six portes plus bas.

«Joyeux Noël aussi!» dis-je d'une voix grave, et je n'ai pas besoin de miroir pour savoir que j'ai les traits burinés de Hugh O'Neill et ses cheveux argentés.

J'attends que l'homme ait disparu dans son magasin avant de frapper deux coups, tout doux, à la porte de la réserve. Lorsqu'elle s'ouvre, je m'effondre dans les bras de Prue.

«Cate! Oh, Cate, Dieu soit loué», murmure-t-elle, refermant la porte. Puis elle m'aide à m'asseoir par terre.

Je presse mon front contre mes genoux pour m'empêcher de m'évanouir. J'entends Alice me demander : « Comment leur avez-vous échappé ?

— Peu importe... Plus tard... Alice, il faut que vous alliez au prieuré. Tout de suite ! Pour en faire sortir Maura et Tess. » Je relève la tête, aspire une grande bouffée d'air. « O'Shea connaît mon nom. Il va aller me chercher là-bas, et quand il apprendra que j'ai deux sœurs... Et il le verra... facilement... sur le registre des élèves...

— La prophétie, souffle Alice. Trois sœurs, toutes trois sorcières. Il comprendra que c'est l'une de vous. Vous avez fait preuve d'une puissance inouïe, Cate. »

C'est un compliment, j'imagine, mais ce que je vois surtout, moi, est que j'ai fait preuve d'une bêtise inouïe. Et plus moyen de revenir en arrière. Je n'ai plus nulle part où aller, pas plus au prieuré qu'à Chatham. Je mettrais en danger tous ceux auxquels je tiens.

J'ai enfreint la règle capitale édictée par Mère : jamais de magie en public.

Maintenant, les Frères vont faire une descente en force au prieuré, interroger le couvent tout entier, organiser des fouilles dans les chambres et partout, de la cave au grenier, à la recherche d'indices de sorcellerie. Si Alice n'arrive pas là-bas avant eux...

Je préfère ne pas imaginer les conséquences.

« Foncez les prévenir. Tout de suite. Je vous en supplie. »

Je ne reconnais même plus ma voix tant elle est grêle.

Alice me prend par les épaules et me secoue, doucement mais fermement.

« Cate, par pitié, pas d'hystérie. Sitôt votre magie rétablie, courez vite chez mon père. J'ai expliqué à Prue comment y aller. Tous les domestiques sont partis, et lui-même n'a pas toute sa tête, à cause de la fièvre ; mais là-bas, au moins, vous serez en sûreté.» Elle me plaque une clé dans la main. «Je vous y amènerai Maura et Tess.»

Bien pensé. Alice est comme Elena, jamais prise au dépourvu et toujours en train de dresser des plans. J'y vois une qualité à présent.

«Vous aussi, allez vite ! lui dis-je. Sinon, tout le couvent…

— Les Sœurs ont des procédures d'urgence pour ce type de situation, me rassure-t-elle. Surtout, Cate, n'essayez pas de me rejoindre là-bas. Vous ne réussiriez qu'à vous faire tuer ou faire tuer quelqu'un. Vous m'entendez ?» Elle me regarde intensément jusqu'à ce que j'acquiesce ; sur quoi elle devient brune et s'éclipse d'un trait.

Je me remets sur pied tant bien que mal et me tourne vers Prue.

«Je suis désolée. Ce qui s'est passé à la cathédrale…

— Vous m'en avez sortie ; c'est tout ce qui compte, dit-elle avec un pâle sourire. À propos, il y a un petit écriteau à l'avant de la papeterie FERMÉ POUR LES FÊTES. O'Neill est chez sa fille. J'aimerais faire savoir à Alistair où il peut me trouver, mais c'est le genre d'information qu'il ne faut pas donner par écrit, bien sûr.

— Je peux rédiger un message cod…» Je me tais net ; une pensée me foudroie. Chez *sa fille*, a dit Prue. «Mon père ! Prue, mon père est à New London en ce moment. Les Frères vont se tourner vers lui. Il faut absolument que je le prévienne !»

Prue saute en bas du coffre sur lequel elle était assise.

«Dans combien de temps pensez-vous que votre magie va revenir?»

Je me mords la lèvre. «Je n'en sais rien.»

Je tambourine contre la porte de l'appartement de Père. Pourvu qu'il ne soit pas déjà trop tard! Il m'a fallu une heure entière – soixante minutes de torture – pour reconstituer mes pouvoirs. Et si les Frères lui avaient déjà envoyé leurs gardes? Et s'ils nous guettaient quelque part? Et s'ils l'avaient déjà traîné dans leurs cachots, au sous-sol du bâtiment du Conseil? Et si, et si, et si? À chacun de mes coups, le doute s'enfonce en moi un peu plus.

Prue m'attrape le bras.

«Arrêtez», me siffle-t-elle très bas. Vous allez ameuter le voisinage.

Père ouvre la porte et ses traits s'illuminent.

«Maura! Quelle bonne surprise. Entrez. Qu'est-ce qui...»

Son sourire me fait mal. Sitôt la porte refermée, je le détrompe: «Ce n'est pas Maura, Père; ni Tess non plus», et tout en parlant je supprime les illusions qui nous transformaient, Prue et moi. «Je vous présente Prudencia Merriweather, la sœur d'Alistair. Nous sommes... nous avons des ennuis.

— En ce cas, dit Père, vous pouvez rester ici aussi longtemps qu'il le faudra.»

Nous sommes tous trois plantés dans la petite entrée, un peu gauches. Deux manteaux sont accrochés aux patères derrière la porte. Une paire de gants de cuir est posée sur la console de l'entrée. Selon toute probabilité, Père revient juste de l'office. Une chance qu'il ait été chez lui.

« Je ne peux pas rester ici, lui dis-je. Ni vous non plus. Il faut que vous partiez. Mais il ne faut surtout pas… » Je prends ses deux mains dans les miennes et je les presse. Ce sont des mains douces, des mains de gentleman, qui ne connaissent pas les tâches rudes ni même les rênes d'un cheval. « Père, il ne faut surtout pas que vous retourniez à Chatham. Ils iraient vous chercher là-bas. Ils pourraient vous arrêter, vous faire du mal. Pour m'obliger à sortir de la clandestinité.

— Ils ? Les Frères ? » J'acquiesce. Ses mains se resserrent sur les miennes. « Et tes sœurs ? Où sont-elles ?

— Encore au prieuré. J'ai envoyé quelqu'un les chercher au plus vite. Une personne de confiance. » Cela me fait bizarre de qualifier Alice de personne de confiance, et pourtant elle a prouvé qu'elle en était digne. « Il faut partir, Père. Ils pourraient venir vous chercher d'un instant à l'autre. »

Il ne perd pas une minute.

« Raconte-moi ce qui s'est passé, pendant que je rassemble quelques affaires. »

Je le suis jusque dans sa chambre, et Prue nous emboîte le pas. Il tire une valise de dessous son lit et entreprend d'y empiler ce qu'il veut emporter – des livres pris sur son chevet, un daguerréotype de Mère à mon âge. Prue gagne l'armoire-penderie et y décroche des chemises, des vestes, qu'elle pose sur son lit. Prue est une personne précieuse en temps de crise, je le découvre. Moi, je ne sais que tourner en rond.

« J'étais censée déguiser Prue, à l'office, au moyen d'une illusion, mais je me suis déconcentrée, l'illusion n'a pas tenu. Quelqu'un a reconnu Prue, et les gardes ont voulu l'arrêter. Ils l'auraient pendue, Père. Ils ont commencé à m'interroger, et moi, je… j'ai perdu mon sang-froid et fait éclater tous les vitraux de la cathédrale.

— La cathédrale Richmond?» Il s'immobilise un instant, serrant contre lui deux chemises impeccablement repassées.

«Oui, et elle a propulsé dans les airs Frère O'Shea et une douzaine de gardes, ajoute Prue.

— O'Shea m'a reconnue. Nous nous sommes déjà rencontrés. Au prieuré, un jour qu'il était venu parler à la prieure. Il va remuer ciel et terre pour me retrouver. Pas seulement pour ce que j'ai fait aujourd'hui, et qui a offensé sa dignité, mais aussi à cause d'une prophétie – je vous expliquerai plus tard. Lorsqu'il découvrira que j'ai deux sœurs…» À nouveau, l'angoisse me submerge. «Nous n'avons plus qu'à nous cacher. Tous.

— Tu es la fameuse sibylle, alors?

— Moi, non. Tess. Mais… comment se fait-il que vous soyez au courant, pour la prophétie?

— Je ne vis quand même pas au fond d'une caverne», se défend Père. Puis il m'adresse un regard penaud en sortant d'un tiroir une poignée de ces vêtements que la décence interdit de nommer, et il ajoute: «J'ai discuté avec Marianne après votre départ, hier soir.»

Marianne! Seigneur, la liste de ceux que j'ai mis en danger sera donc sans fin?

«Oh! justement, dis-je. Oui, Marianne. Il faut qu'elle retourne à Chatham sans délai. Avec Clara. Surtout, surtout, qu'il ne leur arrive pas de mal, à elles non plus!

— Je passerai les prévenir au passage. » Père me presse l'épaule. Je me rends compte soudain qu'il est à peine plus grand que moi – de trois ou quatre pouces, pas davantage, et cela me fait tout drôle. Sans doute étais-je restée sur mes souvenirs d'enfant, du temps où il me semblait un géant. « Mais toi ? s'inquiète-t-il. Si les Frères risquent de faire irruption ici d'un instant à l'autre, il faut que tu t'en ailles tout de suite. »

J'échange un bref regard avec Prue.

« Pas avant de vous avoir vu partir, Père. Et d'être sûre que vous êtes en sécurité. » Si les Frères essaient de l'arrêter, je ne laisserai pas faire.

Il boucle sa valise et passe au salon.

« Il faut d'abord que je retire de l'argent.

— À la banque ? Où comptez-vous aller ? »

Sans un mot, il décroche le portrait de ses parents au-dessus de l'un des canapés. Derrière, un petit coffre-fort de métal est inséré au creux d'une niche dans le mur. Il manipule le cadenas à chiffres selon je ne sais quelle combinaison, l'ouvre et en sort un petit sac. À la façon dont il le soulève, celui-ci semble contenir beaucoup de pièces.

« On n'est jamais trop prudent, glousse-t-il, remarquant mon air surpris. Ne te fais pas de soucis pour moi, Cate. Dans une ville comme New London, un homme fortuné a les moyens de se cacher sans trop de peine. Vois le frère de Prudencia... Je vais commencer par le Golden Hart. C'est tout près du fleuve, personne n'ira me chercher dans ce coin-là. Pas durant un certain temps, en tout cas. »

J'ai un petit choc. Père, dans une auberge douteuse,

au milieu de… De quoi, d'ailleurs? Des prostituées, des pickpockets? Je ne sais pas à quoi ceux-là ressemblent, j'en ai seulement entendu parler. Je crains davantage les conditions sanitaires.

«Soyez prudent. Avec cette fièvre…

— Je te le ferai savoir, si je tombe malade.» Il fourre une poignée de documents dans sa sacoche, à côté de son sac de pièces, et se tourne vers moi. «Je ne veux pas que tu essaies d'aller me retrouver là-bas. Ce n'est pas un lieu pour une jeune lady.»

Une jeune lady! Je ne sais si je dois rire ou pleurer.

Prue lui donne l'adresse d'Alice.

«C'est là que nous serons pour le moment.

— À Cardiff, rien que ça! Et si je vois Finn en allant prévenir Marianne, dois-je lui donner l'adresse aussi?» Père enfile son manteau gris. «Il va se faire du souci.»

Je me sens rougir. Jusqu'à quel point Marianne a-t-elle mis Père au courant? Je choisis mes mots. «Je ne veux pas qu'il soit entraîné là-dedans. Si peu que ce soit.

— En es-tu certaine, Catie?»

Catie. Ce nom de ma petite enfance me met presque les larmes aux yeux. Je revois Père à quatre pattes, inspectant le dessous de mon lit, à la recherche de monstres embusqués. *Il n'y a rien du tout là-dessous, Catie*, me rassurait-il, avant de déposer un baiser sur mon front. Personne d'autre, jamais, ne m'a appelée de ce nom, et voilà bien dix ou douze ans que je ne l'avais pas entendu dans sa bouche.

Ma chambre de Chatham… Le couvre-pieds et les rideaux brodés de lis d'un jour, le canapé d'un violet fané qui me venait de Mère, la carpette ornée de roses qui me servait de descente de lit. Les reverrai-je jamais ? Je ne peux plus retourner là-bas, pas tant que les Frères dirigent le pays. Or, malgré les stratagèmes d'Inez, ils ne sont pas près d'être renversés.

« Oui, dis-je, j'en suis certaine. Je ne veux pas le mêler à tout ça. » Mais je chevrote un peu.

Père marque un silence, puis me regarde droit dans les yeux.

« Je n'ai pas été un bon père pour toi, Cate. Le conseil que je vais te donner ne sera peut-être pas le bienvenu, mais je vais te le donner quand même, et j'espère que tu me pardonneras. Un homme comme Finn, vois-tu, n'apprécie guère de se faire materner. Le couple, c'est la rencontre de deux égaux. Ta mère… Ma foi, j'aurais mieux aimé qu'elle me dise la vérité et me fasse confiance pour mes choix.

— Je vais… Je vais garder ça en tête. » Je l'étreins fort et vite, respire son odeur de cuir et de pipe. « Mais vous, Père, soyez prudent, je vous en supplie. J'ai l'impression que nous venons seulement de vous découvrir, d'une certaine façon, vous savez.

— J'ai cette impression aussi. » Le ton est bourru, volontairement. « Et toi, maintenant, fais bien attention.

— Promis. Et je veillerai sur Maura et Tess. »

Il sourit.

« Ça, je n'en doutais pas un instant. »

Pour la troisième fois, je suis sur le point de manquer à la promesse faite à Alice.

Rester claustrée ainsi me rend malade. Au-dessus de moi, le lustre de cristal capte les derniers rayons du soleil. Voilà des heures déjà que j'arpente en long et en large le grand salon de la maison Auclair, et, pour la troisième fois, j'éclate : « Je n'en peux plus de rester ici les bras croisés !

— Il le faut pourtant, réplique Prue, me barrant le chemin de la porte sur la rue – pour la troisième fois.

— Je peux vous écarter de là, si je veux. »

Elle s'adosse à la porte, les bras en bouclier. Ses yeux gris aux cils incroyablement longs me mettent au défi d'essayer.

« Vous êtes morte d'inquiétude, Cate, je le sais. Mais réfléchissez un peu. À l'heure qu'il est, le prieuré doit pulluler de Frères. Si vous retournez là-bas, vous ne ferez qu'aggraver les choses. D'ailleurs, Alice est sans doute en route pour ici, avec Tess et Maura, en ce moment même.

— Et si ce n'est pas le cas ? » Je me laisse tomber sur la dernière marche du grand escalier, la tête pleine d'images de cauchemar. « Ça fait des heures, maintenant. Elles devraient être ici. Je ne sais pas ce qui les retarde, à moins que les Frères ne soient arrivés là-bas avant Alice et qu'il y ait eu du grabuge. O'Shea consultera le registre des élèves. Quand il verra trois sœurs Cahill sur la liste…

— Pensez à autre chose. »

Je lève les yeux au plafond, garni du même papier peint que les murs, d'un bleu profond à motif floral, puis j'examine la frise de chérubins sur la corniche. Mais ce que je vois en réalité, ce sont des gardes qui tabassent mes sœurs, et leur font perdre connaissance pour leur interdire tout recours à la magie. Ils leur brisent les doigts, comme à

Brenna. Ils leur font tout ce qu'ils ont fait à Parvati, aux autres filles de Harwood, et mon estomac se retourne.

Maura se défendrait, et Dieu sait qu'elle a du répondant. Mais Tess, Tess qui pourtant est la plus puissante de nous trois...

« Tess n'a pas été elle-même ces temps-ci, dis-je à voix haute. J'ai terriblement peur qu'elle ne... »

Cela dit, même supposant que son instinct de conservation ne suffise pas, elle connaît la prophétie. Si la sibylle tombe aux mains des Frères, nous sommes toutes perdues. Assurément, il y a de quoi la pousser à se battre, non ?

Prue finit par trouver une allumette dans le tiroir de la console d'entrée pour allumer la jolie lampe de cristal bleu. Il ne fait déjà plus si clair dehors. Il ne doit pas être loin de quatre heures et demie. Pourquoi leur faut-il tellement de temps ?

« Elles vont arriver, Cate. Vous êtes épuisée. De combien de sortilèges vous croyez-vous encore capable aujourd'hui ? »

Je jette un regard au miroir au-dessus de la console ; je n'aime pas beaucoup ma mine de papier mâché, mes épaules tombantes. Prue n'a pas tort. C'est tout juste si je suis parvenue à maintenir nos déguisements tout au long du chemin qui nous a menées ici. Après quoi je me suis écroulée sur le carrelage de la cuisine. Prue a chapardé pour nous à l'office un peu de fromage et de pain, mais je n'ai pas pu en avaler une bouchée. Il m'a fallu une bonne heure pour rassembler mes forces avant de gagner l'étage et soigner le père d'Alice.

«M'en fiche, dis-je entre mes dents. La seule chose qui compte, c'est Maura et Tess, et au diable tout le reste.

— Menteuse, me contredit Prue. Si c'était vrai, vous les auriez laissés m'arrêter. Vous nous auriez toutes laissées nous faire pendre. Ou pourrir à Harwood. Ou subir le sort, peu importe lequel, que les Frères auraient jugé bon de nous infliger.»

Elle me met entre les mains ma tasse de thé refroidie. Voilà quelques mois encore, Tess et Maura étaient les seules personnes au monde qui comptaient réellement pour moi. J'aurais été bien incapable de rester ici, bien incapable de me raisonner et de remettre leur sort entre les mains de quelqu'un d'autre, fût-ce provisoirement. Alors que maintenant... Certes, cette attente me rend folle, mais je reconnais la sagesse du raisonnement de Prue.

La porte sur la rue s'ouvre à la volée. Mon cœur sursaute à la vue du grand vieillard grisonnant qui s'encadre dans l'embrasure.

«Ah! parfait, vous êtes ici.» Sitôt la porte refermée, Alice laisse son déguisement s'effacer.

Mais elle est seule. Mon cœur tombe en chute libre.

«Où sont mes sœurs?

— Cachées.» Alice frissonne sous sa cape. «Mais on gèle ici! Comment va Père?

— Il dort paisiblement. J'ai fait retomber sa fièvre. Il est hors de danger.» Mes mains se crispent sur la tasse. «Elles sont encore au prieuré? En sécurité?

— Oui, et oui. Du moins pour le moment.»

Alice passe au salon, vaste pièce garnie d'un épais tapis

rose indien et de rideaux d'un rose nacré très doux. Elle s'affale dans une causeuse fuchsia identique à celle du prieuré, et je me demande si elle a convaincu son père de lui en acheter deux. Je me vois mal grandir dans cette demeure semblable à un mausolée. L'endroit est élégant mais impersonnel. Ni livres ni papiers épars, ni pantoufles qui traînent, ni portraits de famille aux murs. Un foyer bien austère pour une enfant.

« Et il y a des Frères partout, là-bas, j'imagine ?

— Une invasion. » Alice tend la main vers la clochette qui permet d'appeler une servante, puis sa main retombe ; il n'y a plus de domestiques. Avec une grimace, elle se relève et gagne la cheminée pour allumer un feu. « Mais ce que nous ignorions, reprend-elle, c'est qu'il existe une suite de pièces cachées, derrière les appartements de Cora. La porte qui permet d'y accéder se trouve au fond de son cabinet privé ; elle est masquée de telle sorte que nul ne peut en soupçonner l'existence. Voilà des années que je vis au prieuré, et je ne savais rien de ces chambres secrètes. Bien pensé, non ? À l'intérieur, il y a de quoi survivre plusieurs jours – couvertures, pots de chambre… et les excellentes conserves de Sœur Sophia. Ce n'est peut-être pas le grand confort, mais au moins elles ne mourront pas de faim. Gretchen les a fait monter là juste comme O'Shea en personne se présentait à l'entrée, ordonnant votre arrestation immédiate. »

Je m'effondre dans une jolie bergère vieil or.

« Grâce au ciel, vous êtes arrivée à temps.

— De justesse. Les filles couraient partout pour jeter des sortilèges d'illusion sur tout ce qui est interdit, pendant que Sœur Inez maintenait les Frères en respect dans le hall. Elle leur a servi un magnifique numéro de stupeur outragée en apprenant votre traîtrise. Pendant ce temps, Gretchen emmenait à l'étage, dans les chambres secrètes, toutes ces malheureuses que vous avez tenu à recueillir. » Alice se retourne avec un geste d'impuissance. « L'une de vous saurait-elle allumer ce damné feu ? »

Prue s'agenouille près d'elle et lui prend le briquet à amadou.

« Ils n'ont arrêté personne ?

— Non. Pas pour le moment, du moins. Quand je suis repartie, ils étaient toujours là, en train d'interroger tout le monde et de proférer d'horribles menaces. Bien sûr, les réponses étaient toujours les mêmes : personne ne savait où vous étiez, pas plus que vos sœurs, d'ailleurs, et personne ne s'était jamais douté que vous étiez sorcière, et de mèche avec les Merriweather par-dessus le marché. » Alice quitte la cheminée et regagne sa causeuse pour s'y pelotonner, après s'être défaite de ses mules de velours. « À propos, Cate, vous ne tenez pas de journal intime, si ?

— Me croyez-vous stupide ? Bien sûr que non !

— Ah bon ? Pourtant les Frères en ont trouvé un dans votre chambre, quand ils l'ont fouillée. Dans ses pages, vous revendiquez l'attaque de Harwood et le coup de force de Richmond Square, sans parler de l'attentat contre le Conseil suprême. Vous claironnez que berner les Sœurs aura été un jeu d'enfant, et qu'entrer au couvent était vraiment la ruse idéale.

— Quelle parfaite criminelle je suis. » Ma main se crispe

sur le bras de mon fauteuil. «Tout ça est signé Inez, je suppose.

— C'est une rapide, il faut le reconnaître, sourit Alice. Par bonheur, elle ne résiste pas à un brin de flatterie. Je lui ai raconté que Prue et vous aviez pris la fuite ensemble, et j'ai imploré son pardon pour n'avoir pas été de son côté à la pendaison. Je crois qu'elle m'a crue.

— Bien pensé», dis-je, voyant qu'elle attend ce compliment. «Êtes-vous certaine que Maura et Tess sont en sécurité?

— Tant qu'elles restent sagement où elles sont et ne tentent pas je ne sais quel coup d'éclat. O'Shea maintient une escouade de gardes au prieuré. Il est fou de rage. Vous auriez dû l'entendre! Il rugissait que l'ordre des Sœurs avait nourri une vipère en son sein, et le faisait passer pour le dernier des imbéciles!

— Comment avez-vous réussi à filer?» demande Prue, reculant vivement sur ses talons parce que le feu vient enfin de prendre. «Ils ne doivent pas laisser sortir n'importe qui, j'imagine.

— Bien sûr que non. Je leur ai dit la vérité: que mon père était malade et que je devais aller le soigner. Quand ils ont compris qui il était, ils n'ont fait aucune difficulté. C'est un de leurs plus généreux donateurs, ils n'ont aucune envie de le perdre.» Elle s'assombrit. «L'un d'eux m'a suggéré de le faire hospitaliser dans le service de Frère Kenneally, mais je vois mal ce qu'il y gagnerait, exposé à tous ces germes qui s'en donnent à cœur joie à l'hôpital!

— Kenneally… dis-je, pensive. Il est beaucoup question de lui, je trouve. Merriweather essaie de voir s'il peut obtenir des informations.» Je retrace du doigt un motif du papier peint – rayures verticales roses et bouquets de roses entrelacés. Le décor de cette pièce est le plus guimauve que j'aie jamais vu. Plus sirupeux encore, et outrancièrement féminin, que la boutique de la couturière de Chatham. « En tout cas, votre père ira beaucoup mieux d'ici peu. Bientôt, il trottera comme un lapin. Je ne l'ai pas entièrement guéri ; il ne me restait plus assez de magie. De toute manière, il va me falloir quelques jours pour décider de mon prochain point de chute.

— Vous ne pouvez pas passer le restant de vos jours à vous cacher. » Le regard bleu d'Alice se pose sur moi, intraitable. « Vous êtes une sorcière très puissante, Cate. Si j'en ai douté un jour – et vous savez comme moi combien j'en ai douté –, j'en ai eu la preuve aujourd'hui. L'ordre des Sœurs ne peut pas se permettre de vous perdre.

— Je ne parlais pas de quitter New London. Pour rien au monde je n'abandonnerais Maura ni Tess. » Ni Finn.

« Mais cette affaire ne concerne pas seulement vos sœurs et vous », me rappelle Alice d'un ton sec. « Vous avez jeté la suspicion sur l'Ordre tout entier. Et fourni à O'Shea l'excuse idéale pour nous mettre toutes à la rue. Qu'allons-nous devenir ? Moi la première, je n'ai aucune intention d'épouser le premier dandy sans cervelle qu'aura choisi mon père pour moi. Et si nous nous dispersons, il nous sera impossible de nous organiser efficacement pour renverser les Frères.

— Mais au moins vous, Alice, dit Prue, vous avez un toit. Des moyens. La plupart des autres n'ont rien. »

Elle aussi a les yeux sur moi. Toutes les deux me

regardent comme si des paroles de sagesse allaient jaillir de mes lèvres d'un moment à l'autre.

« Il va falloir agir, reconnais-je enfin. Et vite. »

Reste à trouver comment. Avant de perdre toutes nos chances.

Nous sommes en train de partager un dîner improvisé, jambon sec et œufs sur le plat, lorsqu'une série de petits coups à la porte de derrière nous fait dresser l'oreille. Le rythme est à intervalles inégaux : un bref, un long, un bref, un long. Alice sursaute, mais Prue saute de sa chaise et se précipite vers la porte en riant. Elle l'ouvre à la volée – sur son frère, qui bat la semelle pour se tenir chaud, et souffle de petits nuages de vapeur.

« Pru-deeeen-ci-aaaa ! » chantonne-t-il, selon le rythme de ses coups contre la porte.

Elle jette ses bras autour de lui et l'étreint avec force.

« Entre vite avant d'être vu.

— J'arrive à point pour dîner, si je comprends bien, se réjouit-il. Bonsoir, Cate. Bien content de vous voir ici et non pas au bout d'une corde. Toute la ville est en ébullition. »

Je m'abstiens de commenter son humour et ne perds pas de temps : « Je vous présente Alice. Nous sommes ici chez son père.

— Oh, mais je sais. Tout le monde connaît George Auclair. » Merriweather parcourt des yeux l'immense cuisine, avec sa rangée de fourneaux rutilants et ses somptueux murs carrelés. « L'un des plus généreux soutiens des Frères. Qui s'est fait un paquet grâce aux contrats passés avec eux.

« — Ce n'est pas une raison pour donner dans la vulgarité », riposte Alice, piquée au vif. « D'ailleurs, vous pouvez parler ! »

J'écoute leur discussion, sans bien comprendre. Merriweather s'incline bien bas, et explique pour mon bénéfice : « Les Merriweather étaient riches comme Midas jusqu'à ce que votre serviteur flambe tout le patrimoine en lançant un journal. Notre fortune était due à Walter Merriweather, qui dirigea l'ordre des Frères de 1816 à 1818. Notre auguste ancêtre fut le dernier à ordonner des pendaisons de sorcières. Enfin, jusqu'au règne de ce brave O'Shea, bien évidemment.

— Superbe héritage, dis-je froidement.

— N'est-ce pas ?

— As-tu mangé ? s'inquiète Prue, reprenant la poêle à frire.

— Vingt dieux, quelle fée du logis ! Maman serait fière de toi. » Alistair s'approprie le siège de Prue et s'installe à la grande table, le dos tout près de la cheminée. « Mais non merci. Je ne peux pas m'attarder, j'ai encore ma une à travailler. Une tasse de thé sera la bienvenue, en revanche. »

Prue saisit la théière de porcelaine et lui verse un thé.

« Tu es en train d'écrire sur Cate ? »

Il lui pique un bout de jambon.

« Oui. La *Gazette* va établir clairement la distinction entre les responsables de l'attaque contre le Conseil suprême et les responsables du sauvetage des filles de Harwood. Je veux bien qu'on m'accuse de préjugé favorable, Cate, sachant que vous avez sauvé la vie de ma sœur à trois reprises si mes comptes sont bons. Ce dont je vous suis profondément reconnaissant. » Sur quoi, il tend le bras et tire sur la natte de Prue, qui glapit. « À propos, que faisais-tu à l'église, mécréante ?

— J'avais entendu dire que tu mijotais quelque chose. À propos, tes petits tracts n'étaient pas mal du tout. »

Comme toujours, Merriweather m'agace un peu avec sa tendance à plastronner, mais j'essaie de passer outre.

« Je vous remercie de votre soutien, lui dis-je. J'espère que cela pourra rassurer un peu ceux que la magie épouvante.

— Les classes laborieuses, commente Alice d'un ton qui en dit long.

— Précisément, rétorque Merriweather. Ceux qu'écrasent les Frères, et qui le leur rendront. Les ouvriers et les petits commerçants sont notre meilleure chance de changement. Ce sont des gens qui souffrent. Ils auraient tôt fait de se retourner contre les Frères s'ils entrevoyaient la possibilité d'une vie meilleure sous un autre gouvernement. Moi, je verrais volontiers une gouvernance tripartite. Un triumvirat, comme dans la Rome antique : un Frère, une sorcière, un simple citoyen. Ainsi, chacun serait représenté.

— Sauf que la magie est encore illégale », rappelle Alice, rejetant en arrière sa chevelure dorée. Elle a pris un bain et enfilé une nouvelle robe, en lainage bleu roi. « Vous ne croyez pas qu'il faudrait d'abord abolir ces lois ? Sinon, votre proposition va faire de vous la risée de la ville.

— Et pourquoi ne pas jouer notre va-tout, en plaidant pour une réforme ? » Pour mieux démontrer son propos, Merriweather agite une fourchette. « Les sorcières sont trop puissantes pour qu'on se permette de les ignorer. Après tout, Cate, vous étiez seulement en train de protéger une amie. Une amie qui aurait été mise à mort, après trois ans d'enfermement dans des conditions révoltantes.

— Quand tu dis que chacun serait représenté, tu entends par là que les femmes auraient le droit de vote aussi ? demande Prue. Pour vraiment mettre en œuvre ce changement…

— Je n'irais pas jusque-là, coupe-t-il, un peu circonspect. Où donc est votre amie, euh – Miss Stephenson, c'est ça ? Je me serais attendu à la voir ici, partageant votre infortune, prête à dénoncer mes vieilles manières patriarcales. »

Je réprime un sourire.

« Rilla est dans le Vermont, partie fêter Noël en famille. » Il s'éclaircit la voix.

« Je vous conseille de mettre de côté pour elle la *Gazette* de demain. Elle y verra son nom imprimé. Son nom de plume, bien entendu. Cette petite sait écrire, croyez-moi.

— Alistair ! s'écrie Prue, écarquillant ses yeux gris derrière ses lunettes. Serait-ce un compliment que j'entends là ? Adressé à *une* journaliste ?

— Si tu le lui répètes, je te renie », grogne Merriweather. Il lui chaparde une nouvelle bouchée, et reçoit une tape sur la main pour la peine. Il se tourne vers moi. « Cate, ce serait trop demander, je suppose, si je vous priais d'obtenir pour moi une interview exclusive avec la sibylle ? »

Je bois une gorgée de mon thé.

« Priée ou non, je ne le pourrais pas, car pour l'heure elle se cache.

— Ce serait l'une de vos sœurs, alors ? Tiens, tiens. »

Il lève un sourcil. «Du moins… si vous niez toujours que ce soit vous?

— Je le nierais sous serment.» Mon ton se fait sec. «Et je vous saurai gré de ne pas parler de mes sœurs dans votre article. Elles ont déjà bien assez d'ennuis comme ça.»

Il acquiesce, et une mèche brune retombe sur son front pâle. Au même instant, on frappe à la porte de la cuisine. «Ah! se réjouit-il. Ça, c'est Belastra.»

Alice me décoche un regard dur et je plaide l'innocence d'un haussement d'épaules – mais mon pouls s'accélère.

«Je veux lui montrer notre atelier d'imprimerie, explique Merriweather. Je lui ai donné rendez-vous ici.»

Je vais ouvrir la porte, secrètement ravie.

«J'ai extorqué l'adresse à Merriweather cet après-midi, confesse Finn en s'essuyant les pieds sur le paillasson. Je voulais m'assurer que vous étiez en sécurité.

— Et maintenant que vous en êtes assuré, vous pouvez repartir, lui lance Alice, aimable comme une guêpe.

— Je vous présente Alice Auclair, Finn. Et vous avez déjà rencontré Prue.

— Bonsoir, Prue. Enchanté de faire votre connaissance, Miss Auclair», dit Finn, s'inclinant. Il ne me touche pas, mais se tient plus près de moi que ne le voudrait la bienséance.

«L'enchantement n'est que pour vous, cingle Alice, et elle me foudroie du regard. Cate, je ne veux pas d'un membre de l'ordre des Frères dans ma maison.

— Ah bon? ironise Merriweather. Je tiens pourtant de source sûre que votre père joue aux cartes très régulièrement avec certains d'entre eux. Malgré l'interdiction des paris et jeux de hasard. »

De mon côté, je préfère quémander.

« Cinq minutes seulement, Alice, s'il vous plaît. Contre la guérison de votre père ?

— Vous accorder asile me semblait déjà pas si mal, comme paiement. »

Finn feint de ne pas entendre.

« Et vos sœurs ? me demande-t-il. Tout va bien ?

— Elles sont en sécurité. Votre mère et Clara sont reparties pour Chatham ?

— Je les ai mises dans le train cet après-midi. Mais bon, les Frères ne vont pas tarder à leur rendre visite, j'en ai peur. » Il plonge une main gantée dans sa tignasse rousse. « Frère Ishida et moi-même avons été interrogés, tout à l'heure. Admonestés, plus exactement. O'Shea nous accuse d'avoir laissé la sibylle nous filer entre les mains. Naturellement, Ishida se targue de s'être toujours méfié de vous. D'après lui, vous étiez trop instruite pour votre propre bien. Il m'a même lancé à la figure que vous aviez sans doute acheté à notre boutique des ouvrages de magie. »

Inconsciemment, je fais tourner sur mon doigt l'anneau de perles de Mère.

« Je suis vraiment désolée. Mêler votre mère à tout ceci était la dernière de mes intentions.

— C'est Ishida qui a mis la chose sur le tapis. Si j'avais pu, je lui aurais… » Il serre les dents et se retient, mais le rouge de la colère s'associe aux effets du froid pour rendre invisible ses taches de rousseur. « Par bonheur, notre interrogatoire a tourné court. O'Shea a été appelé pour je ne sais quelle urgence à l'hôpital.

— À propos d'hôpital, dit Alice, sa tasse aux lèvres, avez-vous entendu parler d'un traitement dont disposeraient les Frères contre la fièvre des estuaires ? On m'a conseillé d'emmener Père voir Frère Kenneally. »

Merriweather lâche sa fourchette, qui tinte contre l'assiette de porcelaine. « Bon sang, ça ne peut pas être une coïncidence. J'ai commandé une petite enquête à mes informateurs de l'hôpital. »

Je me tourne vers Finn.

« Peut-être pourriez-vous enquêter de votre côté ? S'ils ont un remède et n'en font pas profiter tous les malades, c'est monstrueux.

— Si nous pouvions le prouver, dit Merriweather, pensif, ce serait un joli scandale.

— J'essaierai de savoir », promet Finn. Ses yeux se posent sur moi et ses oreilles s'empourprent encore un peu plus. Il baisse la voix. « Désolé de n'avoir pas pu venir plus tôt. Je suis allé chez Alistair sitôt que j'ai appris ce qui s'était passé, dans l'espoir qu'il saurait où vous étiez, mais ensuite il a fallu que j'accompagne ma mère et ma sœur à la gare. Et là-bas un garde m'attendait, pour me ramener à l'hôtel en vue de l'interrogatoire. Je me faisais du mauvais sang pour vous. »

Mon regard croise le sien. « Je vais bien. Et mieux encore maintenant que je vous vois. »

Merriweather se lève, avec un élégant mouvement tournant de son pardessus.

« Bien. Grand temps d'y aller, Belastra. Ce n'est pas

l'ouvrage qui nous manque ce soir. Merci pour le thé et pour l'hospitalité, mesdames. Prue, tu sais comment me joindre. »

Il tapote la tête de sa sœur comme on le ferait d'un chiot, et gagne la porte en trois enjambées.

Avant de lui emboîter le pas, Finn m'effleure la main. C'est un geste très doux, mais qui me rappelle combien nous sommes encore éloignés l'un de l'autre. Voilà quelques semaines, il m'aurait embrassée.

Chapitre 17

La patience n'a jamais été mon fort. Avant le milieu de la matinée, Prue et Alice n'en peuvent plus de me voir faire les cent pas. Vêtue de brocart rose brodé d'or, Alice feuillette un magazine de mode, affalée dans sa causeuse favorite. Une joyeuse flambée danse dans la cheminée. Des scones aux airelles et un thé fumant nous attendent sur la table basse, où Prue vient de les déposer.

Je suis incapable de me calmer. À l'inverse d'Alice, je ne suis pas douée pour ne rien faire, et à l'inverse de Prue, je n'ai rien d'une fée du logis. Mon trop-plein d'énergie me change en boule de nerfs.

Je devrais être à l'hôpital, en train de soigner des malades, mais je ne peux pas sortir d'ici sans un sortilège d'illusion, or je ne vois pas comment je pourrais, sans risquer la catastrophe, mobiliser à la fois mes pouvoirs de guérison et la magie nécessaire au maintien d'un déguisement. Il faut absolument que je trouve à m'occuper.

« Pourriez-vous aller tourner en rond ailleurs ? » me suggère Alice d'un ton aigre-doux.

Je me mets en quête de Prue, et me laisse guider par des notes de musique qui s'égrènent de l'autre côté du couloir. Il y a là une salle de piano, tapissée d'un joli papier peint bleu et jaune, mais apparemment cette pièce n'est pas très fréquentée. Une fine poussière recouvre le piano à queue, et des pétales de rose séchés gisent au pied d'un vase de cristal. Assise au clavecin, Prue joue un air mélancolique tout en chantant à mi-voix. À mon arrivée, elle se tait, les mains en suspens au-dessus du clavier.

«Non, non, continuez, dis-je, m'appuyant contre le piano. Faites comme si je n'étais pas là.»

Elle vient de reprendre son chant, de sa belle voix de soprano coloratur, lorsqu'on frappe à l'entrée de la demeure. Je tire doucement la porte de la salle de musique, laissant tout juste une fente qui me permet d'épier le hall. Quelqu'un viendrait-il rendre visite à Mr Auclair? Alice a accroché côté rue le ruban jaune qui signale la présence d'un cas de fièvre des estuaires, mais peut-être un ami très cher ou un partenaire en affaires vient-il le voir néanmoins?

Alice va ouvrir. Immédiatement, au son de sa voix, je comprends que ce ne sont pas les Frères. Mon cœur a un sursaut d'espoir – Tess et Maura, peut-être? Non, c'est la voix de Rory.

Je bondis dans le couloir. Rory! Et Sachi dans son ombre.

«Tout va bien au prieuré?

— Tout va bizarrement, je dirais plutôt», répond Rory qui me rejoint d'un bond et m'embrasse sur les deux joues.

«Les gardes sont partis, enchaîne Sachi, m'embrassant à son tour. Hier soir encore, ils étaient six ou sept postés à chaque étage, et plus encore à patrouiller dans la rue. Mais ce matin, aussitôt après le petit déjeuner, leur chef a annoncé à Sœur Gretchen qu'ils avaient reçu l'ordre de se retirer.

— Savez-vous pourquoi?» Cela semble trop beau pour être vrai. «Pensez-vous que cela puisse être un piège?» Alice jette un regard vers la grande porte.

«Vous n'avez pas été suivies, au moins?

— Alice, je vous en prie, s'indigne Sachi. Ce n'est pas tout à fait la première fois que nous circulons clandestinement.»

Un détail me frappe soudain.

«Vous dites que le garde a prévenu Gretchen. Où donc était Inez?

— Excellente question», répond Rory. D'un doigt distrait, elle écrit son nom dans la poussière du piano. «Elle est sortie hier soir et, depuis, plus trace d'elle.

— Bizarre, non?» Sachi resserre la ceinture ivoire de sa robe vert pomme. «Qui aurait cru qu'elle réussisse à sortir d'un prieuré fourmillant de gardes? Elle nous a dit qu'elle avait à faire à l'hôpital.

— Avec un peu de chance, s'amuse Rory, elle va attraper cette fièvre et trouver sa fin.»

J'ai moins le cœur à rire. Peut-être est-elle retournée au chevet de Covington et des autres membres du Conseil suprême. Je rassemble au creux de ma paume les pétales de rose séchés, puis, d'une voix mal affermie, je demande: «Et mes sœurs?»

Sachi et Rory échangent un regard. Je retiens mon souffle.

«Tess a eu un nouvel épisode cette nuit. Vision ou cauchemar, mystère. Elle-même semblait ne pas trop savoir», annonce Sachi à mots prudents.

Je froisse les pétales de rose dans ma main.

« C'était à quel propos ?

— Difficile à dire. Elle avait l'air secouée, pour être franche », répond Rory, et elle surmonte le I de Elliott d'une petite étoile.

Sachi lui lance un léger coup de coude et précise : « Elle n'arrêtait pas de dire que la ville allait brûler. Que tout allait être à feu et à sang et qu'elle n'y pourrait rien. C'était… un brin perturbant.

— À faire frémir, oui ! renchérit Rory avec un frisson exagéré. Ça n'était déjà pas très confortable d'être enfermées une nuit entière dans cette chambre sans avoir la moindre idée de ce qui se passait. Alors, avec Tess qui prédisait des abominations…

— Tout le monde a la tête à l'envers, soupire Sachi. Gretchen a fait poster des profs aux issues pour contrôler les allées et venues. Un miracle qu'elle nous ait permis de sortir, mais nous pensions qu'il fallait vous mettre au courant de la nouvelle…

— Il va y avoir une sorte de grande proclamation publique ce midi sur Richmond Square », explique Rory.

J'essaie de raccorder cette nouvelle à ce que nous avons appris de notre côté.

« Finn est passé hier soir. D'après lui, O'Shea a été appelé à l'hôpital alors qu'il était en train de les interroger, votre père et lui. Vous croyez qu'ils auraient pu percer au jour le jeu d'Inez avec Frère Covington et l'arrêter, elle ?

— Si c'est le cas, ils vont peut-être la pendre ! » jubile déjà Rory, et son sourire de lapin en devient presque carnassier.

« Il vaudrait mieux pas, tempère Alice. Elle serait capable de nous vendre toutes pour sauver sa peau. »

Ma décision est prise

« Allons à Richmond Square. Il faut absolument découvrir de quoi il retourne. » Et, jetant les pétales de rose à la
corbeille, je me dirige vers le hall d'entrée.

Derrière moi, Sachi efface le nom de Rory dans la poussière.

« Exactement ce que j'espérais, se réjouit Rory. Je n'en
peux plus d'être cloîtrée comme ça. »

Alice me jette un regard appuyé.

« Vous allez pouvoir vous maîtriser, cette fois, Cate ?

— Oui, dis-je un peu sèchement. Je ne commets jamais
la même erreur deux fois, Alice. »

En un clin d'œil, Alice se pare de cheveux bruns et amin-
cit encore sa silhouette, tout en se creusant discrètement
les joues. C'est peu de chose, mais c'est assez pour que nul
ne puisse reconnaître en elle la Sœur qui était hier auprès
de la sorcière, à la cathédrale. Puis elle fait de moi une
Indienne aussi effilée qu'un roseau, au teint caramel et
aux cheveux noirs luisants. On pourrait me prendre pour
la sœur de Parvati.

Les rues pavées de Cardiff sont presque désertes. Sur la
porte de plusieurs demeures flotte le ruban jaune. Puis
nous atteignons le quartier commerçant, et l'atmosphère
change radicalement. Des hommes de la garde sont postés à tous les coins de rue ; ils nous ordonnent d'abaisser
nos capuches et nous scrutent attentivement.

À l'évidence, ils cherchent quelqu'un. Et je suis bien placée pour deviner qui.

J'ai beau savoir qu'Alice est étonnamment douée pour

les sortilèges d'illusion, je tremble intérieurement chaque fois que les gardes me dévisagent. Mon sort est entre les mains d'une personne qui était mon ennemie jurée voilà moins d'une semaine. Si elle souhaite en finir avec moi, ce sera bientôt fait.

Des crieurs de journaux font les cent pas le long des boutiques, fermées en avance pour la pause de midi. D'un bout à l'autre de la rue, ils s'égosillent : « Tentative d'assassinat sur la personne de Frère O'Shea ! Dangereuse sorcière en fuite ! Graves dégâts à la cathédrale ! »

Je m'arrête pour acheter un journal, redoutant comme jamais que quelqu'un me démasque malgré mon déguisement et crie mon nom. Je vois déjà les soldats se jeter sur moi, me traîner… Je suis folle de me balader comme ça en pleine rue, alors que tout New London est à mes trousses. Et cependant Alice a raison ; je ne peux pas me cacher indéfiniment chez son père.

« Nom d'un chien ! » jure Rory, regardant la une du journal par-dessus mon épaule. Un portrait de Maura, Tess et moi s'étale sous la manchette. Il a été tiré d'une photo pour laquelle nous avions posé – longuement, patiemment – voilà deux étés, et nous y sommes tout à fait reconnaissables. Maura est assise dans un grand fauteuil, Tess agenouillée à ses pieds, et moi je me tiens debout derrière elles, une main sur l'épaule de Maura. Tess porte encore des nattes et un sarrau de petite fille… Cette photo, elle la gardait coincée dans un coin du miroir de sa chambre. Les Frères ont dû s'en emparer quand ils ont fouillé le prieuré.

L'article accompagnant notre portrait a pour titre :

«La sorcière coupable d'attentats identifiée.» Le texte spécifie qu'une forte récompense et une promesse d'immunité seront accordées à toute personne pouvant fournir une information menant à l'arrestation de Catherine Cahill. Il y est précisé que les sœurs de la fuyarde, elles aussi sorcières, sont également recherchées pour complicité présumée lors des crimes suivants : attentat contre le Conseil suprême, mutinerie à l'asile de Harwood, sorcellerie à Richmond Square et à la cathédrale Richmond. Autres complices recherchés : Alistair et Prudencia Merriweather, eux aussi en fuite et présumés dangereux.

À ma droite, Rory émet un petit sifflement. «Bigre. Pas mal, la récompense ! Cate, vous avez de la chance que je vous aime bien.»

De son côté, Alice maugrée : «Je me demande si Maura n'avait pas raison, finalement. Il aurait mieux valu se débarrasser de toutes ces filles. Vous connaissez beaucoup de monde, vous, qui résiste à la promesse d'une somme pareille, plus celle de l'immunité en prime ?»

Je la laisse me prendre le journal des mains et ne dis rien. Je refuse de croire que les évadées me trahiraient sans état d'âme, alors que je leur ai sauvé la vie par deux fois. D'un autre côté, après avoir été enfermées comme elles l'ont été la nuit dernière – même si c'était pour leur propre sécurité –, je crains qu'en effet la liberté et l'immunité ne soient une promesse bien tentante pour elles.

Si cela devait arriver, si ces filles nous trahissaient, Maura aurait la satisfaction d'avoir été moins naïve que moi. Du moins, si elle devait y survivre.

À mesure que nous descendons vers Richmond Square,

nous voyons des commerçants fermer boutique et sortir dans la rue pour aller assister à la proclamation publique. Je jette un coup d'œil à la cathédrale. Les éclats de verre ont disparu du parvis, mais les dégâts sont criants. Pas un seul des sompteux vitraux n'est intact, de vilaines planches de bois obturent les trouées. C'est bien un sacrilège que j'ai commis là, la destruction d'un lieu de culte et d'une telle beauté. Pourvu que mes sœurs n'aient pas à payer pour ce que j'ai fait !

Bien que la demie de onze heures ait à peine sonné, une foule compacte se masse déjà sur Richmond Square. Des gardes en uniforme, baïonnette au clair, patrouillent en petits groupes aux entrées du square et dans les allées. Des centaines de Frères se tiennent au pied de l'estrade, face à la foule. Ils sont si nombreux qu'on dirait que tout le Conseil national est ici. Finn doit se trouver quelque part parmi eux.

À la potence toujours dressée pend une corde unique. Mon sang se glace. Une pendaison publique. Voilà donc le programme du jour.

Mais qui va être pendu ? Une sorcière ? À en juger par les forces déployées, les Frères craignent des troubles, peut-être même des émeutes.

« Voilà pourquoi il n'y avait même plus une sentinelle au prieuré, souffle Rory. Toute la garde est ici. »

Nous nous faufilons vers l'avant de la foule qui se fait plus dense de minute en minute. L'ambiance n'est pas à la fête. Les mines sont graves, les dents serrées. Pas un seul vendeur de marrons grillés ni de cidre chaud pour combattre le froid. Pas d'enfants qui jouent à se poursuivre. Des quintes de toux hachent le murmure de l'assistance, et derrière les cols relevés on s'épie à la dérobée. Je ne vois de Sœurs nulle part, mais peut-être sont-elles toutes, comme nous, déguisées par un sortilège. Les femmes sont assez peu nombreuses, à la réflexion, et presque toutes ont leur capuche relevée et le bas du visage protégé par un cache-nez.

Soudain, Alice me lance un coup de coude et me siffle à l'oreille : « Regardez. »

Une escouade de gardes descend lentement les marches du bâtiment du Conseil national. Au centre s'avancent trois silhouettes en cape noire, impossibles à identifier à pareille distance. Deux d'entre elles marchent côte à côte, la troisième traîne les pieds derrière, tête basse et mains ligotées, encadrée par deux gardes. Serait-ce Inez ? Impossible de distinguer s'il s'agit d'un homme ou d'une femme.

À l'arrivée du groupe dans le square, une rumeur parcourt l'assistance. Des gens se jettent à genoux, des exclamations fusent, dont je ne saisis pas un mot. Perchée sur la pointe des pieds, je tente de regarder par-dessus les épaules de ceux qui sont devant moi.

Lorsque enfin j'aperçois la première silhouette qui monte sur l'estrade, j'ai le souffle coupé.

Ce n'est pas possible.

Ai-je prononcé ces mots à voix haute, ou les entends-je autour de moi ?

Cette forte carrure, ces pommettes saillantes, ces cheveux bruns grisonnants aux tempes, cette prestance naturelle, cette façon de porter la tenue des Frères comme s'il

s'agissait d'un costume coupé par le meilleur tailleur…
c'est Frère William Covington en personne, de retour des
portes de la mort.

«Miracle!» hurle quelqu'un. Et l'air retentit soudain
d'*amen* et d'*alleluia*.

Covington prend place au centre de l'estrade, et une
deuxième silhouette gravit les marches de bois. Lorsqu'elle
se retourne vers l'assistance, ma stupeur redouble. Ce
regard sombre… Ce nez en bec de rapace… Le vent qui
rabat légèrement la capuche révèle des cheveux noirs tirés
en chignon sévère.

Inez.

Mais ses mains sont libres, pieusement jointes devant
elle. En ce cas, qui donc…

La troisième silhouette gravit les marches, l'arme d'un
garde pointée dans le dos.

Je manque de m'étouffer lorsqu'elle se retourne vers
nous, lève la tête…

Ce regard bleu glacé. Frère O'Shea.

Comment Inez a-t-elle réussi ce tour de force?

Alors, Covington prend la parole.

«Les voies du Seigneur sont impénétrables.» Le timbre
est enroué, mais ce parler onctueux aux inflexions traî-
nantes se reconnaîtrait entre mille. La foule fait silence
et se presse pour mieux voir. «Mes chers concitoyens,
je ne devrais pas me tenir ainsi devant vous aujourd'hui.
J'ai passé les trois dernières semaines cloué sur un lit de
l'hôpital Richmond, dépouillé de ma dignité. L'épouvan-
table attaque des sorcières m'avait laissé la tête vide, incapable de me remémorer ne fût-ce que mon propre nom,

incapable d'accomplir seul les fonctions les plus essentielles. Jusqu'ici, toutes les victimes d'une agression de ce type ont fini leurs jours dans un état végétatif. Il est pour ainsi dire miraculeux que je me tienne ainsi devant vous, entièrement rétabli, en parfaite santé et toutes mes facultés intactes. Loué soit le Seigneur!»

La foule lui fait écho et je me mords la langue. Un miracle? À d'autres! Si la mémoire lui était revenue, et s'il avait toutes ses facultés intactes, il ne se tiendrait pas au coude à coude avec celle-là même qui a ravagé son cerveau.

Malgré tout, comment est-ce possible? Il devrait être à l'hôpital, nourri à la becquée et changé plusieurs fois par jour comme un nourrisson.

Il dédie à la foule un immense sourire. «Vous m'en voyez tout humble. Et j'ai la certitude que jamais ce miracle n'aurait eu lieu sans le dévouement inouï, sans les prières incessantes de la femme que voici. Je veux ici remercier publiquement Sœur Inez Ortega, dirigeante de l'ordre des Sœurs, pour avoir prié à mon chevet jour et nuit.»

Il s'incline devant elle, galamment. J'applaudis avec l'assistance. À côté de moi, Alice s'est raidie.

Voici donc le résultat de toutes ces heures à son chevet. Elle s'est introduite dans son cerveau et en a pris les commandes.

Inez veut un Frère Covington en vie, et qui dirige ostensiblement la Nouvelle-Angleterre. Mais pourquoi au juste? Quel plan tortueux a-t-elle imaginé? Un mélange de fascination et d'effroi me submerge. Je n'ai jamais entendu parler de manipulation aussi puissante. Pourtant, je ne vois pas d'autre explication.

« Après avoir passé avec succès toute une série de tests médicaux, j'ai donc repris mes fonctions à la tête de l'ordre des Frères. » La foule applaudit derechef. Les habitants de New London l'ont toujours beaucoup apprécié. « Ces dernières semaines, notre ville a été la proie de plusieurs attaques ignominieuses. Nous connaissons à présent l'identité de la sorcière qui les a menées : une certaine Catherine Cahill. Je vous recommande vivement, à vous tous, d'acheter ce jour un exemplaire de *The Sentinel* et de bien mémoriser ses traits. Cette jeune fille est d'une extrême dangerosité. Voyez les dommages qu'en un instant elle a infligés à notre superbe cathédrale ! » D'une envolée de manche, il désigne l'édifice. « Nous avons toutes les raisons de croire que cette sorcière se trouve toujours à New London, et nous n'aurons de cesse de la débusquer, ainsi que ses complices. Justice sera rendue ! »

Il lève le poing en l'air et les acclamations reprennent.

Mais à quoi diantre Inez joue-t-elle ?

Et si elle est capable de cela, qu'est-ce qui l'empêchera d'en faire autant pour quiconque se mettra en travers de son chemin ? Malgré sa puissance d'intrusion mentale, elle n'a jamais pu exercer ses talents sur moi, sans doute parce que j'ai toujours été sur mes gardes avec elle. Mais qu'en est-il de mes sœurs ? De mes amies ? De Finn ?

Covington reprend de sa voix qui porte : « Mon enquête sur ces crimes m'a amené à faire une découverte perturbante. La révélation qu'une personne en qui j'avais toute confiance m'avait trahi, nous avait tous trahis, et de la pire façon… J'accuse solennellement, ici même, Edward O'Shea de haute trahison envers la Nouvelle-Angleterre.» Les gardes poussent O'Shea en avant. Le dos rond, le front bas, il a perdu toute sa superbe de coq de basse-cour. Mais déjà Covington enchaîne: «Hier, des gardes ont découvert le journal intime de miss Catherine Cahill, caché dans sa chambre au prieuré. Dans ces pages, elle confesse être à l'origine de l'attaque du Conseil suprême, de celle de l'asile de Harwood et de celle de Richmond Square. Pour toutes ces entreprises subversives, elle avoue avoir reçu le soutien de ce dangereux anarchiste qu'est Alistair Merriweather – ce qui n'a rien d'une surprise. Mais elle mentionne un autre soutien pour l'attentat contre le Conseil suprême: celui d'Edward O'Shea, manifestement aveuglé par ses propres ambitions. Bien pire: hier, dans la cathédrale, alors qu'elle était prise au piège, O'Shea l'a délibérément laissée fuir! Ces actes de trahison et de dissimulation, doublés d'abus de pouvoir, méritent la peine la plus sévère prévue par la loi.»

La foule gronde sourdement. Certes O'Shea n'est guère aimé, mais de là à mettre à mort un homme, un membre de l'ordre des Frères, sans procès ni jugement? En s'appuyant seulement sur les dires d'une sorcière? À l'avant de l'assemblée, le silence des Frères a laissé place à un bourdonnement de ruche en effervescence. J'entends le nom de Sean Brennan. Serait-ce le plan d'Inez: diviser pour régner?

«Mes chers concitoyens, ceci est un avertissement pour vous. Quiconque apportera son aide, si minime soit-elle, à la sorcière Catherine Cahill sera passible de la même peine. » Covington pointe O'Shea du doigt, et je m'émerveille du talent d'Inez. Elle restitue à l'identique toutes les mimiques de Frère Covington, ses plus subtiles inflexions de voix. Depuis combien de temps mûrissait-elle son plan ?

Sur cette dernière mise en garde, Covington et Inez quittent l'estrade. Deux gardes rejoignent O'Shea. L'un lui passe la tête dans le nœud coulant, l'autre resserre le nœud. La capuche du condamné tombe en arrière. Son crâne chauve luit au soleil.

Puis le second garde proclame haut et clair : « Edward O'Shea ! Sur ordre de Frère William Covington, vous avez été reconnu coupable de haute trahison envers la Nouvelle-Angleterre. Vous êtes condamné à la mort par pendaison. »

Les deux gardes reculent. Le silence est absolu.

Le premier garde tire sur un levier. Une trappe s'ouvre sous les pieds d'O'Shea. Son corps est comme happé vers le bas, mais s'arrête bientôt avec une secousse.

Il me semble entendre comme un craquement, mais peut-être est-il le fruit de mon imagination.

Sœur Inez est désormais, quoique non officiellement, à la tête de la Nouvelle-Angleterre.

Une sorcière aux commandes. On pourrait penser qu'il y a de quoi se réjouir.

Mais à présent que les deux personnes qui lui barraient la route ne risquent plus de la gêner, n'est-il pas évident que je vais être sa prochaine cible ?

Autour de nous, la foule garde le silence. Tous ou

presque détournent les yeux de la dépouille de Frère O'Shea, bercée par le vent de décembre.

Alice me prend le coude.

«Venez. Nous devons vous sortir d'ici.»

Chapitre 18

À peine avons-nous accroché nos capes chez Alice qu'on tambourine à l'entrée.

Mei et Rilla se tiennent sur le seuil, en habit de Sœurs, décoiffées par le vent. Rilla traîne avec elle sa vieille valise éraflée. Elle a dû venir ici tout droit depuis la gare.

Nous les faisons entrer prestement et je m'étonne : « Mais que faites-vous ici, Rilla ? Vous deviez rester là-bas une semaine ! »

Elle lâche sa valise et m'étreint avec force.

« Je n'étais pas heureuse d'être au loin, vous sachant toutes au milieu de cette épidémie et en pleine tourmente. Alors j'ai envoyé un télégramme à Mei. Elle est venue me chercher à ma descente du train et m'a mise au courant de ce qui s'est passé. Quel soulagement de vous retrouver en sécurité ! » Son visage criblé de taches de rousseur est à la fois soucieux et rayonnant.

Prue s'empresse d'aller faire du thé, Alice nous emmène au salon.

« En sécurité, est-ce si sûr ? » dit-elle en se lovant dans la causeuse fuchsia. Elle croise les chevilles avec grâce, ses pantoufles dorées pointant sous sa jupe rose, mais elle fronce les sourcils. « J'ai révélé à Maura et à Tess que Cate était ici, au cas où elles auraient besoin d'elle. »

Je m'assieds dans un fauteuil près de la cheminée et frissonne. « Maura n'irait pas le dire à Inez. C'est tout de même ma sœur. »

À l'autre bout de la causeuse, Sachi fait une grimace sceptique.

« Qu'elle soit votre sœur, c'est indéniable, dit-elle en redressant la plume verte dans ses cheveux. Mais elle a démontré que ça n'avait pas l'air de compter beaucoup pour elle.

— L'une des trois en tuera une autre », cite Alice, et mon estomac se tord. « C'est écrit dans les astres, non ? Elle n'a même pas besoin de vous passer la corde au cou de sa propre main. »

Il est certain que Maura n'aurait pas à se donner cette peine, si elle révélait à Inez où je suis. Tenue pour responsable de l'attentat contre le Conseil suprême, je suis la sorcière caricaturale que chacun redoute depuis l'enfance. En ce moment même, tout le pays apprend que je suis ce monstre contre lequel les Frères ont constamment mis en garde leurs ouailles : la sorcière capable d'intrusion mentale, prête à vider autrui de tout ce qui fait qu'il est lui-même, et de le manipuler à sa guise. M'emmurer vive ne suffirait pas. On aimerait mieux me pendre, et encourager le public à venir cracher sur ma dépouille en poussant des hourras. Inez jubilerait.

À coup sûr, ce n'est pas là ce que désire Maura. Aussi impulsive soit-elle, elle sait pertinemment ce qui arrivera si elle me livre à Inez.

« Elle ne me déteste pas à ce point-là », dis-je bien haut, priant le ciel que ce soit vrai.

«Elle savait ce qu'Inez avait l'intention de faire à Covington, non?» suggère Rory. Elle est perchée sur un bras de la causeuse, et sa robe orange vif jure atrocement avec les différents roses du papier peint derrière elle.

Je revois le regard de Maura se dérober obstinément, lorsque nous avons évoqué ensemble les visites d'Inez à l'hôpital. Et c'est à regret que je réponds : «Je n'en suis pas sûre, mais je pense que oui, elle le savait.

— Donc, elle a déjà été complice de meurtre, laisse tomber Rory.

— Oui, mais d'un sinistre individu, qui rêvait de nous envoyer toutes à la potence», dis-je sans grande conviction. Je sais trop bien que ce n'était pas une raison pour le priver d'un procès.

Assise en face de moi, Mei paraît hésiter.

«Je n'irai pas jusqu'à dire que j'approuve ce qu'ont fait Inez et Maura, mais… c'est notre chance de salut, non? L'ordre des Frères est à la dérive. Ils vont être encore plus divisés, maintenant. Il y a ceux qui soutiennent le pseudo-Covington; il y a ceux qui comptaient confirmer O'Shea à la tête de l'Ordre; il y a ceux qui voudraient rappeler Brennan de son exil… Et d'un autre côté il y a le peuple, qui veut du changement. À Noël, chez mes parents, j'ai vu combien les choses allaient mal. Plusieurs de nos voisins ont attrapé cette fièvre, tous ne s'en relèveront pas. Sans Cate, mon frère serait mort. Les gens n'ont pas de quoi se nourrir correctement, et encore moins de quoi se soigner; et à présent seuls les plus riches sont admis à l'hôpital. La famine s'accroît, parce que trop d'hommes ne peuvent plus travailler, et l'ordre des Frères n'a même pas livré les rations de Noël promises. Il faut faire quelque chose !

— Je suis bien d'accord. » Je parcours des yeux mon petit conseil de guerre. Mon cœur se serre ; il y manque Tess. Or elle devrait être présente pour chaque décision que nous prenons. Encore que... dans l'état où elle est, pourrait-elle se rendre utile ? « Je suis bien d'accord, dis-je une seconde fois, mais il faudrait savoir quoi et comment. »

Alice tripote ses boucles d'oreilles en topaze et déclare : « Je ne comprends pas ce qu'essaie de faire Inez. Elle assure vouloir rendre le pouvoir aux sorcières, nous permettre de diriger la Nouvelle-Angleterre comme par le passé. Pendant un temps, j'ai cru à ce beau discours. Mais cette ruse avec Covington... Je me demande ce qu'elle a en tête. Veut-elle provoquer une guerre civile ? Avec l'image qu'elle a donnée de nous, il faudrait que Covington – enfin, sa marionnette – commette des bourdes inouïes pour que les gens se rallient aux sorcières. Je les vois mieux élire un nouveau Frère, même si Inez présente l'ordre des Frères sous un jour sombre, corruption et compagnie. »

Je réfléchis un instant.

« Oui, elle ne nous a pas donné le beau rôle. Et ce n'est pas comme si elle souhaitait qu'ils rappellent Brennan, afin que nous puissions œuvrer tous ensemble.

— Pourtant, nous, nous y croyons, reprend Alice, détachant une de ses boucles d'oreilles pour l'inspecter. Son idée de triumvirat, rappelé par Merriweather – un Frère, une sorcière, un simple citoyen –, moi, j'y croirais volontiers. »

De nouveau, Sachi paraît sceptique.

«Vous? Vous seriez prête à partager le pouvoir avec un Frère?

— Et un simple citoyen?» renchérit Mei, tout aussi incrédule.

Alice hausse une épaule. «Ce serait déjà un peu de pouvoir. Mieux que ce que nous avons en ce moment.»

Un bruit de pas mêlés nous fait taire. Prue s'encadre dans la porte, munie du plateau à thé, suivie de son frère et de Finn.

«Voyez qui j'ai trouvé dans la cuisine», dit-elle, puis elle passe aux présentations.

Merriweather ne s'embarrasse pas de préambules. «Quelle est cette histoire à dormir debout? Covington est vraiment miraculé, ou y a-t-il de la sorcellerie là-dessous?

— Intrusion mentale, dis-je sobrement. Et manipulation complète. Mais nous ne pouvons pas dénoncer Inez sans exposer l'ordre des Sœurs tout entier.» Formulé à voix haute, ce constat m'accable encore plus. «Inez est dangereuse. Imprévisible. Elle me hait, parce que je lui tiens tête. Et vous savez, Finn, c'est elle…» J'hésite une seconde, bien que tout le monde soit déjà au courant, sans doute. «C'est elle qui a soufflé à Maura d'effacer vos souvenirs. Je la soupçonne d'avoir l'intention, quand elle jugera le moment venu, de vous faire arrêter pour trahison. Vous n'êtes plus en sécurité au sein de l'ordre des Frères.»

Finn digère l'information, puis il se tourne vers Merriweather.

«Je vais devoir envisager ma reconversion, si je comprends bien. Vous n'auriez pas besoin d'un reporter de plus?

— J'ai toujours l'usage de gens qui savent écrire », dit Merriweather avec une tape dans le dos de Finn, et un sourire malicieux pour Rilla.

À l'autre bout de la pièce, celle-ci rosit de plaisir.

De son côté, Finn m'a l'air un peu trop allègre. Je tempère son enthousiasme.

« Je ne suis pas sûre que vous mesuriez bien les dangers qui vous guettent. »

Il retire sa cape noire. Par-dessous, la chemise blanche qu'il porte sous un gilet à chevrons met en valeur sa carrure.

« Écoutez, dit-il. J'ai détesté chaque minute de mon séjour dans cet ordre. Et je ne suis pas fâché de me débarrasser de ceci. » Et, retirant son anneau d'argent, il le jette au feu

« Hé ! pas si vite ! s'écrie Merriweather. Cet objet peut encore servir. » Il gagne l'âtre, saisit un tisonnier et tire l'anneau des braises. « Dites plutôt à ces dames ce que vous avez découvert.

— Ah. » Finn se caresse le menton ; il paraît déjà plus à l'aise. « Voici : les Frères ont en réserve un remède qui se révèle efficace contre la fièvre des estuaires et qui agit en quelques jours dans la plupart des cas. Ils conservent ce stock à l'hôpital sous la garde de Kenneally, au cas où l'épidémie se déclarerait au sein du Conseil national, voire de l'Ordre tout entier. »

Mei saute sur ses pieds.

« Ils doivent en avoir des centaines de doses, alors.

— Absolument », confirme Finn. Il pince les lèvres, mais derrière ses lunettes ses yeux sourient encore.

«Les fumiers! gronde Rory, s'appropriant un scone orphelin. Ils regardent mourir les gens par centaines et se réservent un remède efficace?

— Il n'y a pas de justice, proteste Mei. Les Frères et leur famille peuvent s'offrir une vie protégée, et si jamais ils tombent malades, ils ont encore des remèdes comme la quinine et la salicine, qui au moins font baisser la fièvre et apaisent les douleurs… Et en plus ils gardent pour eux le seul vrai remède? Alors que ceux qui en auraient réellement besoin… »

J'achève pour elle : « N'y ont pas accès, et ce n'est pas tolérable. » Je me lève. « Mei, vous avez passé à l'hôpital plus de temps que quiconque. Avez-vous une idée de l'endroit où ils pourraient entreposer la chose?

— Ça doit pouvoir se trouver. Je dirais du côté du bureau de Frère Kenneally. »

Mais depuis son pouf bleu, Rilla coupe mes élans.

« Cate. Vous n'allez sûrement pas vous pointer comme une fleur dans cet hôpital : tout New London est à vos trousses, je vous rappelle.

— Et alors? C'est parfait : personne n'ira imaginer que je suis assez sotte pour me montrer là-bas. Et Mei ne va sûrement pas se charger de l'affaire toute seule. Il lui faut quelqu'un qui soit capable… d'intrusion mentale. » Je jette à Finn un regard gêné. « Simple précaution. Au cas où les choses tourneraient mal.

— On pourrait peut-être y aller au culot », dit Finn. Il reprend l'anneau, le passe à son doigt. « Allons, je veux bien jouer Frère Belastra une dernière fois.

— Mais la ville pullule de gardes aujourd'hui, prévient

Alice. Vous ne croyez pas qu'ils vont accourir s'il se passe des choses à l'hôpital?

— Si le bruit se répandait qu'il existe un remède efficace contre la fièvre, commence Merriweather avec son sourire de voyou, vingt dieux! ce serait un soulèvement général. Il suffirait que je suggère le fait dans la *Gazette*...

— Les gens meurent tous les jours, l'interrompt Mei. On ne va pas attendre la parution du journal demain ou après-demain.

— Il y a peut-être une autre solution!» s'écrie Rilla, bondissant sur ses pieds à son tour. Elle tire Merriweather par la manche. «On ne pourrait pas imprimer des petits tracts tout de suite?

— Oui, mais pour les distribuer comment? répond Merriweather, songeur. Pas moyen de confier cette tâche à mes crieurs. Ils se feraient immédiatement arrêter.

— Bon, mais avec un peu de magie, pourquoi pas?» suggère Rilla. Elle s'agenouille, ouvre sa valise, en tire un carnet. D'une main fébrile, elle en arrache des pages. «Regardez.»

Les yeux rivés sur elle, nous la voyons formuler un sortilège en silence, et les pages arrachées tourbillonnent dans les airs avant d'atterrir en douceur un peu partout dans la pièce.

«Quelque chose comme ça, conclut-elle. Simplement, à bien plus grande échelle. Sachi, Rory et moi serions capables, à nous trois, de les disperser à travers toute la ville.»

Merriweather ramasse un feuillet à ses pieds et le soupèse, pensif.

« Ça pourrait marcher. Ensuite, aux portes de l'hôpital, Cate pourrait distribuer le remède aux pauvres.

— Vous êtes fou ! » Finn se place devant moi, protecteur. « Elle se ferait arrêter sur-le-champ !

— Du calme. » Merriweather domine Finn d'une demi-tête, mais Finn semble prêt à la bagarre. « La *Gazette* a amplement souligné que Cate n'est pour rien dans l'attaque du Conseil suprême. J'ai veillé à bien montrer qu'elle est du côté des démunis, de ceux qui n'ont pas voix au chapitre. Quel meilleur moyen de le prouver que d'aller dérober aux riches pour donner aux pauvres ? Qu'elle le fasse, et ceux qu'elle aura aidés lui seront dévoués pour toujours. Prêts à donner leur vie pour elle.

— Ils feraient bien ! » Dans sa colère muette, Finn est tendu comme la corde d'un arc. « Dès la seconde où les gardes l'auront reconnue, qu'est-ce qui les retiendra… »

Je lui coupe la parole.

« Je suis partante. Ma tête est déjà mise à prix, de toute manière. Autant que ce soit pour une bonne raison. »

Trois heures plus tard, nous sommes en route pour l'hôpital, Mei, Finn et moi. Aucun de nous n'est entièrement métamorphosé, mais j'ai tout de même les cheveux châtains sous ma capuche, un menton carré au lieu d'être pointu, et les yeux du plus beau vert. Ce sortilège d'illusion, lorsque je l'ai mis en œuvre, m'a valu des compliments d'Alice. Elle m'a déclarée très jolie.

« Mais moins qu'en vrai », a rétorqué Finn – et je me suis sentie fondre pour lui encore un peu plus.

Un vent mauvais balaie les rues et fait voleter comme

feuilles d'automne les petits tracts jetés dans les airs par Rilla, Rory et Sachi. Les enfants leur courent après pour les ramasser. Les chevaux les marquent de l'empreinte de leurs sabots. Mais surtout, surtout, les gens les lisent.

« Quand on pense à toutes ces sornettes qu'ils nous chantent ! » s'indigne un grand maigre, brandissant un de ces tracts sur le seuil d'un marchand de tabac. « Qu'ils veillent sur nous et tout ça. Alors que pour eux on vaut même pas un pet de lapin.

—Tu l'as dit ! approuve son compère. Ça les gêne pas de nous regarder tomber comme des mouches.

— Ouais, et pourtant, l'hôpital, c'est fait pour soigner tout le monde, non ? Pas seulement les riches. Oh ! mais on va leur faire payer, Jim, pas vrai ? »

Et ils s'éloignent d'un bon pas, nous jetant au passage un regard mauvais.

Aux abords de l'hôpital, le spectacle est à fendre le cœur. Les gens implorent qu'on leur fournisse un remède, qui pour l'enfant dans leurs bras, qui pour une mère grabataire. Les gardes les font circuler, impavides, assurant que le remède secret n'existe pas. Plantés devant l'établissement, ils forment un cordon infranchissable. À l'intérieur, patients et infirmières à coiffe blanche observent l'agitation depuis les fenêtres qui donnent sur la rue.

« C'est un canular, assure un sergent aux tempes argentées. Encore ce mauvais plaisant de journaliste qui cherche à semer le trouble.

— Bon, ben on va fouiller à l'intérieur nous-mêmes ! » déclare une grosse commère, et l'assistance approuve bruyamment.

« C'est un hôpital, ici, grogne un garde. Un lieu pour les malades, pas pour une chasse au trésor. »

Jouant des coudes en douceur, Finn s'approche du cordon de sécurité.

« Que se passe-t-il ? » demande-t-il aimablement, remontant d'un doigt ses lunettes.

Avec un soupir, le sergent lui tend un tract.

« Une espèce d'ânerie qui prétend que l'hôpital disposerait d'un stock secret de remèdes. Allez savoir combien ils en ont imprimé, de ces trucs-là. J'ai bien peur que ça tourne à l'émeute. »

Finn nous désigne, Mei et moi.

« J'ai ici deux Sœurs qui viennent apporter des soins, et je dois moi-même remplacer Frère Diaz à la chapelle. Pouvons-nous passer ? »

Le sergent jette un coup d'œil à la main de Finn, constate la présence de l'anneau de l'Ordre et acquiesce.

« Bien sûr, sir. Allez-y. » Sur son signal, les gardes s'écartent pour nous livrer le passage.

Dans notre dos, la foule lance des insultes.

Un planton déverrouille la lourde porte de l'hôpital et nous fait entrer. Mei s'engage résolument dans l'escalier principal.

« Le bureau de Kenneally est au troisième, dit-elle. On peut toujours commencer par là. »

Mais à peine avons-nous mis le pied sur le premier palier qu'une voix nous apostrophe. Mrs Jarrell accourt vers nous.

« Mei ! Dieu soit loué, vous voilà. Nous manquons terriblement de personnel. La moitié de mes filles sont malades et les infirmiers ne fournissent pas. Nous avons grand besoin de vous dans le quartier des contagieux – la salle des hommes. » Mrs Jarrell jette à Finn un regard de biais. « Désolée, sir, mais en temps de crise, tant pis pour les convenances.

— Je ne saurais être d'accord davantage, madame. » Avec sa capuche rabattue en arrière, Finn a quelque chose d'un jeune garçon. « Nous sommes tous trois ici pour apporter notre aide.

— Merveilleux, ironise l'infirmière. Mais sauf votre respect, voyez-vous, pour les prières, nous avons ce qu'il faut. Ce qui nous manque, ce sont des bras. Alors, pour ces demoiselles, parfait, mais vous ? À moins que je puisse vous demander de vider les bassins, par exemple ?

— À un autre moment, peut-être, répond Finn avec son plus charmant sourire. Pour l'heure, nous avons à faire à l'étage au-dessus. »

Mrs Jarrell ne se laisse pas émouvoir.

« J'ai besoin de ces demoiselles. Ici, c'est une affaire de vie ou de mort. » Elle pivote vers Mei, si vivement que sa coiffe blanche s'incline dangereusement. « Ne me dites pas que soigner des messieurs vous gêne.

— Bien sûr que non. J'ai un frère à la maison. Simplement… »

Je décide de jouer mon va-tout. Après tout, nous sommes seuls dans ce corridor. Je m'approche de Mrs Jarrell et baisse la voix.

« Vous souhaitez réellement secourir tous ces gens ? Le plus de gens possible ?

— C'est mon boulot, non ? »

Je tire de ma poche un petit tract froissé et le lui glisse dans la main. «En ce cas, que pensez-vous de ceci? Priver d'un remède efficace ceux qui en auraient le plus besoin?»

Très vite, elle parcourt le texte des yeux, puis relève la tête. Son regard s'attarde sur Finn.

«C'est n'importe quoi. Si un réel remède existait – ici même, dans cet hôpital –, vous pensez bien que je serais au courant.

— Non, murmure Finn. Les Frères gardent le secret, parce qu'ils ignorent quand aura lieu le prochain arrivage en provenance de Grande-Bretagne. Vous savez à quelle vitesse se répand cette maladie. Que quatre ou cinq hommes seulement l'attrapent, et, avec ses réunions quotidiennes, tout le Conseil national tombera comme un château de cartes. Ils conservent jalousement le stock quelque part dans ces locaux. Frère Kenneally le délivre – au compte-gouttes – aux rares malades qui font partie de son réseau.

— Si c'était vrai, siffle Mrs Jarrell, enfonçant les mains dans les poches de sa blouse blanche, ce serait inacceptable. Mais je ne comprends pas: comment se fait-il que ce soit vous qui m'en parliez?»

Clairement, Finn n'est que trop heureux de rejeter son déguisement de Frère dévot. «Il se trouve que, moi aussi, je suis d'avis que c'est criminel, et que je veux y mettre fin. C'est aussi l'avis de Mei et de Cate, et c'est pourquoi...» Il se tait net, se rendant compte soudain de ce qu'il vient de dire.

«Sœur Cate?» Mrs Jarrell écarquille les yeux. Elle recule d'un pas et je me raidis, espérant de toutes mes forces que mon intuition est juste, que je ne vais pas avoir à l'empêcher de s'enfuir ou de donner l'alarme. Elle m'est sympathique, cette petite femme pleine d'énergie. « C'est vous ? Vous êtes la… la sorcière dont ils n'arrêtent pas de parler ?

— La même qui est venue ici travailler avec moi toute la semaine, répond Mei.

— Mais… après ce qu'elle a fait au Conseil suprême ?

— C'est de la calomnie, je n'y suis pour rien. » Je lève haut la tête. « Je n'ai jamais fait de mal à personne et je n'ai pas l'intention de m'y mettre. Nous voulons seulement trouver ce remède et le distribuer à ceux qui en ont besoin. »

Le regard de Mrs Jarrell se pose sur Mei, puis sur moi, puis de nouveau sur Mei.

« Vous avez toujours su ce qu'elle était, n'est-ce pas ? Parce que… parce que vous l'êtes aussi, je le devine. Toutes les deux sorcières. Je comprends mieux à présent. Ces malades qui récupéraient plus vite que les autres après votre passage… Vous ne vous contentiez pas de les soigner.

— Mais ne le dites à personne, je vous en supplie, à personne, implore Mei à voix basse.

— Je vais faire mieux. » Mrs Jarrell lève le front. « Suivez-moi. Si ce remède existe, je vous parie tout ce que vous voudrez qu'il est quelque part dans la réserve, au troisième. »

Elle s'élance dans l'escalier et nous l'imitons. Chemin faisant, nous croisons des membres du personnel, infirmières, aides-soignants, de temps à autre un médecin. Tous la saluent respectueusement, en réponse à son joyeux « bonjour ! », et nul ne nous accorde un second regard. Nous la suivons le long d'une enfilade de corridors blancs. Elle s'immobilise devant une porte gardée par un colosse aux cheveux carotte.

«Bonjour, Willy. La sécurité a été renforcée, à ce que je vois? À cause de cette bêtise, je parie?» Elle lui brandit sous le nez le tract de Merriweather.

«Tout juste. C'est ce qu'on m'a dit. Jamais rien vu d'aussi stupide de toute ma vie. Mon père l'a attrapée, cette fièvre, vous savez. S'il y avait quelque part ici un remède qui marche, je serais certainement pas planté devant cette porte.

— Votre père est malade? Je suis bien navrée de l'apprendre. Espérons qu'il sera bientôt sur pied.»

Elle tend la main vers la poignée de la porte, mais Willy s'interpose. «Désolé, m'dame. Ordre de Frère Kenneally lui-même : je dois laisser entrer personne, sauf si luimême l'autorise.

— Bien sûr, dis-je – et je me tourne vers Finn. Donnez-lui le billet.»

Finn me regarde sans comprendre. «Le billet?

— Le petit mot de Frère Kenneally. Vous l'avez mis dans votre poche.

— Ah! c'est vrai.» Il extirpe le tract que le sergent lui a donné et le parcourt des yeux avant de le tendre à notre cerbère.

Je réprime un sourire. Par un sortilège d'illusion, je viens d'en faire un laisser-passer signé de Frère Kenneally. Je suis à peu près certaine que Willy ne connaît pas la véritable écriture du directeur de l'hôpital.

Le garde va directement à la signature au bas du billet.

Il me vient à l'esprit que le malheureux ne sait probablement pas bien lire.

«C'est bon», bredouille-t-il, et il s'efface pour nous laisser entrer.

La réserve est un fouillis de boîtes et de flacons et d'accessoires médicaux.

«C'est quoi, ça?» murmure Mei. Tout au fond de la pièce se dresse une grande armoire métallique, fermée par un cadenas. Elle place la main sur celui-ci et il cède avec un cliquetis.

Nous nous précipitons derrière elle tandis qu'elle ouvre le meuble. Il est littéralement rempli de petits flacons de verre à bouchon de liège, plusieurs centaines, tous identiques. Chacun mesure à peine trois pouces et contient un liquide clair. Sur l'étagère du dessus, un petit écriteau mentionne: «Fièvre des estuaires – Élixir.»

«C'est bien ce que nous pensions, dis-je à mi-voix.

— C'est pas Dieu possible. Les chiens!» souffle Mrs Jarrell. Puis elle se signe et regarde Finn, horrifiée. «Pardonnez-moi, mon Frère.

— Oh! ce sont des chiens, bel et bien», approuve Finn.

Il ouvre sa besace de cuir et entreprend d'y ranger des flacons, prenant bien soin de les caler avec les torchons propres empruntés chez Alice, afin de les protéger et de leur interdire de tintinnabuler. Sitôt sa besace pleine, Mei et moi remplissons les nôtres. Mrs Jarrell a sorti de ses grandes poches un bloc-notes, et elle tient le compte des flacons que nous emportons.

«Trois cents», annonce-t-elle pour finir.

J'hésite un peu au moment de boucler ma besace.

« En restera-t-il assez pour vos malades et vos filles de salle ?

— Oui, vous nous en laissez plus de la moitié ; pour nos malades, cela devrait aller. Quant à nos filles, elles sont solides et en pleine santé. Elles ne sont pas menacées. Et elles connaissent parfaitement les risques du métier. »

Je suis impressionnée.

« Vous êtes des anges, toutes autant que vous êtes. » Je sais ce que j'ai éprouvé lorsque je n'ai rien pu faire – pour Zara, pour Brenna, pour ma mère –, et je m'imagine face à cette situation, jour après jour, avec pour mission de rester de bonne humeur. « Si jamais vous tombez malade, hein, faites-nous appeler immédiatement.

— Je n'y manquerai pas. » Elle m'étreint brièvement, puis, redressant sa coiffe et son tablier, elle a ce cri du cœur : « Quelle pitié que vous ne puissiez pas vous servir de vos dons sans vous cacher. Vous sauveriez tant de vies ! »

Elle redescend avec nous jusqu'au palier du premier, et là, avant de nous quitter, elle nous presse longuement les mains, tour à tour.

« Que le ciel vous protège », murmure-t-elle, puis elle retourne bien vite à sa tâche.

De retour au rez-de-chaussée, nous jetons un regard dans la rue par la fenêtre. La foule a triplé pendant que nous étions à l'étage. Les gens crient, gesticulent, menacent de renverser la barrière de fortune que les gardes viennent d'ériger. Ces derniers n'ont pas l'air rassurés d'être à ce point dépassés en nombre. Pourtant, bien qu'armés, ils ne font pas mine d'utiliser leurs armes. Pas encore.

À vrai dire, ce sont ces armes à feu qui me tourmentent le plus. Je ne sais que trop bien l'impuissance de notre magie face à certains types de blessures.

« À votre place, sir, je sortirais par-derrière, conseille le garde à Finn.

— Je n'ai pas peur de ces gens », répond Finn résolument.

Le garde hausse les épaules et déverrouille la porte. « Vous courez à votre fin. »

À la vue de Finn en tenue de Frère, solide et en pleine santé, la haine de la foule se déchaîne. On le conspue, on l'insulte, on se jette sur les barrières de bois. Les gardes ripostent à coups de matraque.

« Pourquoi il a droit à un remède, lui, et pas mon mari ? hurle une vieille femme. Il est meilleur que nous, peut-être ?

— Non, je ne suis pas meilleur que vous. » Finn se défait de sa cape noire. Par-dessous, il n'a pas de jaquette, et ses manches de chemises sont remontées, montrant ses avant-bras éclaboussés de taches de rousseur. Il se faufile entre les gardes stupéfaits et, en deux bonds, franchit la barrière. Puis il se tourne vers moi, semblable en tout point au jardinier qui travaillait chez nous cet automne. « Venez-vous ? »

J'escalade la barrière tant bien que mal, et il me cueille à bout de bras pour me déposer en douceur de l'autre côté. Mei me fait passer ma besace, puis me tend la sienne, et Finn l'aide à son tour à franchir l'obstacle.

« Mais que faites-vous, bon Dieu ? aboie un garde. Ils vont vous mettre en pièces. »

Jouant des épaules, Finn se fraie un chemin à travers la cohue. Les gens nous lancent des coups de coude, nous écrasent les pieds délibérément. Quelqu'un marche sur le bas de ma cape et je trébuche en avant, bousculant une femme qui me repousse avec force en m'injuriant. J'attrape Mei par la main et l'entraîne dans le sillage de Finn. Nous sommes à peu près au milieu de la rue lorsque Finn se retourne vers nous. Ses lunettes sont de travers et sa lèvre inférieure saigne un peu, mais c'est avec un grand sourire qu'il nous dit : « Vous êtes prêtes ?

— Prêtes ! »

Mon cœur bat à tout rompre. Du haut de la barrière, tout à l'heure, j'ai repéré Sachi, Rory et Alice à l'arrière de l'attroupement, qui voleront à notre secours au moindre signal. Nous avons dressé un plan. D'un sortilège d'animation, Sachi maintiendra fermées les portes de l'hôpital, pour interdire aux hommes de la garde se trouvant à l'intérieur de venir renforcer leurs collègues postés dehors. Mais bien sûr rien ne pourra empêcher cette foule de me renverser et de me piétiner si bon lui semble. Et pas seulement moi, d'ailleurs. Mes bonnes intentions vont-elles se solder par une multitude de membres brisés – voire pire ?

« Les Frères vous mentent ! » articule Finn à pleine voix, mais seuls les gens les plus proches peuvent capter ses paroles par-dessus le brouhaha. Il m'adresse un regard soucieux, essuyant d'un revers de main le sang qui lui coule sur le menton.

Je l'encourage : « Répétez ! » Et, au moyen d'un sortilège, j'amplifie sa voix de manière à la faire porter beaucoup plus loin.

« Les Frères vous mentent ! Il existe un traitement contre la fièvre des estuaires. Nous l'avons vu, et nous estimons que vous y avez droit. »

Cette fois, la foule écoute.

Par-dessus mon épaule, j'entraperçois un garde qui franchit la barrière – peut-être pour essayer d'entendre Finn ou de découvrir pourquoi le tumulte s'est réduit à un murmure.

« Votre véritable ennemi, c'est l'ordre des Frères. Et non pas les sorcières. Tout ce que rapporte *The Sentinel* au sujet de Cate Cahill n'est que mensonges. Elle n'est pour rien dans l'attentat contre le Conseil suprême. À Harwood, elle n'a rien fait d'autre que libérer des innocentes emprisonnées là-bas. La plupart de celles-ci n'étaient même pas sorcières : leur seul crime était de s'être trouvées au mauvais endroit au mauvais moment. Telle Prudencia Merriweather, à qui l'on ne peut reprocher que d'avoir refusé de livrer son frère.

— Et alors ? lance une vieille femme osseuse.

— Et ce remède ? hurle un jeune homme court sur pattes.

— Nous l'avons ici. Des centaines de doses. »

Tout en parlant, Finn brandit sa besace, et la foule se jette en avant dans une hallucinante bousculade. Les plus proches de lui empoignent la bride du sac, tentent de le lui arracher. Il tourne sur lui-même, s'efforce de se protéger de partout à la fois.

À le voir ainsi menacé, ma magie frémit au bout de mes doigts. Mais il a farouchement refusé de me laisser prendre en charge seule cette partie de notre plan. Et je dois bien admettre – à mon regret – que les gens écoutent plus volontiers un homme.

Un gros bonhomme à moustaches de morse saisit Mei par un coude et l'attire à lui, juste comme je sens qu'on m'attrape le poignet.

«Lâchez-moi!» crie Mei. Je me concentre sur le moustachu, le repousse en silence, puis je fais reculer de la même façon tous ceux qui nous serrent de trop près. Ils glissent en arrière, malgré eux, bras ouverts comme des patineurs, se télescopant un peu les uns les autres, mais sans dommages. Pour finir, Finn, Mei et moi nous retrouvons dans un espace dégagé d'environ une longueur de bras, îlot suffisant pour respirer.

«Ne portez pas les mains sur nous», dis-je bien calmement.

J'ai renoncé à mon sortilège et suis redevenue moi-même : une grande blonde un peu planche à pain, aux traits aigus – indéniablement, celle dont le portrait figure en première page du journal du jour.

La foule retient son souffle, ici et là on murmure mon nom – mais soudain l'un des gardes tire en l'air. L'une de nos amies le transforme aussitôt en statue, perché sur la barrière.

Alors je préviens : «Je ne souhaite faire de mal à personne. Si vous voulez bien vous ranger en file ordonnée, nous allons distribuer le remède. S'il y a la moindre bousculade, personne n'en recevra. Du tout.

— Et comment savoir que c'est pas une ruse? Que votre truc est pas un poison?» interroge un homme comme j'ouvre ma besace.

Mei a déjà un flacon en main. Elle ôte le bouchon.

« Si c'était un poison, vous croyez que j'en boirais moi-même ? » dit-elle, portant le goulot à ses lèvres. Elle fait une horrible grimace. « Le goût est atroce, cela dit. Le mieux sera d'en prendre quelques gouttes dans votre thé. »

Dos à dos l'une contre l'autre, Mei et moi commençons la distribution. Tout près de nous, Finn veille. Les gens tendent la main en hésitant, les yeux sur moi comme si j'étais un troll à deux têtes, ils remercient entre leurs dents et s'éloignent avec le flacon serré dans leur poing. Aucun d'eux n'empiète sur l'espace libre que j'ai dégagé autour de nous.

En regardant du côté de la barrière, je découvre que trois gardes à présent y sont changés en statue. Plusieurs autres ont franchi ce rempart et se collettent avec la foule.

Une femme avec une petite fille joufflue dans les bras se présente à son tour devant moi. La gamine, rouge comme une écrevisse, se débat dans les bras de sa mère et cherche à rejeter la couverture qui l'empaquette, mais elle ne pleure pas. Elle regarde droit devant elle, les yeux vides, et sa respiration râpeuse me serre le cœur.

« Que le Ciel vous protège, mademoiselle », dit la mère, et une quinte de toux de la petite la fait grimacer. « C'est si dur de voir ma Susannah malade comme ça. »

J'hésite. Comment savoir si ce remède – prévu pour des hommes dans la force de l'âge – est sans danger pour un nourrisson ?

J'hésite encore, puis je chuchote : « Je pourrais la guérir complètement. Avec ma magie. Vous permettez que je la touche ? »

Elle balance un instant, puis elle se penche et rapproche de moi le paquet dans ses bras. Je tends un doigt et la toute-petite referme sur lui sa main minuscule, comme le faisait Tess bébé. Je chasse de ma tête les bruits du dehors, je me concentre sur la respiration tourmentée de l'enfant. Je sens la congestion dans ses poumons menus, je la repousse avec force. Peu à peu, son souffle se fait plus délié. Sa peau brûlante fraîchit. Je chancelle sur mes jambes.

« C'est assez, Cate », me prévient Mei d'un ton sans réplique.

Je dégage mon doigt de l'emprise de la petite, qui agite les jambes en réponse. La mère regarde l'enfant au creux de ses bras – ses grands yeux bleus redevenus vifs, ses joues rebondies au teint crème – et dépose un baiser sur son front.

Elle me rend le flacon. « Merci. »

Mais j'entends le râle dans ses poumons à elle. « Non, prenez-le quand même. Pour vous, on ne sait jamais.

— Cate ! » Finn me pousse sans ménagement, et je bascule en arrière sur Mei, manquant de nous renverser toutes les deux contre les gens qui nous entourent. Il se plie en deux et je n'y comprends plus rien, avec le vertige et le mal de tête que m'ont valu mes efforts de guérisseuse. Puis je le vois empoigner son pistolet et tirer. Un garde hurle et laisse tomber son fusil pour porter la main à son épaule. Le garde à côté de lui, qui balançait sa matraque pour se frayer un chemin, se fige face à un grand blond qui a ramassé le fusil et le pointe vers lui. Un autre homme lui arrache des mains sa matraque.

«Filons, dit Mei. L'endroit n'est plus sûr. » Elle distribue encore deux ou trois flacons, puis tend la besace entière à une femme efflanquée, juste à côté.

Alice a dû parvenir à la même conclusion que nous, car je vois retomber sur mon épaule une mèche brune, et ma cape a bleui en un clin d'œil. J'abandonne ma besace et ce qui restait dedans.

Cette fois, nous n'avons pas à jouer des coudes. La foule nous livre passage d'elle-même.

«Il était moins une», grommelle Finn, qui fait les cent pas dans le hall d'entrée de chez Alice. «Ce n'est pas en l'air qu'il allait tirer. C'est sur vous. »

Je suis assise sur la dernière marche du grand escalier. «En ce cas, je suis heureuse que vous lui ayez tiré dessus d'abord. »

Il a un peu triste mine avec sa chemise qui lui pend dans le dos, sa tignasse rousse plus hirsute que jamais, sa lèvre tuméfiée et sa main éraflée.

«Moi qui n'avais jamais tiré sur personne, dit-il. Sur un être humain, jamais.

— Il s'en sortira sans trop de mal, diagnostique Mei, optimiste. Sauf si vous avez touché une artère. Alors il pourrait perdre son bras.

— Je ne suis même pas certain que c'est l'épaule que je visais, confesse Finn, accablé.

— Pensez-vous que nous ayons fait un peu changer les choses?» Ma voix est toute petite. J'enserre mes genoux de mes bras. «Cette façon qu'ils avaient de nous regarder… Ils avaient peur de moi. »

Finn s'assied à côté de moi, et ses doigts s'entrecroisent avec les miens. «Vous avez été magnifique.

— Morte de terreur, oui.

— Vous ne l'avez pas laissé voir. Et vous avez agi quand même. C'est ça le courage.»

Son pouce caresse le bord de ma main, et j'en ai le souffle court. J'élève ses phalanges à mes lèvres, dépose un baiser sur celle qui est écorchée. À mon toucher, les meurtrissures disparaissent, et le regard qu'il pose sur moi...

C'est le regard qu'il avait *avant*.

«Désolé d'interrompre la fête, les tourtereaux, mais j'ai du nouveau», annonce Merriweather, surgi à grands pas. Finn ne lâche pas ma main. «Quoi encore?

— Je trouvais bizarre qu'il n'y ait pas plus de gardes que ça, à l'hôpital, pour contenir la cohue, alors je suis allé interroger un de mes informateurs. Le valet de pied d'un Frère. Après la pendaison, il a entendu Covington ordonner de retirer presque toutes les patrouilles de là-bas et de les envoyer dans le quartier du fleuve.» Merriweather a les épaules raides; rien à voir avec sa nonchalance coutumière.

«Ils craignent peut-être des émeutes, quand davantage de gens seront au courant, pour ce traitement», suggère Finn.

Les yeux rivés sur la lumière dansante de la lampe bleue, je réfléchis. «Mais apparemment, dis-je, Covington aurait donné cet ordre avant de voir nos tracts.

— Il semblerait qu'ils mettent en place des barrières le long des rues Prince, Munroe, et de la Cinquante-septième. En fait, ils bouclent tout le quartier du fleuve.»

Merriweather trace dans les airs les trois côtés d'un rectangle imaginaire. Le quatrième doit être la rive du fleuve.

« C'est peut-être pour instaurer une quarantaine ? » suggère Rilla qui arrive à cet instant. Elle me tend une tasse de thé fumant.

« Un peu tard, non ? L'épidémie a gagné toute la ville », marmotte Mei, des épingles à cheveux plein la bouche. Plantée devant le miroir, elle refait son chignon.

« Une autre de mes sources, poursuit Merriweather, a vu un train de chariots de la garde franchir le cordon de barrières et il l'a suivi. Il savait que je paierais bien pour une information utile. Les chariots se sont arrêtés devant un entrepôt du port.

— Sait-on ce qu'ils transportaient ? » demande Finn.

Merriweather continue de faire les cent pas, et ses semelles ferrées résonnent dans le grand hall.

« À première vue, de la térébenthine et du kérosène. Vous croyez qu'ils pourraient cacher le reste des produits de traitement dans des barils ?

— Non, dit Mei, enfonçant une dernière épingle dans ses cheveux noirs. Qu'ils les retirent de l'hôpital, d'accord, mais pas pour les emporter au diable. Ils veulent sûrement les avoir sous la main, pas trop loin du centre-ville. »

Rilla s'assombrit. « Tous les jours, des dizaines de gens meurent de cette fièvre. Les Frères ne pourraient-ils pas essayer au moins d'enrayer l'épidémie ? Ils n'ont même pas diffusé de conseils sur les précautions élémentaires.

— Moi, je l'ai fait, dit Merriweather. Restez chez vous si vous le pouvez ; couvrez-vous le nez et la bouche chaque fois que vous devez sortir ; et lavez-vous les mains au savon le plus souvent possible.

— Faites bouillir votre linge », dis-je à mon tour, revoyant Mei courir à la buanderie tous les soirs, à notre retour de l'hôpital. « Au pire, brûlez-le. Pendant l'épidémie de grippe, quand j'étais petite, notre mère était allée soigner des malades, et elle avait brûlé sa robe dans la cheminée à son retour. »

La main de Finn se resserre sur la mienne.

« Vous souvenez-vous des Bower ? Non, vous deviez être trop petite. Toute la famille avait attrapé la grippe. Y compris les domestiques. Et tous avaient été emportés. Peu après, les Frères avaient envoyé des gardes avec des barils de kérosène et ils avaient fait brûler la ferme jusqu'à la dernière poutrelle. Ils avaient parlé de mauvais sort.

— Croyez-vous qu'ils aient l'intention d'incinérer les cadavres ? s'interroge Mei. Ça expliquerait le nombre de chariots. »

Finn plisse le front.

« Mais dans ce cas, pourquoi fermer le quartier ? Pourquoi tenir la chose secrète ?

— Seigneur ! » Ma tasse m'échappe des mains et vole en éclats à mes pieds. Le thé brûlant détrempe ma jupe, me cuit les tibias. Je plonge les yeux dans ceux de Finn, tétanisée. « Et si ce n'étaient pas les morts que les Frères envisageaient de faire brûler ? Si c'était… tout le quartier du fleuve, sans se soucier de savoir qui s'y trouve ? »

Chapitre 19

« Mais ce serait l'intention de qui ? demande Mei. Des Frères ? Ou d'Inez ? »

Personne ne suggère que mon hypothèse est une énormité, que la chose est impossible, impensable.

Finn se lève d'un bond, écrasant les tessons de porcelaine.

« Ha ! Bien pensé. Nul n'ira soupçonner qu'elle est là-dessous. Si Covington ordonne à sa garde d'incendier le quartier du fleuve, tout le monde y verra l'œuvre des Frères. Venant s'ajouter à l'affaire des remèdes dissimulés, cela pourrait déclencher un soulèvement massif contre eux. »

Merriweather enfonce les mains dans les poches de son caban. « Mais les Frères pourraient très bien prétendre que Covington a perdu la tête. Qu'il n'était pas miraculé, finalement, et le renverser. Auquel cas, Inez serait mise en échec.

— Quand même, murmure Rilla, entreprenant de ramasser les éclats de la tasse. Quel genre de personne faut-il être pour encercler un quartier habité et y mettre le feu ?

— Le même genre de personne que pour envoyer des innocentes à la potence, simplement parce qu'elles gênent vos plans », dis-je en arpentant le hall d'entrée à mon tour, sans me soucier de ma jupe détrempée.

Mei enfile sa cape.

« Il faut aller là-bas. »

Merriweather se caresse la mâchoire, pensif.

« On ne pourrait pas mettre la garde dans le coup ?

— À ce détail près que nous sommes des sorcières, de dangereux progressistes, et des fuyardes par-dessus le marché ! ironise Rilla. Je nous vois mal aller trouver le chef de la garde et lui expliquer, la bouche en cœur, que Covington est une marionnette, victime d'une manipulation de pensée. D'ailleurs, même s'ils savaient de quoi il retourne, qui vous dit que les gardes n'approuveraient pas le projet ? Vous devriez les entendre parler des gens qui habitent du côté du fleuve ! »

Merriweather s'apprête à répliquer, mais je le fais taire d'une main levée. Rilla et lui discutailleraient toute la journée si on les laissait faire.

« On ne peut pas compter sur les gardes, dis-je simplement. Et peut-être qu'Inez les manipule aussi, du moins leurs chefs, pour ce que nous en savons. Non, il faut intervenir nous-mêmes.

— Et vous avez un plan ? raille Merriweather. Vous êtes sûre que les gens vont nous croire, si nous leur demandons d'évacuer le quartier ? Nous manquons un peu d'arguments, non ? Et pour ce qui est d'empêcher des départs de feu, il faudrait savoir par où commencer. Fouiller les entrepôts ? Merci bien. Il y en a des dizaines, il y en aurait pour des jours.

— De toute manière, intervient Mei qui réfléchit à voix

haute, je ne crois pas que nous puissions empêcher les gardes d'allumer des incendies, si c'est ce qu'Inez leur ordonne de faire par la voix de Covington. En revanche, notre magie doit nous permettre de les éteindre, en tout cas de les contenir.»

Finn écarte les tentures et inspecte le ciel couleur d'encre. Il n'est que cinq heures du soir, mais on est en décembre. Le soleil est déjà couché, et le vent d'hiver envoie les branches d'un arbre tout proche fouetter les carreaux des grandes fenêtres.

«Ils vont attendre que tout le monde soit rentré chez soi, dit-il, énonçant sa pensée à voix haute. Le feu se propagera plus vite s'il n'y a personne pour donner l'alerte, hormis quelques veilleurs de nuit.

— Le vent a sérieusement forci, fait observer Mei. Avec un vent pareil, deux ou trois entrepôts en feu suffiraient à embraser tout le quartier, si ce n'est plus.»

Merriweather s'assombrit encore.

«Prue est dans la ville basse, justement.»

Alice, Prue, Sachi et Rory ont pris les flacons de remède restés dans la besace de Finn pour aller les porter à des familles qu'Alice et moi visitons souvent dans nos tournées de charité.

«Ma famille habite pas très loin du fleuve, elle aussi», dit Mei. Elle ouvre la porte sur la rue et titube sous l'assaut du vent.

«Prenons un fiacre, pour commencer, propose Merriweather. Parions que le cocher, lui, va nous croire.»

Rilla souffle la lampe à pétrole.

«Moi, je file au prieuré, voir si je peux convaincre

d'autres sorcières de se joindre à nous. Si ces feux se déchaînent, nous n'aurons pas trop de tous nos pouvoirs réunis.»

Je suis en train d'enfiler ma cape quand une idée m'arrête. «Le Golden Hart, où est-ce?

— Le Golden Hart? se récrie Merriweather. Qu'en avez-vous à faire?

— C'est là que mon père se cache.» Ma voix s'étrangle. «Et c'est tout près du fleuve, non?

— Juste en face. Pour attirer les matelots. Et si ma mémoire est bonne, c'est entre une taverne et un… entrepôt de coton.»

Finn me reprend la main, percevant ma détresse.

«Je vais vous accompagner au prieuré, avec Rilla, puis je partirai en quête de votre père.»

La pensée de Finn et de Père en danger me rend malade. En silence, je me fais un serment: quand tout cela sera terminé, plus jamais, jamais Inez ne pourra mettre en péril ceux que j'aime. Peu importe ce que je devrai faire pour m'en assurer.

Le fiacre s'arrête devant le prieuré et Rilla saute sur le trottoir avant même que les roues soient immobiles. Finn me saisit le poignet et me retient pour un baiser bref mais résolu. Derrière ses lunettes, son regard est soucieux.

«Soyez prudente, Cate.

— Vous aussi.» Je voudrais lui demander d'attendre, de ne pas descendre au fleuve sans moi – mais je ne peux pas le couver. Il n'a sans doute pas ma force, mais il a la sienne, différente. Il est bien toujours mon Finn, intelligent et plein de ressource. Je m'entends balbutier : « Désolée de vous avoir entraîné dans tout ceci.

— Ne le regrettez pas. Sans vous, je ne serais pas à même de faire changer les choses. Alors que là, j'apporte ma contribution, Cate. Pour moi, c'est beaucoup. »

J'hésite, mais il faut que je le lui dise. On ne sait jamais. J'effleure d'un doigt sa barbe de trois jours. « Je vous aime. »

Et je saute sur le marchepied sans attendre sa réponse. Il ne peut pas me répondre la même chose. Il ne l'éprouve pas. Pas encore. Voilà trois semaines, rien ne m'aurait semblé pire, mais à présent...

En vérité, les choses peuvent toujours empirer, n'est-ce pas ?

Posant le pied sur le trottoir, je laisse échapper un petit rire rauque, aussi amer qu'un rire de Rory.

Devant le perron du prieuré patrouillent deux gardes en tout et pour tout. Ils lèvent leur arme à mon approche, mais je marche vers eux d'un pas décidé en les regardant fixement, paupières mi-closes.

« Partez d'ici, et ne revenez pas ce soir », dis-je d'un ton sans réplique.

Dociles, ils tournent les talons et descendent la rue sans mot dire. Rilla pousse déjà la porte massive. Elle se précipite vers le grand salon, lieu de rassemblement à cette heure, moins pour étudier que pour bavarder en attendant le souper. « Où est Inez ? demande-t-elle sans préambule.

— Allez savoir ! répond Vi. Pas ici, toujours. Êtes-vous allée voir Cate ? Comment va-t-elle ?

— Je suis ici. » Mon arrivée suscite à la fois des regards sombres et des cris de joie.

«Et que faites-vous ici?» s'enquiert Parvati, qui semble s'être approprié la place d'Alice sur la causeuse fuchsia. «Vous croyez que vous n'avez pas causé déjà assez d'ennuis?

— Oh! causer des ennuis, j'ai à peine commencé.»

Tess se jette sur moi, elle noue ses bras autour de ma taille, enfouit son visage dans mes cheveux. En douceur, je la tire en arrière et la regarde – la regarde vraiment. Nous n'avons été séparées que deux jours, mais avant-hier est déjà bien loin, et je la vois avec des yeux neufs. Elle a maigri, je trouve. Ses rondeurs récemment acquises et la couleur à ses joues ont disparu. Des ombres violettes s'attardent sous ses yeux. Même ses boucles blondes ont l'air éteintes. Ma petite sœur paraît hantée.

Je lui dis à mi-voix: «Je suis au courant de ta dernière vision.» Elle a un recul. «Ces images de feu, de mort. Ce n'était pas un cauchemar, Tess, c'était une prophétie. Inez va tenter d'incendier le quartier du fleuve.»

Maura se dresse, resplendissante dans sa longue robe ivoire brodée de feuilles vertes.

«N'importe quoi!

— Ils ont bouclé le quartier cet après-midi, comme pour une mise en quarantaine. Et des barils de térébenthine et de kérosène ont été livrés par chariots entiers dans des entrepôts du port. C'est bien Inez qui donne les ordres, non?» Tout en parlant, je scrute les traits de Maura, mais elle paraît sincèrement choquée de la tournure que prennent les événements. «Et je crois savoir pourquoi: elle fait en sorte que les Frères semblent décidés à assassiner les gens dans leurs lits pour empêcher l'épidémie de s'étendre.»

Tout le salon bruit de murmures et de chuchotis.

«Mais elle ne peut pas faire ça, dit Tess en tremblant. Elle va causer la mort de centaines de gens. Moi, je croyais que c'était bêtement un cauchemar… Je devrais pourtant savoir faire la différence, maintenant.

— Ce n'est pas votre faute», hasarde Lucy, assise sur un pouf près de sa sœur.

Les aiguilles à tricoter de Grace cliquettent sans répit.

«Je devrais savoir faire la différence, s'obstine Tess. Il aurait fallu que je prévienne. Je ne… je ne me sens pas moi-même, ces temps-ci.

— Je ne crois pas un mot de cette histoire, déclare Maura. Ce serait vraiment aller trop loin, même pour Inez.» Son regard bleu parcourt le salon, à la recherche d'alliées, mais personne n'ouvre la bouche. Éloquemment, il ne se trouve personne dans cette pièce – pas même les enseignantes qui s'encadrent dans la porte, pas même la vieille Sœur Evelyn – pour prendre la défense d'Inez. «Il doit y avoir une autre raison, conclut Maura.

— Inez a un cœur de pierre, Maura, dit Elena. Aucune pitié pour personne. Il y a longtemps que vous auriez dû le reconnaître.» Pour adoucir son propos, elle enlace l'épaule de Maura.

«Il faut aller là-bas, et tout de suite», décide Rilla. Sa voix est sèche, sans son allant habituel. «Nous arriverons peut-être trop tard pour empêcher les départs de feu, mais nous pourrons au moins retarder leur propagation. Les autres sont déjà en route – Alice, Mei, Sachi, Rory…

— Je vais demander à Père d'atteler les chevaux», décide Vi, et elle se rue hors de la pièce.

«Il va falloir travailler par équipes de deux ou trois, réfléchit Elena à voix haute. Ce quartier-là n'est pas sûr pour les filles seules la nuit.

— Sûr ? se récrie Genie. Ce que vous nous demandez là, c'est de faire de la magie en public ! Au risque de nous faire arrêter. Ou assassiner !

— Je ne le pense pas, dis-je. Je crois que la population – surtout la classe ouvrière qui vit du côté du fleuve – en a vraiment assez des outrances des Frères. Bien sûr qu'il y a un risque. Pour ma part, je suis prête à le prendre. Nous sommes puissantes. Il est temps de cesser de nous cacher.

— Bien d'accord », approuve Elena, et elle se tourne vers Maura. « Faisons-nous équipe ? »

Mais Maura se dégage d'une secousse.

« Non. Moi, je vais trouver Inez au siège du Conseil, je veux lui demander ce qu'il en est. Elle ne ferait pas ce que vous dites. Elle ne ferait jamais ça. J'en suis certaine. »

Le cœur en berne, je la regarde s'éloigner sans se retourner, mais je n'essaie pas de la rattraper. Elena non plus n'esquisse pas un geste. À la place, je demande : « Et vous, Parvati ? Venez-vous ? »

Parvati délaisse la causeuse.

« Ma grand-mère habite pas loin du fleuve. Essayer de renverser les Frères, je suis pour. Mais si Inez est capable de faire brûler vive une vieille femme… » Dans son fin visage, ses yeux noirs luisent comme jamais. « Si elle l'est, alors je me suis complètement trompée sur elle. »

Autour de moi, les filles s'empressent d'aller se préparer. Je cherche des yeux Tess, afin de lui dire que Finn est allé prévenir Père, mais je ne la vois nulle part. Dans le corridor,

Sœur Gretchen désigne les enseignantes et les gouvernantes comme chefs d'équipe, et elles dirigent les plus jeunes. Contrairement à l'expédition pour Harwood, personne ne restera ici ce soir. Nous avons besoin des pouvoirs de tout le couvent.

Je jette un coup d'œil dans le hall d'entrée, où on s'affaire à s'emmitoufler. Pas de Tess. J'espère qu'elle est montée chercher ses mitaines. Pourvu qu'elle ne se soit pas mis en tête de rattraper Maura !

Passant devant le petit salon, j'entends comme un sanglot étranglé.

Ce n'est pas Tess, c'est Lucy. Décomposée. J'entre et referme la porte derrière moi.

« Qu'est-ce qu'il y a ? Ça ne va pas ? »

Elle lève vers moi un pauvre visage barbouillé de larmes.

« Non. Cate… je suis un monstre. Un monstre qui ne fait que du mal. »

C'est bien le moment. Mais je ne vais pas me détourner d'une enfant en pleurs.

Je me perche sur le bras du canapé.

« Pourquoi, parce que vous avez peur de venir ? Bekah et vous, vous n'aurez qu'à suivre Sœur Gretchen ou une autre Sœur. Elles vous protégeront, c'est promis. »

Elle sanglote de plus belle.

« Arrêtez d'être si gentille avec moi. Je… ne le mérite pas ! »

Je muselle mon impatience.

« Lucy, c'est normal d'avoir peur. Le courage, c'est de faire les choses quand même. Alors qu'on a peur. »

Elle s'essuie le nez d'un revers de manche. Elle est tout

en brun, aujourd'hui, robe de laine chocolat et gros nœuds marron dans ses tresses caramel – un moineau tout rond.

« Je vais vous dire la vérité, Cate, alors. Vous allez me détester, mais tant pis. » Elle lève le nez, me regarde en face. « C'est moi qui ai harcelé Tess. »

J'en ai le souffle coupé.

« C'est-à-dire ? »

Son regard se rive sur le tapis.

« Avec des illusions. En lui faisant voir et entendre des choses qui n'existaient pas. Son ours pendu à la tringle dans sa chambre. Son lit en feu. Le sang sur sa robe. Les chants funèbres. Le… le chaton. »

Elle renifle un grand coup, endigue à deux mains un nouveau flot de larmes, mais toute ma compassion s'est envolée

« Et pourquoi ? » Malgré moi, je serre les poings.

Lucy n'a que douze ans, je m'en fais le rappel.

Mais Tess aussi. Elles ont le même âge. Tess, terrifiée à l'idée que ses pires craintes se réalisaient.

Je martèle : « Pourquoi avoir fait ça ?

— Sœur Inez disait que si je ne le faisais pas, elle dénoncerait Grace aux Frères et qu'ils la pendraient. Je ne voulais pas qu'ils la pendent ! Oh, Cate ! Je ne voulais pas être méchante avec Tess, ni avec vous. »

Ma colère se mue en quelque chose de dur, étincelant, glacé. La voilà, la promesse d'Inez à Maura que jamais elle ne ferait de mal à Tess.

« Et pourquoi ces illusions en particulier ? » Ma voix est un peu moins coupante. Un peu.

Lucy se trémousse. Je saisis son menton trempé de

larmes pour la forcer à me regarder en face. Il n'y a aucune douceur dans mes doigts.

« C'est ce que voulait Inez. » Et brusquement elle lâche : « Tess a eu une vision, Cate. À propos de vous. Elle a eu une vision où elle se voyait en train de… de vous faire du mal. »

Le choc est violent. Comme si je me faisais renverser par un cheval au galop. Je résume tout haut, d'un filet de voix : « Tess s'est vue me tuer. » Je me sens presque soulagée.

Mais je ne veux pas mourir déjà. Il y a des tas de choses que je veux faire d'abord. Des petites choses, comme planter des rosiers, ou aller voir la gloriette achevée sur le tertre, non loin de la tombe de Mère, ou encore battre Mei aux échecs. Et des grandes, comme entendre Finn me dire à nouveau qu'il m'aime, et me marier avec lui, et avoir notre maison à nous. Devenir mère. Pratiquer la magie sans devoir me cacher. Voir Tess et Maura devenir femmes, de belles femmes, fortes et intelligentes.

Sauf que… nous ne pouvons pas devenir femmes toutes les trois.

Pas si l'on en croit la prophétie.

Peut-être n'est-ce pas plus mal de connaître la vérité, pour finir.

« Oui, souffle Lucy. Elle a eu cette vision-là. Et elle en a eu le cœur brisé. Elle ne comprenait pas comment elle pourrait un jour en arriver là, à moins de ..

— À moins de devenir folle. » Je respire un grand coup. « Et vous l'avez dit à Inez. Et Inez a décidé de s'en servir contre Tess. De lui faire croire que ce qu'elle redoutait plus que tout était en train de lui arriver. Vous étiez sa meilleure amie, Lucy! C'est son plus grand secret qu'elle vous avait confié.

— Je sais.» Elle se remet à pleurer. «Pardon, pardon.

— Ce n'est pas à moi qu'il faut demander pardon.» Je me lève. «Savez-vous où elle est, là, maintenant?

— P… partie à la tour… Au beffroi, elle a dit. Sonner l'alerte au feu.» Lucy enfouit son visage dans ses mains.

La tour du beffroi couronne le bâtiment du Conseil national, où tous les gardes, assurément, ont reçu l'ordre de mémoriser notre portrait à toutes les trois, et de tirer sur nous à vue. Pourvu que Tess ait eu la présence d'esprit de déguiser son apparence!

«Mais pourquoi aller là-bas, pourquoi y aller seule?

— Parce que… parce que je lui ai dit de le faire», avoue Lucy, sa voix étouffée par ses mains sur sa bouche. «Elle s'en voulait, elle répétait que tout était de sa faute. Alors je lui ai dit que peut-être elle pouvait tout arranger…»

Je l'empoigne par les épaules et la secoue.

«C'est Inez qui vous a demandé de faire ça aussi, n'est-ce pas? Pourquoi?» Je la lâche et recule. La tentation est trop grande d'extorquer ses réponses par la force.

«J'en sais rien!» glapit Lucy. Elle ne sanglote plus, mais il est clair que je la terrorise. «Inez a dit… elle a dit que c'était la dernière chose qu'elle exigerait de moi. Elle l'a promis.

— Bien. Parce que si jamais vous harcelez Tess encore, si vous lui faites quoi que ce soit, c'est devant moi que vous en répondrez. Et je veillerai alors à vous faire envoyer sur un navire-prison, Grace et vous. Pour y finir vos jours. C'est compris?» Je la regarde, inflexible, jusqu'à ce qu'elle hoche la tête, le front bas, puis je rouvre la porte. «Et maintenant, allez dire à Rilla tout ce que vous venez de me dire. Tout. Et tout de suite ! Dites-lui aussi que je suis partie à la recherche de Tess. »

Gagner le bâtiment du Conseil est étonnamment facile. Il y a fort peu de gardes de service ce soir. Tandis que j'attends l'ascenseur pour la tour, un battement de cloche se fait entendre, pressant, clair et puissant, malgré la distance. Un homme qui dévale la dernière volée de marches de l'escalier de marbre me jette un étrange regard. Je me palpe le visage, vérifie que mon sortilège d'illusion tient toujours. Ce qui est le cas, mais je n'y ai pas grand mérite : les traits de Frère Ishida sont de ceux que je connais par cœur ; ils sont gravés en moi depuis les cauchemars de mon enfance. L'ascenseur arrive en cliquetant, je pénètre dans sa cage de cuivre à claire-voie, et l'instant d'après, craquant, grinçant, il me hisse au huitième étage. La porte massive qui mène au beffroi est cadenassée, mais ma magie se rit de ce cadenas. Je pousse le lourd battant et gravis quatre à quatre l'escalier en colimaçon.

Au sommet de la tour, le beffroi est ajouré, ouvert aux quatre vents. Au centre, très haut au-dessus de ma tête, l'énorme cloche de fonte pend à une grosse poutre sous le plafond pentu. Malgré le vent furieux qui pousse les nuages à toute allure devant la lune, la grande cloche est parfaitement immobile.

Où est Tess ? Déjà partie ?

Dans un coin, sur le sol de briques, une lanterne trace un petit cercle lumineux dans la pénombre. Elle est le seul indice que Tess a dû passer là.

Sur l'horizon ouest, une lumière rougeoie. Un incendie, déjà ! Je m'approche de la rambarde basse en fer forgé, mais il n'y a rien à voir de plus, rien d'aussi loin. C'est peut-être un unique feu ; ou peut-être des dizaines.

Maudite soit Inez.

Il faut que je retrouve Tess et que je descende au quartier du fleuve.

« Tess ? » Ma voix est happée par la nuit.

« Je suis ici. » Le son est si proche que j'en sursaute.

Je me retourne vivement.

« Et que fais-tu là ?

— Je t'attendais. »

Il y a quelque chose dans sa voix – quelque chose d'absent.

Je fais trois pas en avant. Un frisson me glace la nuque, comme si mon corps percevait le danger avant moi.

Je ne devrais pas être ici.

Une rafale s'engouffre sous ma cape, elle en soulève les pans comme les ailes d'un grand oiseau noir. J'ai à peine le temps de m'arc-bouter contre ce coup de vent que je me sens partir à la renverse.

J'écarte les bras désespérément, je cherche à quoi me raccrocher, n'importe quoi fera l'affaire, mais mes doigts ne rencontrent que le vide. Mes semelles dérapent sur le sol de briques sans trouver prise. Je tente de me jeter en avant. Impossible. Une main invisible presse sur mes côtes, me pousse vers cette rambarde basse, trop basse pour me protéger de la chute des neuf étages jusqu'à la rue en contrebas.

Déjà mes mollets touchent le fer forgé, je hurle : « Non ! Tess, au secours ! »

Mais Tess ne va pas venir à mon secours. Elle ne le peut pas.

C'est elle qui veut me précipiter dans le vide.

Chapitre 20

Tout se passe à une vitesse fulgurante. J'ai heurté la balustrade, je commence à basculer.

Je plonge les yeux dans ceux de Tess, mais son regard n'est pas le sien. J'ai cette impression atroce que c'est Inez qui me dévisage, glaciale, impitoyable, triomphante.

La prophétie se réalise, je vais mourir.

Je veux du temps encore.

Je ferme les yeux, un nouveau cri étranglé parvient à sortir de ma gorge.

Il n'y a pas de mots cette fois, seulement une rage aveugle.

Mais est-ce moi qui ai crié ?

Une main m'emprisonne le poignet, me tire en avant d'une secousse. Je tombe sur les genoux, m'écorche les paumes sur la brique. Je rouvre les yeux. Ma sœur. Son beau visage. Lumineux, fier. Furieux.

Maura.

De l'autre côté de la tour, Tess n'est plus qu'un petit tas d'étoffe noire au sol. Mais déjà elle se relève, redresse sa cape et la déplisse, calmement, méticuleusement, comme si je ne venais pas de frôler la mort. De ses propres mains.

Je tremble, je frissonne, j'ai la nausée.

« Tess, dit Maura. Regarde-moi. » Elle la rejoint en trois

pas. Je sais ce qu'elle cherche à faire : distraire son attention, la détourner de la tâche qu'Inez lui a allouée.

Mais Tess a toujours été capable d'une concentration peu commune. Je me sens de nouveau, lentement, inexorablement, poussée vers l'arrière. Toujours à genoux, je me débats pour empoigner à deux mains le fer forgé de la rambarde, je noue mes doigts sur les barreaux glacés et m'y cramponne de toutes mes forces.

Une fois de plus, Maura soulève Tess dans les airs. Le corps frêle de notre petite sœur se recroqueville en heurtant la porte de l'escalier. Je crie : « Ne lui fais pas de mal !

— Elle essaie de te tuer ! » cingle Maura, et, d'un coup sec, elle me remet sur pied.

Tess se relève tant bien que mal et repart en avant, tel un petit loup blond qui ne lâchera pas sa proie. Maura se retourne vers moi, le visage défait ; il est clair que cette fois son pouvoir n'opère pas.

Je tente un sortilège d'immobilisation. Sans résultat.

Notre sœur est puissante. La plus puissante sorcière de toute la Nouvelle-Angleterre.

Maura me prend la main. Je presse ma peau contre la sienne, afin de fusionner nos pouvoirs. La magie crépite en moi comme la foudre, tandis que Maura lance le sortilège, et une troisième fois Tess voltige et retombe plus loin.

« Reste à terre », ordonne Maura. « Inez s'est introduite dans ta tête. Tu dois te battre, Tess. Lui résister. Tu es plus forte qu'elle. Plus forte que quiconque. »

C'est un aveu douloureux pour Maura.

Tess se redresse en position assise, et au-dessus de nos têtes se fait entendre un craquement sinistre. Maura et moi levons le nez à temps pour voir deux énormes boulons se détacher de la voûte et rejoindre le sol à grand bruit. Tess essaie d'arracher la poutre à laquelle est suspendue la cloche. Si celle-ci tombe, elle nous écrase.

Maura serre ma main plus fort. De nouveau debout, Tess se mord les lèvres, concentrée à l'extrême.

Je murmure : «*Intransito*». Et elle se fige.

Maura se détend, soulagée, et jette un coup d'œil au plafond.

Je m'avance vers Tess lentement, attentive à conserver une certaine distance entre nous deux, craignant à demi qu'elle fonde sur moi et me torde le cou. Seuls ses yeux gris sont mobiles, se posant ici, puis là.

«Tess», dis-je de ma voix la plus douce.

Au même instant retentit au dehors un fracas terrifiant, et je me retourne pour voir la flèche effilée de la cathédrale Richmond basculer droit sur nous.

Je n'ai qu'une pensée : Tess. Incapable de bouger, elle va se faire écraser. En silence, je la libère, juste comme Maura trébuche sur moi, me projetant vers la porte.

Puis quelque chose s'abat sur mes épaules, et je plonge en avant.

Tout devient noir.

J'ignore combien de temps s'est écoulé. Deux minutes ? Deux heures ou plus ?

Quelque chose de lourd en travers de mon dos me cloue au sol. Ma joue gauche est plaquée contre la brique. Le sol est jonché de gravats. Non loin de moi, quelque chose bouge et soulève un nuage de poussière. Je tousse.

« Cate ? » La voix de Maura – rauque mais vivante.

« Je suis là. » Je tente de remuer les bras ; rien à faire. Une douleur lancinante me transperce l'épaule gauche et rayonne en pulsations le long de mon bras. Je ravale un cri. Je me concentre sur ce poids en travers de mon dos. J'essaie de le faire remuer. Ma magie me semble inaccessible, comme submergée par la douleur et la nausée. Je tente un sortilège, je me concentre avec l'énergie du désespoir, et cette chose si lourde se soulève enfin, se déplace, et je roule de côté pour m'y dérober. Cette fois, un gémissement m'échappe. Mon bras gauche est cassé, pas de doute là-dessus.

« Je ne peux pas bouger. » Maura de nouveau.

« J'arrive. » Je me redresse sur mes genoux, au mépris du vertige qui menace de me faire retomber. Dans les décombres, je cherche ma sœur.

Je l'aperçois, et mon cœur sombre.

Rien de plus qu'un semblant de boucles de cuivre sous un amas de brique, de pierre et de bois fracassé. Je rampe sur les débris pour tenter de l'atteindre, m'aidant de mes paumes en charpie. Quelque chose de tiède me coule sur la joue, que j'essaie d'essuyer, et qui teinte mes doigts. Je ligue mes pouvoirs et la force de ma volonté pour soulever le pan de toiture sous lequel Maura est ensevelie, espérant contre tout espoir qu'elle n'est pas trop blessée et que…

Non.

Je presse mon poing sur ma bouche.

Maura gît sur le dos, tout son côté droit encore piégé sous une énorme poutre de bois. Son beau visage ovale est couvert de poussière, hormis un ruisselet de larmes au coin de chaque œil. Une vilaine entaille lui balafre la joue droite, et sa clavicule droite – du moins, je crois que c'est la clavicule – a transpercé sa peau et l'étoffe de sa robe.

Je tombe à genoux près d'elle, de son côté libre.

«Tout va s'arranger. Je vais te guérir.»

Je tends la main, effleure son menton du bout des doigts – et réprime un mouvement de recul. Sa clavicule, encore, je pourrais sans doute la lui réparer, mais c'est loin d'être le pire : à droite toujours, l'humérus et le radius sont en miettes, le fémur fracturé. Pour sa colonne vertébrale, je ne sais pas. Au niveau de l'estomac, je perçois une brume rouge qui indique des côtes cassées. L'une d'elles a-t-elle perforé un poumon ?

Je ne peux plus donner la mort. Je ne peux pas la donner à ma sœur, pas même pour alléger sa souffrance.

Par pitié, Seigneur, n'exigez pas cela de moi.

Sa main se libère de sa cape et s'agrippe à la mienne. Je lui demande : «Souffres-tu beaucoup ?»

Sa voix n'est qu'un souffle, un peu comme en rêve. «Jusqu'ici, oui, mais plus maintenant. Maintenant, je ne sens plus rien.» Sa prise faiblit. Sa main lâche la mienne. «Je crois que ça va aller… Simplement besoin de dormir un peu…

— Non, Maura ! Ne t'endors pas ! Au fait, où est Tess ?» Je la cherche des yeux, affolée. «Elle va… Ensemble nous pouvons…

— Elle était partie quand je me suis éveillée.» Les doigts de Maura essaient de saisir ma jupe. «Cate… Je m'étais trompée. Au sujet d'Inez.»

Je souris à travers mes larmes.

«Tu m'as sauvé la vie, grosse maligne. Ne te soucie donc pas de ça.

— Mais toi aussi, tu t'étais trompée.» Elle est toujours aussi têtue. «Sur Elena. C'est quelqu'un de bien. Qui me donne envie d'être… meilleure.

— La meilleure, tu l'es déjà.» Je reprends sa main. «Si Merriweather met sur pied son gouvernement à triumvirat, Elena ne dirigera pas seulement l'ordre des Sœurs. Elle contribuera à diriger toute la Nouvelle-Angleterre.»

Sa respiration se fait hachée.

«Elle en sera heureuse», murmure-t-elle.

Ses paupières papillotent, se ferment sur ses yeux bleus. Je serre sa main davantage. Sa douleur faiblit à mesure que son corps s'éteint.

«Maura. Je t'aime!»

Je me penche sur elle. Sa voix n'est plus qu'un souffle et je sens ses mots contre ma joue plus que je ne les entends. «Moi aussi, Cate, je t'aime.»

Mes larmes tombent sur sa poitrine.

«Ne meurs pas. S'il te plaît, ne meurs pas.»

Mais je sais qu'elle ne m'entend plus.

Ma petite sœur – qui me suivait partout, qui me prenait mes jouets, qui cachait des romans d'amour sous les lattes de son parquet, qui avait le plus beau rire au monde –, ma petite sœur est morte, et plus jamais je ne rirai avec elle.

Un long moment je reste assise là, auprès d'elle. Combien de temps, je l'ignore. Les nuages voguent par-dessus la lune qui a beaucoup monté. La douleur à mon bras cogne, l'arrière de la tête me fait mal, mais ce n'est rien comparé à la douleur sous mes côtes. Je ne sais pas pourquoi j'essaie de retenir mes larmes. Il n'y a personne ici pour me voir. Pour finir, je ne lutte plus. Puis mes sanglots convulsifs laissent place à des larmes muettes qui tracent un chemin brûlant sur mes joues.

Au bout d'un moment, quelque chose bouge au-dessus de moi, déclenchant une pluie de poussière et de gravats. Je lève les yeux. Une partie de la flèche de la cathédrale est toujours encastrée, en équilibre instable, contre la toiture du beffroi. Celle-ci pourrait lâcher à tout moment, mais je refuse l'idée de laisser Maura seule dans ce beffroi dévasté.

C'est moi qui étais censée mourir, pas elle. C'est ce que prédisait la vision de Tess.

À ce détail près qu'il est impossible de modifier l'avenir, n'est-ce pas ?

Qu'a vu Tess, en réalité, dans cette révélation ?

Tess. Je l'ai presque oubliée, dans le déchirement de la mort de Maura, mais à présent je me demande où elle est allée, et pour quoi faire. A-t-elle pensé qu'elle avait accompli la mission dictée par Inez, lorsqu'elle m'a vue gisant sous les décombres ? Si elle est redevenue elle-même, libérée de l'intrusion d'Inez, elle doit être ravagée. A-t-elle pensé que nous étions mortes toutes les deux ? Comment expliquer autrement qu'elle nous ait abandonnées ? Si elle n'était pas partie, peut-être aurions-nous pu.

Je chasse immédiatement cette pensée. Les blessures de Maura étaient trop graves. Par ailleurs, si Tess était ici, elle serait probablement encore en train d'essayer de m'assassiner.

Inez.

C'est Inez la responsable, pas Tess.

Je lâche la main de Maura, froide à présent. Ses cheveux se sont échappés de sa coiffure relevée. Je cale une mèche derrière son oreille en coquillage. Elle porte les clous d'oreilles en perles qu'elle m'avait chipés voilà des semaines. J'aime l'idée que quelque chose qui est mien restera avec elle. Portant ma main à ma bouche, je retrouve un soupçon de ce parfum qu'elle aimait, cette verveine citronnelle dont elle se tamponnait la gorge et les poignets.

Je me relève comme je peux, malgré ma tête qui tourne, et c'est alors que je revois le flamboiement rouge à l'horizon. Du côté du fleuve, l'incendie fait rage, il a pris une ampleur hypnotique, ou peut-être y a-t-il plusieurs incendies... et je me souviens brusquement que d'autres gens que j'aime sont là-bas. Finn. Mon père. Mes amies.

Je ne peux pas perdre quelqu'un d'autre cette nuit.

J'enjambe les décombres pour gagner la porte. Les élancements dans mon bras redoublent au moindre mouvement que je fais. C'est trop difficile de le tenir immobile. Je me penche et déchire un bout de mon jupon. Le coton cède sans trop résister, mais j'ai bien du mal à mettre mon bras en écharpe : nouer l'écharpe, me la passer derrière la nuque puis y glisser le bras me fait suffoquer de douleur. Ce serait plus facile si j'avais le pouvoir de me guérir moi-même, mais la magie guérisseuse ne fonctionne pas de cette façon.

Sur le seuil de la porte, je m'arrête, et regarde par-dessus mon épaule. J'essaie de me raisonner : ce n'est plus vraiment Maura. Son sens de l'humour, son caractère tempétueux, son insatiable faim d'être aimée, tout ce qui faisait d'elle Maura – rien de cela n'est plus ici. Je ne la quitte pas. C'est l'inverse qui s'est produit. Elle est partie avant moi en un lieu sur lequel je peux seulement m'interroger, et elle n'y sera pas seule. Elle retrouvera Brenna, et Zara, et Mère.

De nouveau, mes joues ruissellent. Mère. Je voudrais qu'elle soit là. Je voudrais quelqu'un pour me prendre dans ses bras, me caresser les cheveux, me murmurer que tout ira bien.

Mais je ne suis plus une enfant, et même si quelqu'un me disait que tout ira bien, je ne le croirais pas.

Ce soir est une croisée des chemins.

Il y avait un « avant », avec Maura.

Et il y a un « après », sans Maura.

Le bâtiment du Conseil a dû être évacué : autour de moi, comme je descends l'escalier, tout n'est qu'absolu silence. Sitôt dans la rue, je lève les yeux vers la flèche de la cathédrale, brisée à sa base, et dont la pointe s'est encastrée en oblique dans la tour du beffroi. Bientôt, j'imagine, la pesanteur va accomplir son œuvre et l'ensemble va s'écrouler. C'est une bonne chose qu'il n'y ait pas de badauds ici pour contempler le spectacle.

En fait, tout le centre-ville paraît étrangement désert. Un unique garde, grand diable dégingandé, patrouille sur le trottoir devant Richmond Square. En me voyant, il se dirige vers moi d'un pas vif.

« Ma Sœur, que faites-vous ici ? Vous n'avez donc pas entendu l'ordre d'évacuation ? » Il tire une bouffée de sa cigarette, et s'avise de mon piteux état. «Vous avez eu un accident.

— Ce n'est pas grave, dis-je, grimaçant un sourire. Je suis à la recherche de Sœur Inez.»

Son souffle se change en petits nuages de vapeur.

«Elle est partie en voiture pour le quartier du fleuve. Je l'ai entendue dire qu'il y avait le feu, vers le port. Que ça risquait de flanquer par terre la quarantaine. Presque toute la garde a été envoyée là-bas pour boucler le quartier.» Il me toise d'un air paternel, bien qu'il ne soit probablement guère plus âgé que moi. «Parce que, c'est pas pour dire, mais il faut que cette racaille du fleuve reste parquée chez elle. Qu'ils aillent pas refiler leur saleté de fièvre aux gens bien.»

Je suppose qu'il se voit dans la seconde catégorie. Je réponds d'un bruit de gorge évasif, puis demande : «Vous n'auriez pas vu une petite blonde? Une élève du couvent comme moi? Nous avons été séparées dans la bousculade.

— Si, si, je l'ai vue. Elle aussi demandait Sœur Inez. Elle avait l'air aux cent coups. Je lui ai proposé de lui trouver un fiacre, mais elle a refusé que je l'aide. Vous voulez que j'en cherche un pour vous?»

Donc, Tess est partie à pied à la recherche d'Inez. Si j'y vais en voiture, j'ai peut-être des chances de la rattraper.

«Non, merci. Je peux me débrouiller seule.»

Je remonte la rue pour gagner la place où les fiacres et voitures de louage abondent en temps ordinaire. Nous ne sommes pas en temps ordinaire, mais la providence met un fiacre sur mon chemin et je le hèle sans hésiter. En principe, nonne ou pas, une jeune femme ne devrait pas prendre un fiacre seule, mais je ne vais certes pas me soucier des convenances. «Pourriez-vous me conduire au quartier du fleuve, s'il vous plaît? Au Golden Hart?»

Le cocher moustachu me considère d'un air soupçonneux, mais j'ignore si c'est à cause de la destination mentionnée ou de mon allure très particulière – bras en écharpe, cape empoussiérée, pommette écorchée et œil poché. Il se peut que ce soit tout à la fois.

«Le quartier du fleuve est bouclé, ma Sœur. En quarantaine. Et paraîtrait qu'en plus il y a le feu à un de ces grands entrepôts du côté du Golden Hart, justement. Je peux vous conduire ailleurs, si vous voulez?»

Son cheval bai piaffe en soufflant bruyamment. Flaire-t-il la fumée au loin, dans le vent?

«Emmenez-moi vers là-bas, aussi près que vous le pourrez. Je ferai le reste à pied.

— Vous êtes… vous êtes sûre que vous ne voulez pas plutôt que je vous emmène à l'hôpital?» Son inquiétude paraît sincère.

«Tout à fait sûre. Menez-moi au quartier du fleuve. Le plus près que vous pourrez.»

Je me hisse à bord tant bien que mal et m'effondre sur la banquette. Je vais d'abord aller m'assurer que Père et Finn sont saufs, puis je me mettrai en quête d'Inez. Il est plus que temps que nous fassions une mise au point, elle et moi.

Le fiacre s'immobilise devant une rangée de maisons sur la Cinquante-sixième rue. Devant nous, un chariot de la garde bloque l'accès à la Cinquante-septième. Je descends, tends des pièces au cocher. Il les refuse d'un geste.

Je remets sur ma tête ma pauvre capuche déchirée.

« Pourriez-vous m'indiquer comment me rendre au Golden Hart ?

— C'est tout en bas, au bord de l'eau. À l'angle de River et de la Soixante-douzième. Mais… » Le ton est embarrassé. « C'est là-bas qu'il y a le feu, justement. »

Je le remercie et me hâte vers les barrières. L'air sent la fumée. Pas l'odeur familière du feu dans la cheminée, ni celle de la chandelle qu'on vient de souffler, mais quelque chose de plus âcre, plus lourd, plus inquiétant.

Derrière le chariot, les barrières ont été renversées ; finie la prétendue quarantaine. Au poste de contrôle, je repère deux gardes figés dans une posture improbable : penchés en avant, mains crispées sur des armes – fusils ou matraques – qui se sont volatilisées. Des sorcières sont passées par là…

Je poursuis mon chemin vers le bord de l'eau, et très vite je croise des quantités de gens qui se hâtent dans la direction opposée. Des mères portent des enfants apeurés, des pères tirent de lourdes valises. Piétons et cavaliers obstruent les rues étroites, empêchant les carrioles et chariots de circuler. Plusieurs véhicules sont abandonnés en pleine rue. À chaque pas ou presque, on trébuche sur des objets qui traînent par terre, chiffons, casseroles, ustensiles de cuisine. C'est une débâcle, mais au moins tous ces gens auront été prévenus à temps. Le plus pénible est la fumée qui s'épaissit, et bientôt, sur l'ouest, j'aperçois de grandes flammes orangées qui bondissent dans le ciel de nuit

J'ai dû longer six ou sept pâtés de maisons lorsque je tombe sur le premier brasier. Deux blocs d'immeubles entiers se sont déjà écroulés, réduits à des décombres fumants. Des sapeurs-pompiers s'affairent autour de trois pompes à incendie pour arroser les braises et interdire aux escarbilles de ranimer le feu. L'un des deux blocs est presque rasé, impossible de dire de quoi il s'agissait – logements, manufacture, entrepôt? Dans le second, une rangée de cheminées de briques est restée debout, ainsi qu'un pan de mur dans un angle, tel un chicot, avec portes et fenêtres béantes.

Combien de feux ont-ils été allumés? Combien de vies ces incendies ont-ils déjà coûté? J'accélère le pas, sourde aux élancements dans mon bras et à mon mal de crâne, à présent permanent. Je n'ai qu'une pensée : pourvu que là-bas, près de l'eau, les pompiers et les sorcières unissent leurs efforts sans heurts! Et si je me trompais? Si la population ne voulait pas de notre aide?

Je ne suis plus qu'à trois rues du fleuve et je gravis la côte de Bramble Hill lorsqu'une explosion retentit. Autour de moi, on pousse des cris, on pointe du doigt une direction, et je suis les doigts pointés juste à temps pour voir le grand château d'eau en bois au sommet de la butte se craqueler et s'ouvrir, déversant toute son eau.

Cette façon de s'éventrer… ce n'est pas l'œuvre des sapeurs. Il y a de la magie là-dessous.

Aussitôt, l'eau dévale la pente et ruisselle partout où elle le peut, sur la chaussée, dans les caniveaux. Mes bottines s'enfoncent dans la boue des rues. Bramble Hill est le point le plus élevé du quartier du fleuve ; de là les rues redescendent vers l'estuaire. Plusieurs immeubles de rapport se trouvent là, en contrebas du château d'eau, sur des terrains envahis d'herbes folles. Lors de nos missions de charité, Mei, Alice et moi avons rendu visite à des familles dans ces bâtisses. Deux ou trois générations y vivaient, entassées dans de petits deux-pièces sans chauffage, où on bloquait le froid avec des chiffons là où il y avait des fissures et des carreaux cassés. Il n'en reste plus rien que des poutres calcinées. Une fumée noire monte des décombres et l'eau court entre les mottes, pressée d'aller arroser d'autres pâtés de maisons.

Au bas de la butte, de l'autre côté, plusieurs immeubles en feu menacent de s'écrouler. Des occupants affolés s'agrippent aux fenêtres des étages, d'autres se perchent sur les toits des porches, appelant au secours. Je reconnais le père de Vi, Robert, en train d'emboutir la porte d'une petite baraque de planches. Vi et deux autres sorcières sont plantées dans la rue, à côté d'une carriole, et sous mes yeux deux bambins prennent leur envol depuis le toit d'un appentis, devant leur mère ébahie, pour atterrir en douceur à l'arrière de la carriole.

Personne ne semble crier à la sorcellerie. Personne n'insulte ces filles qui font ouvertement usage de magie dans la rue. Je marque un bref temps d'arrêt, prise de remords, mais apparemment Vi et les autres s'en tirent très bien sans moi. Ici, le feu vient de se faire étouffer par l'eau et capitule. Je poursuis mon chemin.

Au débouché de l'interminable rue qui longe le fleuve, le décor prend des tons de cauchemar. Deux immenses entrepôts, à plusieurs blocs d'écart, sont transformés en brasiers. Des nuées de fétus enflammés tourbillonnent au vent, pareilles à des vols de lucioles. Des fragments de pontons en feu partent sur l'eau, à la dérive, avec des restes de bateaux disloqués. À chaque extrémité de la longue rue, des pompiers font la chaîne pour se passer des seaux d'eau, des pompes à incendie crachent en continu. Mais les blocs d'immeubles entre les deux hangars semblent laissés à eux-mêmes.

J'ai beau me trouver à distance respectable, la fumée me fait suffoquer, et la fournaise est presque insoutenable. Lorsque j'arrive au coin de rue indiqué, mon cœur se met à tambouriner. Le feu a déjà dévoré le bloc entier qu'occupaient les bureaux des compagnies maritimes, ainsi que les tavernes et les auberges. Hébétée, je regarde un toit s'affaisser dans une gerbe d'étincelles.

C'est là que se tenait le Golden Hart.

Une grande fille passe à longues enjambées, vêtue de la cape noire des Sœurs. Sa capuche est sur ses épaules, et je reconnais ces nattes brunes frisottées, relevées en diadème sur sa tête.

« Daisy ? »

Daisy Reed – sœur aînée de Bekah – se retourne au son de ma voix. « Cate ? »

Je la rejoins et allonge le pas pour m'accorder au sien. Daisy faisait partie de l'expédition à Harwood. Elle doit connaître Finn de vue.

« Mon père séjournait ici, au Golden Hart, lui dis-je, et mon… Finn Belastra devait passer le prévenir. Savez-vous si tout le monde a pu sortir à temps de ces bâtiments ?

— Que je sache, oui. Rilla et quelques autres ont essayé d'arrêter l'incendie, mais il n'y a pas eu moyen. Juste à côté, c'était un dépôt de bois de construction, alors vous pensez… » Elle désigne les ruines fumantes, entre le pâté d'immeubles le plus proche et l'entrepôt suivant, puis la direction inverse, par-dessus son épaule. « J'ai vu Finn avec un groupe de Frères qui donnaient un coup de main aux pompiers. Du côté du dépôt de chemin de fer, le feu a été circonscrit. Maintenant, nous allons tous de ce côté-ci.

— Vous dites qu'il y a des Frères, là-bas, qui apportent de l'aide ? » dis-je, un peu étonnée, et elle acquiesce. Au moins, Finn est sauf. Je passe au souci suivant. « Avez-vous vu Tess ?

— Non, mais elle est peut-être avec Bekah et Lucy. C'est Bekah que je vais rejoindre maintenant. Elles étaient avec Sœur Gretchen, toutes les deux, mais j'ai entendu dire que Gretchen avait été abattue par un garde. »

Gretchen.

Nous passons devant le second entrepôt. Là aussi, la toiture a cédé. Les flammes dansent à leur guise et se sont déjà emparées du chantier naval voisin. Sur le fleuve, des bateaux à divers stades de construction s'éloignent en sombrant doucement au fil du courant. Il y a une beauté tragique dans les squelettes en flammes de ceux qui sont restés en cale sèche.

De l'autre côté de la rue, quatre sorcières en habit de Sœurs –Mélisande, Edith et deux des gouvernantes – se tiennent par la main en farandole, et je vois immédiatement ce qu'elles font : elles rabattent vers la mer le vent furieux, dont les rafales semblent chercher à attiser le feu et à le pousser vers la ville. Depuis le chantier naval, les pompiers braquent leurs tuyaux sur les immeubles d'habitation de l'autre côté de la rue. La brigade des seaux s'active avec fièvre, puisant l'eau du fleuve près des docks. Au bout de la plus longue jetée, deux silhouettes gesticulent en discutant de façon animée. L'échange n'a pas l'air amical. À mieux y regarder, je les identifie. L'une d'elles est Elena, et l'autre…

Même à cette distance, même dans la pénombre de la nuit qui blanchit à peine, je reconnaîtrais entre tous ce profil d'oiseau de proie.

L'image de Maura gisante, pâle et brisée sous les gravats, me revient, fulgurante.

Inez, à nous deux

Chapitre 21

Si j'avais encore des doutes sur ma capacité à commettre un meurtre, ils viennent de tomber d'un coup.

Pour ce faire, je serais prête à user de mes poings nus, ou de n'importe quelle forme de magie à ma disposition. Et il me serait bien égal que tout New London soit témoin de la fin violente d'Inez entre mes mains.

Je franchis résolument la ligne des porteurs de seaux sur la rive. Le son de mes pas sur le bois de la jetée se noie dans le vacarme ambiant – ronflement de l'incendie, cris des combattants du feu et sifflement de l'eau sur les flammes.

Je suis encore à trente pieds d'Inez que ma magie explose d'un coup. Instantanément, Inez titube vers l'extrémité de la jetée, en surplomb de l'eau agitée. Mais à la dernière seconde elle se rattrape à un pieu et fait volte-face. À ma vue, elle a un sursaut de stupeur, mais elle se reprend très vite.

«Voyez ce que vous avez provoqué, Catherine!» me lance-t-elle, et sa capacité à retourner les torts ne fait que renforcer ma résolution. «Êtes-vous donc folle pour nous avoir ainsi mises en péril? Comment avez-vous osé nous exposer de la sorte sans me consulter d'abord?

— Et vous, comment osez-vous agir comme si vous

n'aviez pas tenté de me faire assassiner par ma propre sœur?»

Elena tressaille, puis rejette en arrière ses boucles sombres et demande d'une voix blanche : « Maura ?»

Ce nom me plante un couteau dans le cœur. Jamais plus je ne l'appellerai, jamais plus je ne guetterai la réponse. Un si menu détail… Ma voix se brise : «Non. Tess.»

Inez prend Elena à témoin.

«Mensonges! Voilà des jours maintenant que Tess est devenue instable. Ingérable. Tout le monde a pu le constater. Elle perd la tête, comme Brenna Elliott. Je n'y suis pour rien.

— Vous mentez.» De nouveau, j'essaie de la repousser vers l'eau. Mais cette fois elle a senti venir l'attaque, et elle ne bouge pas d'un pouce. Je poursuis d'une voix forte, afin qu'Elena m'entende : «Lucy m'a tout dit. Vous l'avez obligée, par la menace, à tourmenter Tess. Après quoi, lorsque Tess s'est persuadée qu'en effet elle perdait la tête, vous l'avez poussée, par intrusion mentale, à essayer de me tuer. Une enfant! Comme vous le disiez vous-même! Elle n'a même pas encore treize ans!»

Elena se tourne vers Inez. «Est-ce vrai?» Elle a beau être gracile, elle rayonne de force contenue.

«C'était fatal, répond Inez, ouvrant les mains en signe d'impuissance. Du jour où elle a mis les pieds au prieuré, Catherine a été pour nous un danger. Et Teresa a eu une vision dans laquelle elle tuait sa sœur. La chose était inéluctable. Les prophéties ne se trompent jamais.

— Mais les sibylles peuvent se tromper», clame une voix dans mon dos.

Tess ! Elle nous a rejointes. Je pivote et recule d'un pas, par prudence. Mais dans cette étrange lumière où l'orangé du feu se mêle au bleu d'une fin de nuit, ses yeux sont redevenus les siens. Ils se posent sur moi, s'ouvrent grands.

« Cate… Mais tu étais si… Tu ne bougeais plus du tout, même quand je t'ai appelée. Je t'ai crue morte. C'était comme dans ma vision. J'ai cru t'avoir tuée ! »

Elle avance la main pour me toucher, pour se rassurer. Je la laisse faire.

« Non », dis-je, et ma voix s'étrangle ; je repense à Maura, Maura qui m'a sauvée. « Je suis vivante. »

Tess se tourne d'un bloc vers Inez.

« Inez ! Restez en dehors de ma tête. Je vous sens, en ce moment même, en train de fouiner à la recherche d'une entrée. Jamais plus je ne m'en prendrai à ma sœur. Et, pour votre propre bien, je vous déconseille d'essayer de m'y forcer. »

La bouche d'Inez se tord brièvement. « Écoutez-moi cette gamine ! Vous croyez peut-être me faire peur ? Entrer dans votre cerveau, c'était comme entrer dans du beurre. Quel jeu d'enfant de vous effrayer, vous manipuler ! Vous étiez si faible !

— Faible ? » Tess serre les dents. Inez bascule en arrière et disparaît, happée par l'eau noire dans une gerbe d'éclaboussures.

Puis nous la voyons, dans la pénombre, refaire surface et se débattre contre le clapot ; mais chaque fois qu'elle tend la main pour se raccrocher à la jetée, les vagues la refoulent en arrière et la submergent un instant.

« Je pourrais continuer comme ça des jours et des jours »,

dit Tess avec un accent vengeur que je ne lui connaissais pas. « Vos bras seraient à bout bien avant ma magie.

— Tess », dit Elena d'un ton de reproche.

Inez peine à se maintenir en surface à présent, tirée vers le fond par le poids de ses bottines et de ses vêtements trempés. Elena va s'agenouiller au bout de la jetée.

Je la mets en garde : « Êtes-vous certaine qu'elle mérite votre secours ? »

Mais elle tend la main à Inez.

« Je sais, ce qu'elle vous a fait est inqualifiable. Ce qu'elle vous a fait à toutes les deux. Mais vous ne pouvez pas la noyer, tout de même.

— Nous ne le pouvons pas ? » Je me concentre, et Elena retombe en arrière sur les planches. « Personnellement, je m'en sens tout à fait capable. »

Inez met à profit cet instant de distraction pour se hisser lourdement sur la jetée. Elle ruisselle et halète, ses cheveux noirs plaqués en casque au-dessus de ses pommettes saillantes. Mais ses yeux sombres ne laissent voir aucune frayeur. Elle plisse les paupières et immédiatement, autour de nous, le vent forcit encore. Les flammes du chantier naval tout proche bondissent plus haut, jetant au ciel un bouquet d'étincelles.

« Je n'ai pas perdu la bataille, assure Inez, sarcastique. Je ne dirigerai peut-être pas l'Ordre officiellement, mais Maura sera ma voix. Elle est docile, aisée à mani…

— Ne prononcez plus jamais son nom. » Je fracasse deux des pieux de la jetée et les envoie voler vers Inez.

À son approche, ils semblent hésiter dans les airs, puis reviennent vers moi brutalement. Inez a des réflexes, il faut le reconnaître. Mais moi aussi. Je repousse ces pieux à mon tour, ils s'abattent sur la jetée à grand fracas, puis roulent et tombent à l'eau.

Tess me tire par la manche.

« Maura ? Cate, où est Maura ?

— Maura est morte », dis-je, et ma voix se casse. Tout près de nous, le fantôme d'une grande goélette bascule à l'eau et s'enfonce. Sous nos pieds, la jetée tangue.

Elena flanche comme si elle venait de recevoir un coup. « Morte ? Mais comment ? »

Tess se voûte ; elle presse ses poings sur sa bouche. « Je ne voulais pas. Oh ! je ne voulais pas. Mais tu es ici, Cate, tu es sauve. Sûrement, Maura aussi a pu…

— Non. Je suis restée auprès d'elle. Jusqu'à la fin. » Je marche vers Inez d'un pas ferme. Derrière elle, porté par une escarbille, le feu vient de s'attaquer à un pilier de la jetée. « Inez ! Vous aviez juré à Maura, juré sur la tombe de votre mari, que jamais vous ne feriez de mal à Tess. Comment conciliez-vous cela avec ce que vous avez fait ? »

Elle porte la main à la broche d'ivoire sur sa gorge. « Je suis navrée pour votre sœur. Elle était une sorcière de valeur. Mais j'avais fait un serment plus ancien, le serment de le venger, lui. »

Je me concentre sur le col noir d'Inez, dans l'échancrure de sa cape. L'éclat froid de l'ivoire luit dans le gris bleu du point du jour. Je formule mon sortilège à voix basse, et la broche s'arrache du col d'Inez, elle décrit un arc de cercle et plonge dans l'eau clapoteuse.

Inez pousse un cri – le hurlement aigu, terrifiant, d'une bête prise au piège.

Je ne me laisse pas émouvoir.

« Allez donc la récupérer. »

Elle se tourne vers moi, les yeux réduits à l'état de fentes. Le vent change de direction brutalement. Les pompiers et les hommes de la brigade des seaux amorcent un mouvement de repli. Trop tard : les rares murs encore debout des hangars du chantier naval s'abattent comme une masse. Plusieurs hommes sont pris sous les décombres en flammes. Des fragments de charpente et autres débris volent au-dessus de la rue, par-dessus les têtes des soldats du feu et des sorcières. Les toits des immeubles encore épargnés commencent à dégager une fumée noire.

« Que tout ce quartier finisse en flammes ! hurle Inez. Et l'ordre des Frères avec ! »

Curieusement, je la comprends. Je la comprends comme jamais. Tout un pan de moi voudrait rester là, bras croisés, à regarder cette ville partir en fumée, et savourer le spectacle. Ma sœur est morte. Pourquoi la terre continuerait-elle de tourner ?

« C'en sera fini des chasses aux sorcières ! poursuit Inez à pleine gorge. Bientôt, c'est nous qui terroriserons la terre entière !

— Non », dit Tess sobrement.

Et, d'un craquement sec, l'extrémité de la jetée se détache. Inez s'y retrouve seule, séparée de nous. Les traits de Tess sont durs, implacables.

« Elena ! hurle Inez, tandis que sa section de jetée vacille. Vous avez toujours été une personne ambitieuse, vous…

— Je l'aimais », coupe Elena, des larmes dans la voix. Elle

tourne résolument le dos à Inez. «J'ai laissé mes ambitions tout gâcher.»

Inez en appelle à Tess.

«Vous ne voulez tout de même pas tuer!

— Non», reconnaît Tess.

L'espace d'un instant, elle hésite. Inez attend, pleine d'espoir. Mais Tess se concentre en silence – horrible silence –, et brusquement Inez vacille sur son fragment de jetée en feu. Ses jupes mouillées se mettent à fumer, elle crie, elle frappe les flammes de ses mains gantées pour les étouffer. Les pilotis cèdent, Inez perd l'équilibre. Elle retombe à l'eau parmi les chicots de bois rougeoyants.

«Non, répète Tess. Je ne voulais pas tuer. C'est vous qui m'avez forcée à le faire.»

Inez se débat un moment, sa cape et ses jupes gonflées en grosse bulle sombre autour d'elle. Tess prend ma main et la serre.

«J'espère seulement que le Seigneur me pardonnera.»

Inez cesse de se débattre. Un bref instant encore, elle ballotte dans le clapot. Puis, brusquement, elle disparaît comme une pierre dans l'eau noire.

«Est-ce que… est-ce que Maura a souffert?» veut savoir Elena.

Que faire, sinon mentir? Je lui enlace l'épaule de mon bras valide.

«Elle était très paisible, à la fin. Comme si elle s'endormait. Et certains de ses derniers mots ont été pour vous. Elle m'a dit qu'elle s'était trompée au sujet d'Inez, mais que moi je m'étais trompée à votre sujet. Que vous étiez quelqu'un de bien. Qui lui donnait envie d'être meilleure. »

Elena ravale un sanglot.

« Elle aussi était quelqu'un de bien. J'ai commis de terribles erreurs, je sais, mais...

— Tout cela n'a plus d'importance maintenant. »

C'est ce que l'on dit toujours, mais je m'aperçois que je le pense vraiment. Maura n'avait rien d'une sainte, mais elle était ma sœur ; et, à la fin, elle m'a sauvé la vie. Aucune des misères que nous nous sommes infligées mutuellement – les petites comme les grandes – n'aura d'importance dans le souvenir que je garderai d'elle.

Tess aussi sanglote.

« Je ne me le pardonnerai jamais. »

Je lâche l'épaule d'Elena pour lui presser la main.

« Je t'aime, Tess ; et elle aussi t'aimait. Nous savions toutes les deux que tu n'étais pas toi. »

Mais elle ne relève pas la tête, et ses cheveux masquent son visage. « J'aurais dû te parler plus tôt de ma vision. Seulement... j'étais tellement déboussolée ! Je croyais que j'étais en train de devenir folle, et je ne voulais pas que tu le saches. Je n'aurais jamais imaginé que Lucy... Et l'idée de te faire mal à toi me paraissait impensable. Mais la prophétie... » Une pensée la frappe soudain. « La prophétie ! Je croyais que nous pouvions la faire mentir. Je voulais que nous en trouvions le moyen.

— Je sais. » Je veux lui tapoter le dos, mais ma paume écorchée m'arrache une grimace.

« Cate, vous avez besoin de soins, s'avise Elena, remarquant soudain mon bras en écharpe. Mei a mis en place une infirmerie de fortune dans un parc pas bien loin d'ici. »

Mais au même instant retentit un cri : « À l'aide ! »

Nous tournons la tête. C'est la voix de Rilla. Pourtant, j'ai beau scruter les silhouettes de ceux qui combattent le feu autour du chantier naval et des immeubles d'habitation, je ne la vois nulle part. Elle doit user du sortilège de porte-voix dont je me suis servie pour Finn à l'hôpital. Était-ce cet après-midi, ou plutôt hier après-midi, puisque le jour commence à poindre ? Il me semble que c'était il y a des mois.

« À l'aide ! répète Rilla. Du secours est demandé d'urgence à l'orphelinat, à l'angle de River et de la Soixante-dix-septième. »

Je m'étonne. « Ils ont quand même bien dû évacuer les enfants, non ? Allons voir ce que nous pouvons faire.

— Vous ne croyez pas que vous, au moins, vous feriez mieux d'aller à cette infirmerie ? » insiste Elena. Je fais non de la tête et elle soupire. « Tête de mule. Bien comme votre sœur. »

Nous sourions brièvement toutes les trois à travers nos larmes et pressons le pas pour nous engager dans la rue jonchée de cendres et de bois calciné. Les trois pâtés d'immeubles qui nous séparent de l'orphelinat sont de pauvres logements ouvriers qui n'offrent pas grande résistance aux flammes. Les pompes à incendie sont descendues opérer plus bas. Nombre de pompiers sont en triste état – couverts d'estafilades et barbouillés de suie quand ils n'ont pas les mains brûlées, enveloppées de grossiers bandages –, mais ils continuent de se battre. Beaucoup ont des mouchoirs noués sur la bouche et le nez pour tenter de se protéger de la fumée.

Rilla se tient au milieu de la rue, face à une bâtisse de quatre étages. Sur la façade en brique, une plaque de métal indique : VILLE DE NEW LONDON – ORPHELINAT N° 3. Rilla désigne l'entrée à la brigade des seaux, aux pompiers et aux sorcières.

« Ah ! vous voilà ! » À notre vue, elle s'illumine le temps d'un éclair. « Vite ! C'est l'horreur : Frère Coulter – le directeur – a enfermé les enfants dans leurs chambres.

— Mais pourquoi ? demande Tess.

— Parce qu'il a entendu dire qu'il y avait des sorcières en ville, et qu'il s'est mis en tête qu'elles s'en prennent aux enfants. Franchement ! Il aime mieux les voir rôtir, peut-être ? Bref, tout le monde croyait qu'ils avaient été évacués avec le restant du quartier voilà déjà des heures, mais un pompier est allé voir, et… Peu importe, il faut les sortir d'ici. Nous avons envoyé des filles faire sauter les verrous, les pompiers vont enfoncer les portes, et après ça il va falloir… »

Je jette un coup d'œil au front de l'incendie, dangereusement proche de la bâtisse.

« Reste-t-il assez de temps ? » En un éclair, je revois ces petits que Vi a fait flotter dans les airs pour les mettre en sécurité. « Ne serait-il pas plus simple qu'ils sautent par les fenêtres et que nous contrôlions leur descente ?

— Il vous faut du temps ? Je vais tâcher de vous en donner, déclare Tess, inspectant le ciel où la nuit résiste au jour. Pourriez-vous m'aider à me percher bien haut ? Sur le toit, par exemple ?

— Pas question!» J'ai perdu une sœur cette nuit. Je refuse d'en perdre deux.

«Ah? je laisserais mourir des enfants sous prétexte de ne pas prendre de risques?

— Cate.» Finn surgit près de moi. Un groupe de Frères l'accompagne, et une fraction de seconde je me sens les jambes molles. Vont-ils nous arrêter toutes, *maintenant*? Mais il poursuit: «On peut aider? Dites-nous que faire.»

Rilla ne me laisse pas répondre: «Essayez de voir s'il y a moyen de poster Tess sur le toit, tout en veillant sur elle. L'idée serait qu'elle ait une meilleure vue sur le feu et qu'elle tâche de le contenir, ou tout au moins de contenir le vent, jusqu'à ce que les enfants soient tirés de ce piège. Croyez-vous pouvoir faire cela, vous et les Frères?

— Compris!» Un grand blond, avec une écharpe de soie verte nouée sur son visage noir de suie, s'élance à l'intérieur de l'immeuble. «Messieurs, on y va!»

Les autres l'imitent et Tess les suit. Je reste clouée sur place.

«Ce sont tous des Frères?»

Finn a un sourire gêné.

«Votre père et moi sommes allés dans les deux auberges où logent les membres de l'Ordre pendant les délibérations du Conseil. Lorsqu'ils ont compris ce qui se passait, et que nous manquions de bras, ils ont été nombreux à se porter volontaires. Les autres sont en train de combattre l'incendie à trois rues d'ici.»

Je suis saisie – et m'en veux de l'être. J'aurais dû m'en douter, que tous les Frères n'étaient pas du genre à jubiler, ni même à rester bras ballants tandis que partait en fumée le quartier du fleuve. J'aurais dû me douter qu'ils ne pouvaient pas être tous des monstres.

« Et ils ne… Et ils n'ont pas d'objections contre notre magie ?

— Pour le moment, non. » Finn lève les épaules. « Ou s'ils en ont, ils n'en disent rien.

— Cate, intervient Rilla, j'ai besoin de vous.

— Allez vite, me dit Finn. Je vais veiller sur Tess. »

De nouveau, Rilla amplifie sa voix : « Les enfants ! Les enfants à l'intérieur de l'orphelinat ! Regardez par les fenêtres sur la rue. Me voyez-vous ? » De petits visages se pressent aux carreaux, et Rilla leur adresse un grand signe. « N'ayez pas peur. Des pompiers viennent vous chercher. Et des sorcières sont là pour vous aider, aussi. Oui, des gentilles sorcières. Surtout, ne croyez pas ce que vous a raconté Frère Coulter ! Ceux d'entre vous qui êtes au quatrième étage, nous vous demandons d'ouvrir les fenêtres. Le pouvez-vous ? » Une ou deux des fenêtres à guillotine se soulèvent de quelques pouces. « Ouvrez plus grand. Ouvrez tout grand ! Maintenant, dites-moi : parmi vous, qui est le plus courageux du quatrième étage ? Je lui demande de se pencher à la fenêtre et de me faire coucou. »

Aussitôt, sur l'aile sud, une petite à nattes blondes se penche à la fenêtre et agite un bras, immédiatement imitée d'un garçon, sur l'aile nord, qui agite les deux bras. Elena et moi courons nous poster sous ces fenêtres et répondons à grands signes.

« Hum ! fait Rilla. Je ne sais pas lequel de vous deux est le plus courageux. Essayons de voir ça. Ici, sous vos fenêtres, vous avez mes amies, Cate et Elena. Si vous sautez par la fenêtre, promis, elles vont se servir de leur magie pour vous faire voler un instant avant de vous faire atterrir comme un oiseau. Vous ne vous êtes jamais demandé quel effet ça faisait de voler ? Le premier qui saute a gagné. »

Le garçon hésite. Sauter du quatrième étage et faire confiance à des sorcières – qu'on leur a appris à redouter, à haïr ? –, cela doit leur sembler de la folie. Malgré tout, la petite aux tresses remonte le coulissant de la fenêtre et se perche sur le rebord. Vêtue d'une robe bleu marine et d'un petit sarrau blanc, elle n'a sans doute pas plus de dix ans.

« J'y vais ! » Une seconde encore, elle hésite, puis saute avec un cri aigu. Aussitôt, mobilisant tout mon pouvoir, je ralentis sa chute d'un berceau d'air invisible, si bien qu'elle flotte au lieu de tomber. Elle lévite au-dessus du sol un instant, puis atterrit doucement sur ses deux pieds.

« Vous êtes une vraie sorcière ! » Ses yeux bleus sont tout ronds, ses traits émerveillés.

« Oui, j'en suis une.

— C'était drôle, de voler. Même si j'ai eu drôlement peur. » Elle se retourne vers le garçon, toujours à sa fenêtre au-dessus d'Elena. « Saute, Jamie ! Sois pas poule mouillée !

— Comment t'appelles-tu ? s'enquiert Rilla.

— Mary Fowler », dit la petite avec un sourire jusqu'aux oreilles.

Rilla élève la voix : « Mary Fowler est la plus courageuse de tout l'orphelinat ! Maintenant, à qui le tour ? »

À cet instant, Rory et Sachi accourent.

« Bonne nouvelle, Cate ! annonce Sachi. Le feu est maîtrisé au dépôt de chemin de fer. La voie ferrée a servi de coupe-feu naturel. Qu'est-ce qui se passe ici ? Pourquoi ces enfants n'ont-ils pas été évacués ? »

J'explique ce qu'a fait Frère Coulter.

« Le salopard, gronde Rory. Si je le tenais… » Et pour une fois Sachi ne la reprend pas pour son langage.

Sur notre gauche, des enfants sortent à la queue leu leu par la grande porte. Certains serrent contre eux des couvertures ou des poupées de chiffon, et se mettent à pleurer à la vue des grandes flammes qui lèchent le bâtiment voisin. Plantée sur le seuil de la porte, Bekah leur indique où se diriger, plus bas dans la rue.

Pendant ce temps, Jamie vient de sauter, et Elena guide sa descente. Lorsque ses pieds touchent le sol, il est blanc comme un linge, mais lève les bras en l'air et pousse un cri de victoire.

« Allez-y, les gars ! lance-t-il à ses amis encore là-haut.

— Les filles sont plus courageuses que les garçons, na, na, nère ! » scande Mary, et une autre petite fille se perche sur le rebord de fenêtre, juste au-dessus de moi.

« Mes amies Sachi et Rory viennent d'arriver pour vous aider à voler, elles aussi ! annonce Rilla. Quatre enfants à la fois, s'il vous plaît. Voyons qui arrivera en bas le plus vite : les filles ou les garçons ? »

Les enfants prennent position sur le rebord des fenêtres, chacun à son tour. Sachi et moi achevons d'amortir le saut de la trente-septième et dernière fille avant qu'Elena et Rory aient cueilli le trente-septième garçon sur quarante. Plusieurs des filles poussent des hourras, les garçons vaincus grognent, mais, une fois au sol, presque tous semblent saisir la gravité de la situation. Ce quatrième étage hébergeait les enfants les plus âgés de l'orphelinat, les huit-quatorze ans, mais à présent certains supplient qu'on les laisse aller chercher à l'intérieur leurs frères et leurs sœurs plus jeunes.

Bekah retient de son mieux un garçon qui se débat, hurlant qu'il faut aller chercher Susie, sa petite sœur de quatre ans. Il frappe Bekah et la bourre de coups de pied, jusqu'à ce qu'un pompier intervienne de façon énergique. Rilla entreprend d'emmener les enfants vers la taverne qui a promis de les nourrir et de les héberger provisoirement, mais plusieurs refusent de partir tant qu'ils n'ont pas vu leurs copains sains et saufs. À la grande joie de son frère, Susie sort du bâtiment au milieu d'un petit groupe d'enfants menés par Sœur Edith.

Puis Daisy et Alexa émergent à leur tour, chacune avec un bébé gigotant dans ses bras.

« Le toit est en train de céder, de l'autre côté », nous informe Daisy hors d'haleine. Elle plaque le nourrisson dans les bras de Rilla, Alexa confie le sien à l'une des plus grandes orphelines. « Il n'y a plus d'enfants au deuxième étage ni au troisième, nous annonce-t-elle. Mais il y a encore les tout-petits du premier. Le mieux, pour les évacuer, ce serait de faire la chaîne. »

Les petits ? Je ne peux pas les porter, pas avec mon bras dans l'état où il est.

Je ne vais pourtant pas rester plantée là.

« Je monte sur le toit, voir si je peux aider Tess », dis-je bien haut, et je m'engouffre dans le bâtiment, me faufilant le long de la chaîne humaine de pompiers, de sorcières et de Frères qui se passent les bébés de main en main. La plupart des Frères ont laissé tomber leur cape noire, trop lourde dans cette fournaise, et ils ressemblent… ma foi, ils ressemblent à des hommes comme les autres, non plus aux croquemitaines de mes cauchemars. Ils prêtent main-forte, les manches relevées, des ruisselets de sueur zébrant leurs visages barbouillés de suie, semblables en tout point aux pompiers, hormis l'anneau de l'Ordre à leur doigt, et, lorsqu'ils ouvrent la bouche, leurs intonations de gens cultivés.

Je cours à l'escalier de service, dont la cage commence à s'emplir de fumée. Je gravis les marches quatre à quatre, mais m'arrête au deuxième palier, parce que le souffle me manque. Je tousse et reprends mon ascension. Au quatrième palier, l'escalier prend fin, et une échelle mène au toit. J'y grimpe, m'agrippant aux barreaux d'une main, avec une pénible impression de déjà-vu. Pour être franche, je ne tiens pas à me retrouver de nouveau dans les hauteurs aujourd'hui.

«Tess?»

Elle est là, debout, au bord du toit, le regard perdu sur la ville. Le vent est tombé. L'air paraît dangereusement immobile, comme il l'est avant un orage. Immobile aussi, Tess tient le vent en respect. À l'autre bout du toit, des flammèches courent déjà le long des gouttières. Finn et une poignée d'autres hommes – des Frères? des soldats du feu? – tentent de les étouffer. Le jet d'une pompe en contre-bas arrose le mur et les ardoises, mais ce n'est pas assez.

Je vois Tess frémir et vibrer, chaque bribe de son énergie concentrée sur ce feu, mais elle perd du terrain. M'entendant arriver, elle se tourne.

«Tu permets que je t'aide?» lui dis-je, et je glisse ma main vaillante dans la sienne.

Elle la serre et puise en moi, soutire ce qu'il me restait de magie... et ce qu'il me restait de force. Subitement, tenir debout me réclame un effort presque surhumain. Les yeux me piquent. Ma respiration me rappelle de façon odieuse les derniers instants de Maura. En bas, je vois un chariot se ranger au pied de l'immeuble, et plusieurs pompiers en descendre d'un bond, rejoindre les enfants, les faire monter à bord du véhicule. Ils ont beau se hâter, rien de tout cela n'est rapide. Du temps, il leur faut encore du temps.

Autour de nous voltigent des flocons de cendres, certains encore incandescents. L'un d'eux se pose sur l'épaule de Tess et je lâche sa main une seconde pour étouffer le feu naissant sur sa cape. C'est à peine si elle réagit. En bas, le chariot repart cahin-caha, emportant sa cargaison d'enfants et de pompiers tenant des tout-petits dans les bras. Quelques minutes plus tard, il revient à vide. Bekah et Daisy hissent de nouveaux bambins à bord. À l'aplomb de l'endroit où je me trouve, je vois Rory débouler de l'entrée, tirant Sachi par la main. De nouveau ma vue se brouille, mes jambes tremblent sous mon propre poids.

Soudain, Tess me donne une tape sur la nuque.

«Cate, tes cheveux!»

— Ne t'occupe pas de moi! Concentre-toi!» Je sens déjà le vent reprendre de la force.

Finn s'approche de nous sur le toit à grands pas. Les autres hommes ont disparu. «Venez vite, vous deux! lance-t-il. Ça y est, tout le monde est évacué!»

La douleur dans ma tête se fait plus violente que jamais, des taches dansent devant mes yeux. J'essaie de respirer un grand coup, mais tout a goût de cendres et j'ai la gorge en feu. Il fait si chaud ici !

Finn dénoue le mouchoir humide qui lui masquait le bas du visage – faisant de lui un de ces pirates dont j'aimais rêver à treize ans – et, délicatement, il le place sur le mien. Respirer devient un peu plus facile, mais je sursaute lorsqu'il effleure l'arrière de ma tête.

« Bon sang, dit-il, vous avez un bel œuf de poule, là-derrière. Croyez-vous pouvoir descendre l'échelle ?

— Il y a mieux », déclare Tess. Elle s'avance jusqu'à la gouttière. « Elena ? Pouvez-vous nous aider ? »

À travers mon mouchoir mouillé, je marmonne : « Tu es folle. » Mais une rafale rabat les flammes vers l'échelle, et Elena est en bas, qui nous attend.

Je saute.

C'est terrifiant. Pas du tout comme un vol d'oiseau, plutôt comme la chute d'une pierre, ou comme ces cauchemars où la sensation de tomber n'en finit pas. Malgré moi, je crie en voyant la rue s'élever vers moi, inexorable. Pour finir, mes bottines touchent le sol en douceur, mais mes genoux flanchent. En matière de courage, je n'arrive pas à la cheville de la petite Mary Fowler.

D'un bras passé autour de moi, Rilla m'empêche de m'effondrer.

« En route pour l'infirmerie, Cate. Vous tenez à peine debout », me dit-elle, tandis qu'Elena guide la descente de Tess, puis celle de Finn, jusqu'au sol.

« Je l'y emmène », décide Finn. Il me soulève, et la douleur à mon bras m'arrache un cri. «Pardon, ma belle. Je vais tâcher de faire attention.»

Ma belle. Il m'a appelée *ma* belle. Je tente un sourire, mais c'est plutôt une grimace.

«J'emmène Sachi aussi, annonce Rory qui nous rejoint, traînant littéralement sa sœur. Ses yeux ont un problème, elle n'y voit plus clair.

— C'est à cause de toute cette fumée», assure Sachi. Mais le blanc de ses yeux est injecté de sang, et son regard se perd dans le vague.

Je demande : «Et Prue ?

— Déjà à l'infirmerie, répond Sachi. Elle a une méchante brûlure dans le dos.»

Je lève les yeux vers Finn. «Et... Père ?

— C'est lui qui a conduit au Green Dragon la première cargaison d'orphelins. Tess va aller le retrouver là-bas. Je vous y emmènerai sitôt que vous aurez reçu des soins.» Il presse le pas.

Je regarde par-dessus son épaule et j'ai un petit choc. L'orphelinat entier vient de se faire happer par les flammes.

Je m'abandonne aux bras de Finn. M'interdisant de grimacer à chaque secousse, je me laisse réconforter par les vibrations de sa voix à travers sa poitrine tandis qu'il discute avec Rory.

Nous arrivons au parc. Finn s'arrête et me dépose dans l'herbe, très doucement. Dans la lumière de l'aube, le parc fourmille de monde. Autour des blessés s'affairent des dizaines de bénévoles : des sorcières guérisseuses, bien sûr, mais au coude à coude avec des médecins, des infirmières, et toutes sortes de personnes capables de soulager et d'apporter des soins.

Finn plie sa cape en quatre et me la glisse sous la tête en guise d'oreiller. Puis il s'allonge de côté dans l'herbe tout près de moi, en appui sur un coude, étirant ses longues jambes.

«Trois des quatre incendies sont maîtrisés, m'annonce-t-il. Les pompiers se concentrent maintenant sur le dernier feu, de l'autre côté de l'orphelinat. Ils devraient le maîtriser sous peu. Les choses auraient pu être bien pires.»

Il a raison, je le sais. Les choses pourraient toujours être pires. Pourtant mes yeux s'embuent.

Il se penche sur moi.

«Qu'est-ce qu'il y a? Où avez-vous mal?

— Maura...» Je ferme les yeux, mais les larmes débordent de mes paupières. «Maura est morte.

— Seigneur. Mais comment?» Il me prend la main.

Je lui raconte tout.

«Et je n'ai rien pu faire. Rien d'autre que rester auprès d'elle.» Finn essuie les larmes qui me contournent l'oreille. «Je sais qu'elle... elle avait été odieuse avec vous, Finn, et que vous devez la détester, mais...»

Je me tais net. Je m'en rends compte maintenant seulement: si Finn ne partage pas ma douleur, si au contraire la mort de Maura le réconforte, alors c'en est fini de nous deux.

«Non, Cate», dit-il, plongeant une main dans ses cheveux et envoyant voltiger des bribes de cendres. «Ce qu'elle m'a fait, ce qu'elle nous a fait était odieux, mais elle n'en était pas moins votre sœur.»

Alors je murmure : « Je vous aime ; mais elle aussi, je l'aimais.

— Bien sûr que vous l'aimiez. » De la pulpe du pouce, d'un frôlement, il chasse une nouvelle larme de ma pommette.

Je croyais avoir pleuré tout ce que j'avais de larmes, mais il m'en restait. Finn me soulève le buste très doucement, et, sans se soucier de l'inconvenance du geste, il me presse contre lui et me caresse les cheveux tandis que je sanglote.

« Les choses vont changer, murmure-t-il. Les Frères ne vont pas pouvoir maintenir hors la loi les sorcières et leur magie. Les gens ne l'accepteront jamais. Les sorcières, les gens ordinaires et les Frères vont devoir travailler main dans la main, à New London comme dans tout le pays. Voyez : c'est déjà le cas dans ce parc. Après la nuit que nous venons de vivre, plus rien ne sera comme avant. »

Chapitre 22

Dix jours plus tard, nous sommes à Chatham pour enterrer Maura.

Me retrouver à la maison est étrange, alors que, voilà deux semaines seulement, je croyais ce retour impossible. Mais il est encore plus étrange de me trouver là sans Maura.

À chaque instant, je m'attends à l'entendre m'appeler – pour mettre le couvert, par exemple – ou à la voir dévaler l'escalier pour me faire partager quelque scène échevelée du roman qu'elle est en train de lire, ou encore débouler dans ma chambre pour me demander de l'aider à agrafer le dos de sa robe. Hier soir, je suis restée assise un moment à sa coiffeuse, entourée de ses vieux rubans et du fantôme de son rire. Dans sa boîte à bijoux, j'ai retrouvé ce bracelet en faux diamant qu'elle portait, petite fille – elle adorait lui faire capter les rayons de soleil –, et j'ai fondu en larmes.

À présent, me voici debout dans le cimetière familial, entourée de tombes Cahill et d'un cercle de proches en sanglots, mais j'ai les yeux secs. À notre droite se trouve la tombe de Mère – *Anna Elizabeth Cahill, épouse bien-aimée, mère dévouée* –, auprès des cinq petites tombes de nos frères et sœurs qui n'ont pas vécu.

Juste à côté, un caveau béant, un monticule de terre, et un cercueil d'acajou dont je détourne les yeux.

Elena se tient à ma gauche, très belle en brocart noir. Père a été surpris de m'entendre demander qu'elle soit traitée comme un membre de la famille, mais lorsque j'ai ajouté que Maura l'aurait voulu ainsi, il s'est incliné sans insister. Tess est debout à ma droite, son petit visage très pâle, à côté de Père. Et tout près d'eux, Mrs O'Hare, notre vieille cuisinière, et son mari John, notre cocher et homme à tout faire. Mrs O'Hare se tamponne les yeux d'un mouchoir blanc brodé, et ses boucles grises s'agitent au rythme de ses sanglots. Nous ne sommes arrivés qu'hier ; elle n'a pas eu le temps de se remettre du choc de la disparition de Maura.

Non que nous en soyons vraiment remis nous-mêmes.

Frère Winfield a refusé de célébrer à l'église les funérailles d'une sorcière avérée, mais Père a convaincu Frère Ralston de se charger de l'office religieux ici-même. Père était indigné de nous voir interdits d'église, mais moi, cela ne me fait ni chaud ni froid. Maura aurait préféré les choses ainsi, d'ailleurs. Elle avait détesté chaque minute passée dans notre église de bois qui sentait le renfermé, au propre comme au figuré, à écouter des sermons dénonçant le caractère vicieux des sorcières. Dommage qu'il ne soit pas permis de célébrer des obsèques dans une librairie ! C'est là que Maura aurait aimé avoir sa cérémonie d'adieux.

Frère Ralston caresse ses favoris, puis s'éclaircit la voix.

«Bénis soient ceux qui pleurent un être cher, car ils seront consolés. Nous voici réunis ici par-devant le Seigneur pour nous souvenir de notre sœur Maura, pour rendre grâce de la vie qui a été la sienne… »

Je me mords la lèvre. Franchement, je n'ai pas le cœur à rendre grâce en cet instant. Je change de jambe d'appui et mes pieds font crisser la neige sous mes semelles. Les premiers flocons sont tombés hier, juste comme nous entrions dans Chatham. Le sol est recouvert d'un manteau de gros sucre blanc, épais de quatre pouces, qui étincelle au soleil sous certains angles – comme le bracelet de faux diamant au fond de la poche de ma cape.

Je me pique le pouce à une épine de la rose blanche que je tiens à la main. Bientôt, nous déposerons nos roses sur le cercueil, puis les fossoyeurs que Père a engagés descendront Maura au fond du caveau. Cela paraît impossible. D'un moment à l'autre, elle va sortir de la maison en trombe et courir nous rejoindre en criant : « Attendez-moi ! »

Un petit monticule de roses blanches de serre repose déjà sur le cercueil, avec un énorme bouquet de tulipes blanches d'importation. C'est Merriweather qui les a fait livrer ; elles ont dû lui coûter une fortune. Lui n'est pas venu, mais il a envoyé Prue avec Sachi et Rory.

Je jette un regard à mes amies, de l'autre côté du caveau. Ni Mei ni moi n'avons pu guérir les yeux de Sachi. Il leur faut le repos complet – ni lectures, ni travaux d'aiguille, rien qui puisse les fatiguer. En fait, elle ne devrait même pas être ici, dans cette lumière vive. Elle commence à distinguer de nouveau des formes vagues, mais sans plus ; le spécialiste n'est même pas certain qu'elle recouvrera tout à fait la vue Mei a pu venir a bout des brûlures de Prue, en revanche, et Rory est indemne, par miracle. Elle s'avise que je l'observe et incline la tête. Elle a une plume blanche dans les cheveux et une robe blanche sous sa cape noire, parce que Mei lui a dit que le blanc est couleur de deuil dans son pays natal, coutume qu'elle a aussitôt résolu d'adopter. Elle affirme avoir porté assez de noir pour le restant de ses jours.

Rilla et Vi sont ici, elles aussi. La première veille comme une mère poule sur la seconde, qui a les yeux aussi rouges et gonflés que ceux de Sachi – mais elle, c'est pour avoir trop pleuré. Il y a deux jours, nous avons enterré son père. Robert, notre cocher au couvent, essayait de sauver un gamin piégé dans une maison en flammes lorsque la charpente s'est effondrée sur eux deux. Vi n'avait que lui pour famille ; maintenant elle est seule au monde.

Mes yeux se posent sur Père un instant. Il a été très présent ces derniers jours, pas du tout comme après la mort de Mère, qui l'avait poussé à se retirer en lui-même. Il compte passer plus de temps à New London désormais. Il a l'intention de louer une maison à Cardiff, et il nous a demandé, à Tess et à moi, de venir vivre avec lui. Nous y réfléchissons. Bien franchement, je ne suis pas très habituée à la sollicitude nouvelle dont il nous entoure. C'est à la fois réconfortant et un peu étouffant. Mais Tess en est enchantée.

«Le Seigneur est mon berger ; je ne manque de rien. Sur des prés d'herbe fraîche, Il me fait reposer. Il me mène vers les eaux tranquilles et me fait revivre...» récite Frère Ralston.

Les eaux tranquilles. Mon esprit cueille ces mots au passage et m'emmène vagabonder, les yeux sur notre étang scellé d'une épaisse couche de glace. Quand nous étions enfants, nous patinions dessus chaque hiver – ou plutôt je patinais, avec notre voisin Paul McLeod, et parfois Maura insistait pour nous suivre. Paul et moi faisions des courses de vitesse, tandis que Maura traçait de gracieuses figures en huit et s'imaginait ballerine.

Paul a envoyé un billet de condoléances très gentil. Il serait venu à l'enterrement, mais il est cloué à New London, à peine relevé de la fièvre des estuaires. Je pensais que peut-être sa mère serait là, mais Agnes McLeod est une fervente dévote. Si elle a entendu dire que Maura était… Bon, elle se sera sans doute signée, et peut-être se sera-t-elle dit qu'une sorcière en moins en ce bas monde n'était pas une bien grande perte. Tous les journaux du pays – y compris *The Sentinel*, la voix même de l'ordre des Frères – ont publié de pleines pages de reportages sur le grand incendie de New London et sur la folie de Frère Covington, qui est retombé dans le coma.

Frère Brennan est revenu d'exil, et il a fait poster deux escouades de gardes autour du prieuré ; non pour restreindre nos mouvements, mais pour nous protéger. Les journaux ont révélé la véritable nature des Sœurs. Et bien qu'une large part de la population nous soit reconnaissante pour ce que nous avons fait, tant face au feu que face à l'épidémie, une forte minorité se cramponne à sa haine et à ses préjugés. Rilla, Tess et moi – mentionnées nommément dans les rapports des pompiers pour notre action lors du sauvetage de l'orphelinat – pourrions tout aussi bien avoir des cibles peintes dans le dos. Finn et Père voudraient que des gardes du corps me suivent dans chacun de mes déplacements. Pour ce voyage-ci, ils ont laissé les choses en suspens ; mais je soupçonne que nous n'avons pas fini de nous affronter à ce propos.

Finn se tient près de Rilla et Vi, avec sa mère, sa sœur et un Frère à barbe brune que je n'avais encore jamais vu. Finn a troqué la cape de l'Ordre contre un vieux manteau noir, et ses cheveux brillent dans le soleil. Nous ne nous sommes pas revus, lui et moi, depuis la nuit des incendies.

« Nous vous remercions, Seigneur, pour nous avoir donné Maura, pour les années partagées avec elle, pour le bien que nous avons vu en elle, pour l'amour que nous avons reçu d'elle », énonce Frère Ralston.

Moi aussi, Cate, je t'aime. Les derniers mots de Maura, souffle plutôt que son, reviennent frôler ma joue. Je lève les yeux vers le ciel bleu sans nuages – d'un bleu intense, comme les yeux de Maura – tandis que le reste de l'assistance baisse le front.

« Donnez-nous à présent la force et le courage de la remettre entre Vos mains… »

Je n'ai aucune envie de remettre Maura entre les mains du Seigneur. Je ne peux pas me défaire de l'idée qu'Il l'a trahie, que Sa vigilance n'a pas été à la hauteur. Ou peut-être est-ce moi qui n'ai pas été à la hauteur. Je revois l'adolescente qui chantait des chansons paillardes en s'accompagnant à la mandoline quand Père était en voyage ; qui passait les après-midi de pluie pelotonnée sur son canapé, à dévorer les hauts faits de ducs et de gouvernantes tandis que son thé refroidissait ; qui faisait surgir des fantômes de mon placard pour m'effrayer ; qui s'extasiait sur la lingerie fine et les mules de satin d'Elena lors de son arrivée chez nous. L'adolescente persuadée, jusqu'au jour de sa mort, que ses pouvoirs magiques étaient un don du ciel, non une malédiction.

Maura n'était pas parfaite, mais je ne le suis pas non plus. Je le voudrais, pourtant. Mais quoi que je fasse, ce n'est jamais assez. Je brûle de protéger ceux que j'aime, mais mon amour n'est pas assez fort.

L'accepterai-je jamais ? Comment font les autres ?

La nuit des incendies, cinquante-sept personnes ont trouvé la mort. Des centaines de logements ont été détruits. Oui, le bilan aurait pu être beaucoup plus lourd. Si les sorcières n'avaient pas immobilisé certains gardes ; si elles n'en avaient pas contraint d'autres à ouvrir les barrières de quarantaine ; si Alice n'avait pas arrosé le feu sur Bramble Hill ; si les pompes à incendie n'avaient pas atteint à vive allure un départ de feu qui menaçait le quartier commerçant ; si la voie ferrée n'avait pas fourni un coupe-feu naturel ; si Tess n'avait pas retenu le vent pendant toute la durée de l'évacuation de l'orphelinat... alors les victimes se compteraient par centaines.

Malgré tout, pour l'ordre des Sœurs, le coût humain paraît élevé. Alice a été tuée par la chute du château d'eau de Bramble Hill. Genie et Maud – quinze ans l'une et l'autre – ont perdu la vie lors de l'affaissement d'un immeuble. La petite Sarah Mae, l'une des rescapées de Harwood, a été grièvement brûlée en cherchant à sauver des flammes un chaton. Livvy a eu une jambe écrasée, et la fracture était si vilaine qu'aucune de nous n'a rien pu faire ; selon le chirurgien qui l'a opérée, il se peut qu'elle boite toute sa vie. Sœur Evelyn, notre doyenne, a eu une attaque d'apoplexie et ne quitte plus son lit au prieuré. Et Sœur Gretchen a été abattue par un soldat comme elle tentait d'ouvrir les barrières à l'un des postes de contrôle.

« Nous confions à présent ce corps à la sépulture ; la terre à la terre, la cendre à la cendre, la poussière à la poussière... » prononce Frère Ralston, et je rends mon attention à la cérémonie. J'ai évité jusqu'à présent de regarder ce cercueil, mais le moment est venu d'y placer les roses que nous tenons en main. Père va le premier. Tess lui succède. Mon tour vient.

Tous les regards sont sur moi. Ce n'est pas si difficile, Cate. Mets un pied devant l'autre, c'est tout. Cinq pas, rien de plus.

Je m'avance jusqu'au cercueil, et brusquement je ne peux plus bouger. Je reste là, paralysée, mon souffle bloqué dans ma gorge. La panique me saisit. Je me sens parfaitement idiote, ma rose blanche à la main, les yeux rivés sur le cercueil qui renferme ma sœur. Je ne suis pourtant pas du genre à perdre tous mes moyens, même dans des circonstances de ce genre. Mais mon corset me semble trop serré, je n'arrive plus à respirer, je...

Des pas crissent sur la neige derrière moi. Quelqu'un me prend le bras. Une main criblée de taches de rousseur saisit délicatement la rose entre mes doigts et la dépose en douceur sur le cercueil. Finn me raccompagne auprès des miens et m'enlace les épaules, en veillant bien à ne pas serrer mon bras plâtré.

« Respirez », me chuchote-t-il, ses lèvres tout près de mon oreille.

La voix de Frère Ralston fait silence enfin. L'assistance repart vers la maison à pas lents. J'entends les gens présenter à Père et à Tess leurs condoléances. Je devrais presser le pas, aller aider Mrs O'Hare à disposer le buffet froid sur la table. Mais la perspective de devoir faire la conversation à nos voisins m'épouvante, et je sais que Marianne, Clara et Rilla vont proposer leur aide.

Finn ne me bouscule pas.

«Prenez votre temps.» Derrière ses lunettes, ses yeux marron sont graves. «Je suis là. Ou bien je peux m'en aller, si vous souhaitez être seule un peu.

— Je ne sais pas ce qui m'arrive.» Je me sens rosir, et je m'écarte un peu de lui pour me replier sur moi. «Je ne m'étais pas effondrée à la mort de Mère. Maura et Tess avaient besoin de moi. Je ne le pouvais pas.»

Finn plisse le front, de cette manière qu'il a, formant un V inversé entre ses sourcils.

«Vous avez perdu votre sœur, Cate. La pleurer n'est pas de la faiblesse. J'ai pleuré aussi à la mort de mon père. Peut-être n'est-ce pas très viril, mais j'ai pleuré. M'en estimez-vous moins pour autant?»

J'ai un pauvre gloussement à travers mes larmes.

«Bien sûr que non.

— Alors, essayez d'être un peu moins dure envers vous-même.» Il cale derrière mon oreille une mèche blonde échappée. «C'était il y a dix jours seulement.» Je plonge les mains dans mes poches, misérable, et il se reprend. «Allons bon, j'ai dit ce qu'il ne fallait pas, c'est ça? Vos traits sont transparents comme du cristal, parfois.»

Contrairement à Tess, je n'ai jamais été très douée pour

les mots, mais pour une fois ils me viennent d'eux-mêmes, bruts, pressants.

« Je ne peux pas m'empêcher de me sentir perdue. J'avais fait une promesse, Finn. J'avais promis à Mère que je veillerais sur elles deux, sur leur sécurité, et durant ces quatre ans cette promesse a été toute ma vie. Ensuite est venue la prophétie. Pendant des mois, il ne s'est pas écoulé un jour sans que j'y pense, mais je ne pouvais rien faire pour l'empêcher de se réaliser. Et maintenant Maura, et… oh, je ne sais plus ! » Ma voix se brise.

« Vous ne savez plus que faire, voulez-vous dire ? suggère Finn.

— Oui, dis-je très bas. Je suis lamentable, n'est-ce pas ?

— Vous n'êtes jamais à moitié aussi lamentable que vous imaginez l'être. » Il s'arrête, m'adresse un franc sourire. « Justement, je voulais vous parler à ce sujet, mais je me disais que ce n'était peut-être pas le meilleur moment pour le faire.

— Me parler du fait que je suis lamentable ? » Je sens mes lèvres tenter un sourire. Un presque sourire. Mais une silhouette au loin attire mon regard. Un Frère. « Regardez, dis-je. Dans notre gloriette. Qui est-ce ?

— Ah. Je voulais vous présenter l'un à l'autre. Il faut qu'il reparte pour New London, mais il tenait à vous offrir ses condoléances. » Finn remonte ses lunettes sur son nez. « C'est Sean Brennan.

— Frère Brennan ? » J'ai un petit choc. « Et il attend ici, dans le froid, à cause de moi ? »

Brennan nous voit nous diriger vers lui et s'avance à notre rencontre sur le plancher de la gloriette. Il s'incline.

«Miss Cahill. Je partage votre peine pour le deuil qui vous frappe.

— Merci.» J'hésite. Dois-je m'agenouiller pour recevoir la bénédiction rituelle? Pour finir, je m'abstiens. «Et merci d'être venu. Vous avez sans doute beaucoup plus important à faire.»

Il chasse ma remarque d'un léger mouvement de tête. Il a dans les trente-cinq ans, une petite barbe brune taillée net et des yeux bruns très doux. De fines rides au coin de ses yeux révèlent qu'il ne déteste pas rire. «En réalité, parler avec vous figurait bien haut sur mon agenda. Cela dit, je ne veux pas empiéter sur votre deuil. Si vous ne vous sentez pas prête pour discuter...»

Je balaie du geste ses précautions polies.

«Vous êtes venu de loin. Je suis prête à entendre ce que vous souhaitez me dire.

— Très bien.» Il croise les bras sur sa poitrine. «J'ai regagné New London au lendemain des incendies, et depuis lors j'ai rencontré des membres de la Résistance, ainsi que des membres du Conseil national, afin d'examiner comment nous pourrions aller de l'avant ensemble. La quarantaine et les incendies orchestrés par Covington étaient une ignominie. Mais même avant cela, le public n'acceptait plus les mesures odieuses prises récemment par les dirigeants de l'ordre des Frères.» Il jette un regard à Finn. «Mesures contre lesquelles j'avais toujours voté, Frère Belastra peut en témoigner.

— *Mister*, rectifie Finn. J'ai quitté l'Ordre.

— J'ai encore l'espoir de vous faire changer d'avis. Nous avons grand besoin d'hommes de votre trempe», assure

Brennan, puis il me rend son attention. Jusqu'ici, tous les Frères auxquels j'ai eu affaire ne m'ont accordé au mieux qu'une vague bienveillance paternelle, celle qu'on réserve à une créature inférieure, docile ou présumée telle. Lui me parle avec le même respect naturel qu'à Finn. « Pour en revenir à ces mesures, je pense que la toute première chose à faire est d'annuler celle qui interdit aux femmes de travailler. Cela devrait déjà apporter une nette amélioration dans la vie des familles ordinaires. J'ai l'intention de prévoir des aides substantielles pour ceux qui ont été le plus durement touchés par le feu et par la fièvre des estuaires. De même, dès que possible, je voudrais faire passer une nouvelle mesure légalisant le statut de sorcière. »

Cette fois, je souris. Mon premier vrai sourire depuis des jours.

« Ce serait un rêve devenu réalité.

— Cela dit, même si je comprends que, par le passé, l'intrusion mentale a été un mal nécessaire pour votre protection, dorénavant elle sera illégale. Elle sera même un crime, passible de lourdes peines de prison. Tout crime de cette nature commis avant que la loi soit promulguée sera amnistié, mais par la suite les tribunaux seront sans pitié. Cela vous semble-t-il juste ?

— Tout à fait. Si je peux vous être utile... Si par exemple vous souhaitez des suggestions, pour ce qui est de choisir une personne pouvant servir d'intermédiaire entre les sorcières et le gouvernement...

— À vrai dire, coupe Frère Brennan, c'est à vous que j'espérais pouvoir confier ce rôle d'intermédiaire. Vous m'avez été hautement recommandée par Alistair Merriweather.

Pour être franc, j'espérais même que vous pourriez faire plus : nous rejoindre, Merriweather et moi, à la tête d'un nouveau conseil dirigeant. Vous avez démontré combien vous tiennent à cœur les intérêts de la communauté de New London tout entière, miss Cahill. »

Je regarde Finn, un peu étourdie, puis de nouveau Frère Brennan.

« Je... merci, sir. Je suis très honorée. Mais cela n'a jamais fait partie de mes ambitions. Si vous souhaitez inclure une sorcière dans ce conseil, cependant, je connais quelqu'un qui conviendrait idéalement à ce poste : ma gouvernante, Elena Robichaud. Tenez, elle regagne la maison à cet instant. »

Et je désigne Elena, qui achève de traverser le jardin aux côtés de Mrs Corbett.

« Bien, fait Brennan, hochant lentement la tête. Belastra m'avait prévenu que vous refuseriez sans doute, mais je tenais à tenter ma chance. C'est avec plaisir que je vais m'adresser à miss Robichaud... » Il hésite. « Il y a un autre point dont je voulais vous entretenir. Selon la prophétie, l'une des sœurs Cahill est la sibylle. Si quelque chose se révélait – quelque chose dont moi-même, ou le nouveau gouvernement, devrions avoir connaissance –, j'espère que vous viendriez m'en faire part. En échange, je ferai mon possible pour assurer la protection de votre vie privée.

— Oui, dis-je, frappée par son sens de la discrétion. Je pense que cela doit pouvoir se faire. Merci, sir.

— Merci, miss Cahill, d'avoir permis à la politique de s'introduire chez vous en un si triste jour. Je vous laisse, à présent. »

Il me salue, salue Finn et repart à grands pas dans le jardin enneigé en direction d'Elena.

« C'est un homme de bien, murmure Finn. Avec quelqu'un comme lui aux commandes, la Nouvelle-Angleterre devrait se porter beaucoup mieux. »

Je passe un doigt sur la balustrade de la gloriette, couronnée de neige. Maura serait heureuse de cet arrangement. Méfiante, bien sûr, à l'idée de faire cause commune avec les Frères, et soupçonneuse sans doute à l'égard d'un conseil dirigeant composé de deux hommes pour une femme. Mais la magie enfin légale – voilà qui ferait beaucoup pour gagner sa confiance. Je demande soudain :
« Êtes-vous certain, vous-même, de ne pas vouloir travailler avec lui ? »

Il sourit.

« Je crois que j'ai eu mon content de politique pour un certain temps. Et Merriweather, qui dorénavant va pouvoir vendre sa *Gazette* en toute légalité, m'a demandé de rejoindre sa rédaction.

— C'est merveilleux. » Je lui rends son sourire, malgré un petit pincement au cœur : il a déjà pris sa décision… sans m'en parler ? « Il a proposé un job à Rilla, aussi. Elle en est folle de joie.

— Et vous ? me demande-t-il. Quels sont vos plans ? »

Mon sourire faiblit.

« Je… ne sais pas trop encore. » Je me détourne pour masquer ma déception. Et moi qui croyais qu'il mesurait combien je me sens déboussolée, perdue ! Non seulement Maura n'est plus là, mais Tess… Tess a désormais un vrai père. « Je pense que j'aimerais soigner les gens qui souffrent. Utiliser mon don de guérison. Quelque chose comme infirmière, ou même médecin, peut-être.

— Mais vous comptez retourner à New London?

— Est-ce important?» Immédiatement je m'en veux pour le ton glacé que j'y ai mis.

« Oui. Pour moi. » Il me prend le bras d'une main délicate, veillant à ne pas bousculer l'autre bras, et m'oblige à le regarder en face. «Cate, je ne peux pas vous dire ce que vous souhaitez entendre, pas encore. Mais sachez ceci: *quand* je vous le dirai, ce sera pour de bon. Irrévocablement.»

Je répète d'une voix ténue, mais pleine d'espoir: «*Quand*? Pas *si*?

— Quand. » Il emprisonne ma main froide dans la sienne.

«Je m'éprends de vous un peu plus chaque jour qui passe. J'ignore si ce que j'aime en vous maintenant est ce que j'aimais en vous avant, mais c'est ainsi... Ce petit reflet de feu dans vos cheveux; votre façon de lever le menton quand vous vous fâchez, comme si vous chargiez dans une bataille; l'ardeur farouche avec laquelle vous protégez ceux que vous aimez; votre immense capacité à pardonner. Vous êtes une femme étonnante, Cate Cahill. Et pour finir...»

Il tire un objet de sa poche. Quelque chose de rouge capte un rayon de soleil. C'est la bague au rubis de sa mère, celle qu'il m'avait offerte lors de sa demande en mariage. Simplement, à présent, elle pend au bout d'une chaînette d'argent.

«Je l'ai retrouvée dans mon bureau. Elle est ma promesse

que nous allons, ensemble, retourner là où nous en étions – ou peut-être nous rendre ensemble ailleurs, en mieux. Acceptez-vous de la porter sur vous et de la conserver bien précieusement jusqu'à ce que je vous demande de la passer à votre doigt?»

J'ignorais que bonheur et chagrin pouvaient se mêler aussi intimement.

«Oui.»

Il passe la chaînette à mon cou et je me retourne pour qu'il actionne le fermoir sur ma nuque. Je serre l'anneau un instant dans ma main, puis le laisse retomber entre mes seins.

Lorsque de nouveau je pivote, ses yeux bruns me dévorent. «Puis-je vous embrasser?»

Je me jette contre lui, ma bouche cherche la sienne. Il caresse ma nuque d'un doigt, je frissonne et me presse contre lui plus fort. Puis je réponds très bas, contre ses lèvres · «Pas si je vous embrasse la première.»

Quelques instants plus tard, nous descendons main dans la main la pente enneigée de la butte et traversons le jardin. Je suis surprise que Père n'ait pas encore envoyé quelqu'un à ma recherche, il est devenu si papa poule ces derniers temps. Mais comme nous passons l'angle de la roseraie, une voix appelle.

«Cate? C'est toi?»

Tess.

Finn presse ma main. «Je rentre. Je vous laisse seules toutes les deux un moment.

— Merci.»

J'entre dans la roseraie – notre sanctuaire, jadis ; notre unique lieu sûr. Tess a débarrassé de sa neige le banc sous la statue d'Athéna. Elle paraît avoir froid et fait peine à voir, avec ses épaules tombantes et ses lèvres un peu bleues.

« Mais que fais-tu ici ?

— J'avais envie d'être seule. » Du geste, elle désigne les grandes haies qui nous abritent des regards. De la maison, personne ne peut nous voir. J'hésite, mais elle tapote le banc. « Mais quand je dis seule, ça ne te concerne pas, maligne. »

Je m'assieds à côté d'elle.

« Ça va ?

— Pas trop. » Elle fait la moue. « Triste. Coupable. Heureuse. Et re-coupable.

— Dis-moi ce qui te rend heureuse.

— Père a décidé que Vi pourrait venir habiter avec nous dans la nouvelle maison, dès que nous emménagerons. Il pense en avoir trouvé une bien. Avec une grande pièce, qui ferait une magnifique bibliothèque, d'après lui. Et l'une des chambres a une tourelle avec une banquette de fenêtre, et il a dit que je pourrais l'avoir. Et il y a une grande belle cuisine et il dit que Mrs Muir – c'est sa gouvernante à New London – me laissera sûrement venir l'aider. Il a même dit que Vi pourrait apporter son chat. » Une ombre passe sur ses traits. « Ce sera un bonheur que Vi vienne aussi. Nous nous connaissons bien, maintenant. Tu penses, à partager la même chambre ! Nous sommes comme des sœurs. enfin presque. Simplement… tu crois que Maura penserait que j'essaie de la remplacer ?

— Non. » Je suis formelle. « Elle ne s'estimerait pas si facile à remplacer !

— Elle ne l'est pas. Du tout. » Tess lisse sa cape noire. « Elle me manquera toujours.

— Je sais. À moi aussi. » Je pose la main sur celle de Tess et nous faisons silence un moment.

« Il y a toute une partie de moi qui ne veut plus faire de magie, jamais », avoue Tess soudain. « Je n'en ai pas fait depuis les incendies.

— Et pourquoi donc ? Ce n'est pas du tout ce que souhaiterait Maura. Elle était heureuse d'être sorcière. Il m'arrivait d'en être jalouse, moi qui voyais mes dons plutôt comme un boulet à traîner. »

Tess se penche en avant et plante ses coudes sur ses genoux. « Et tu le penses toujours ? Qu'ils sont un boulet ? Que la magie est un mal ?

— Non. » Je suis un peu surprise moi-même. La réponse m'est venue d'elle-même, franche et sincère.

Tess pousse un long soupir.

« Moi, je n'arrête pas de penser à ce que j'ai fait d'horrible. Je ne crois pas que la magie puisse redevenir amusante un jour. »

Je parcours des yeux la roseraie, morose sous sa chape d'hiver. Et une petite voix me revient en écho, dont je répète la question à voix haute : « Mais alors ça sert à quoi, tout ça, si on n'a même pas le droit de rendre les choses plus belles ? »

En pensée, je lance un sortilège, et les rosiers arbustifs se constellent de corolles rose vif et rouge sang sur fond de feuillage vert intense.

Tess réfléchit.

«C'est moi qui ai dit ça un jour, non? J'ai l'impression que tu imites ma voix.

— Oui, c'est toi qui l'as dit. L'automne dernier. Et tu avais raison. Tu as souvent raison. À ton tour.» Elle hésite. Je lui lance un coup de coude. «Allez! Maura en ferait autant, si elle était ici.»

Tess se met debout, et un instant je crois qu'elle va partir. Mais elle se retourne, et la statue d'Athéna est parée d'une jupe de clématites blanches.

Je renchéris, et Athéna se retrouve coiffée d'une fleur de tournesol géant.

Tess ne dit rien, mais une marée de narcisses jaunes déferle sur la roseraie. Le narcisse, annonciateur du printemps, la fleur préférée de Maura. Ses trompettes lumineuses se bousculent au pied des rosiers et du banc de marbre sous la statue, elles se pressent en rangs serrés tout au long de l'allée qui mène au reste du jardin. Nous n'avons qu'à allonger le cou pour les voir, en bataillon, monter à l'assaut du coteau.

Tess rayonne.

«Tu ne me demandes pas de les faire disparaître? Immédiatement et sans délai? C'est contraire aux règles, tu sais.

— Non.» Je hume le parfum doux des roses sauvages et mon cœur se fait plus léger. «Non, ces règles-là ne s'appliquent plus.»

Remerciements

Lancer dans le monde une trilogie est un immense travail d'équipe. Merci à tous ceux qui ont soutenu nos *Sœurs sorcières* au fil des quatre années écoulées, et plus particulièrement à :

Jim McCarthy, mon agent. Vos précieux conseils m'ont accompagnée tout au long du chemin.

Ari Lewin, mon éditeur. Travailler avec vous m'a permis d'apprendre des quantités de choses. Vos exigences m'ont fait énormément progresser. Et merci d'avoir aimé mes jeunes sorcières presque autant que moi.

Katherine Perkins, pour votre soutien éditorial, et pour tous ces détails en coulisse dont je n'ai même pas conscience. Anna Jarzab, Elyse Marshall, Jessica Shoffel, et toute l'équipe du marketing et de la publicité, qui avez contribué à la rencontre de ces livres avec leurs lecteurs. Sans parler de vous tous qui, chez Penguin, avez ligué vos efforts et votre enthousiasme pour donner vie aux sœurs Cahill.

Andrea Cremer, Marie Lu et Beth Revis – mes merveilleuses « sœurs Souffle coupé » – pour m'avoir montré quel genre d'auteur (et de personne) je désire être.

Liz Richards, Fiona Paul et Kim Liggett, pour avoir toujours été là, à l'autre bout de mes courriels de détresse.

Ma formidable équipe de critiques – Kathleen Foucart, Andrea Lynn Colt, Miranda Kenneally, Caroline Richmond, Tiffany Schmidt et Robin Talley – pour m'avoir lue avec tant de diligence, et m'avoir dit quels passages vous avaient fait pleurer. (Eh oui !) Sans oublier nos « retraites » entre filles, avec vin, fromage et commérages. Vous êtes irremplaçables.

Ma famille et mes amis, pour vous être tous faits les champions de mes écrits, inlassablement et avec une incroyable efficacité.

Mon mari, brillant auteur de théâtre, toujours prêt pour une séance de brainstorming quand j'en éprouve le besoin, même si c'est à quatre heures du matin. Merci pour m'avoir aidée à démêler tous ces nœuds dans mon scénario. Je t'aime.

Ce troisième volume est dédié à mes sœurs, Amber et Shannon. Voilà quatre ans, j'avais rêvé que nous nous disputions un médaillon magique donné par notre mère, et, bien que cette trilogie ne comporte pas de médaillon magique, c'est de là qu'est née l'idée d'un récit impliquant une fratrie, maelström inextricable d'amour et de rivalités. Merci d'avoir contribué à m'inspirer Maura et Tess.

À mes amies Jenn Reeder, Liz Auclair, Laura Sauter et Jill Coste, mes sœurs de cœur, merci d'être toujours là pour moi, pour fêter les temps forts et partager les creux de vague. Sans vous, j'aurais été perdue, et c'est grâce à vous que j'ai doté Cate d'amis solides et talentueux.

Aux libraires, bibliothécaires, représentants et vendeurs, sans oublier les blogueurs, qui recommandent mes livres et leur attirent des lecteurs, merci mille et mille fois. Vous êtes mes héros.

Enfin, et ce n'est pas rien, merci à mes lecteurs ! Publier cette trilogie aura été pour moi un rêve devenu réalité.

Merci d'avoir partagé avec moi ce bout de chemin en compagnie de Cate et ses sœurs.

L'auteur

Jessica Spotswood a grandi dans une petite ville de Pennsylvanie. Au lycée, elle écrivait déjà des romans historiques, pleins de scènes de badinage et de baisers fougueux (elle les juge aujourd'hui épouvantables). Elle a ensuite fait des études de théâtre à l'université de Washington avant de s'avouer, diplôme en poche, qu'elle préférait l'écriture au théâtre. Elle s'est alors plongée dans la lecture des livres de son enfance, puis de la littérature jeunesse contemporaine. *Sœurs sorcières* est son premier roman. Elle vit aujourd'hui à Washington avec son mari dramaturge et son chat Monkey.

ENVIE DE DÉCOUVRIR
DES EXTRAITS D'AUTRES ROMANS?
ENVIE DE PARTAGER
VOS AVIS SUR VOS LECTURES PRÉFÉRÉES?
ENVIE DE GAGNER DES ROMANS EN EXCLUSIVITÉ?
REJOIGNEZ-NOUS SUR

www.lireenlive.com

ET SUIVEZ EN DIRECT L'ACTUALITÉ
DES ROMANS NATHAN